CB030334

UMA ÉPOCA PERIGOSA PARA SER MULHER

ANYA BERGMAN

AS BRUXAS DE VARDØ

São Paulo

2023

EXCELSIOR

BOOK ONE

Tradução	*Lina Machado*
Preparação	*Daniela Toledo*
Revisão	*Mariana Martino* *Isabella C. S. Santucci*
Arte e projeto gráfico	*Francine C. Silva*
Ilustrações e capa	*Marcela Lois*
Diagramação	*Bárbara Rodrigues*
Impressão	*COAN Gráfica*

Dados Internacionais de Catalogação na Publicação (CIP)
Angélica Ilacqua CRB-8/7057

Bergman, Anya

B432b As bruxas de Vardø / Anya Bergman ; tradução de Lina Machado. — São Paulo : Excelsior, 2023.

368 p.

ISBN 978-65-80448-88-3

Título original: *The Witches of Vardø*

1. Ficção inglesa 2. Ficção histórica I. Título II. Machado, Lina

23-3254 CDD 823

SIGA NAS REDES SOCIAIS:
@editoraexcelsior
@editoraexcelsior
@edexcelsior
@editoraexcelsior

editoraexcelsior.com.br

SOBRE A AUTORA

Anya Bergman se interessou pelos julgamentos de bruxas de Vardø e pelos vívidos contos folclóricos do Norte quando morou na Noruega. Ao visitar o memorial Steilneset, no qual Louise Bourgeois e Peter Zumthor homenagearam as pessoas perseguidas como bruxas, ficou fascinada por suas histórias. Hoje reside na Irlanda e faz seu doutorado pela Published Works na Edinburgh Napier University, na Escócia, onde também leciona e, além disso, atua como mentora para a Jericho Writers. Está trabalhando em seu próximo romance, o qual une os destinos de duas mulheres muito diferentes no cenário tumultuado da Revolução Francesa.

Para todas as filhas de bruxas
E especialmente para Marianne

"Há mais bruxas na Noruega [...] do que no resto do mundo."

– Jean Bodin, De la Démonomanie des Sorciers, 1580

"Todos os habitantes da Noruega são cristãos devotos, exceto aqueles que residem perto do oceano no extremo norte. Essas pessoas estão tão imersas na arte da feitiçaria e da conjuração que afirmam saber o que cada indivíduo no mundo está fazendo."

– Adão de Bremen (1044 –1080)

PARTE UM

PRIMAVERA
1662

CAPÍTULO 1
ANNA

TERCEIRO DIA DE ABRIL DO ANO DA GRAÇA DE NOSSO SENHOR, 1662

O Norte selvagem me mantinha cativa. Eu estava presa na neve que caía e era cegada por uma luz branca ofuscante, livre de qualquer sombra. De pé no convés do navio, e não havia nada diante de mim.

Não via nenhum caminho à frente.

Sem abrigo, a neve cobria minha capa. Impermeável como alabastro[1], eu sentia frio, mas não tremia, os nós dos meus dedos estavam roxos e meu coração, vazio. As horas se estendiam, mas eu não tinha pressa de chegar à terra.

Quando fiquei coberta de neve, sua queda começou a diminuir. Sacudi os ombros e a neve caiu da minha capa enquanto os últimos poucos flocos espiralantes desciam. O crepúsculo azulado emergiu.

Finalmente, consegui ver nosso destino.

Mal chegava a ser um porto, cercado por um pequeno enclave de habitações rudimentares. Recebi ordem para desembarcar e cambaleei passarela abaixo, com as pernas inseguras depois de tantas semanas no mar. Um vento cortante me impeliu para as terras desoladas do Norte, como se a mão de um homem estivesse me empurrando mais uma vez.

Foi ali que o capitão Gunderson se despediu. Lamentei separar-me dele.

Tivemos várias discussões teológicas durante a minha jornada ao longo da traiçoeira costa da Noruega. Ele me mantinha a salvo do perigo e impunha um nível de respeito à sua tripulação. Eu temia que o capitão Gunderson fosse o último homem civilizado que veria naquela região selvagem.

---

1 Trata-se de uma pedra branca ou clara, semelhante ao mármore, bastante utilizada em esculturas da Baixa Idade Média. (N. T.)

Certamente foi o que pareceu quando um homem de aparência bruta se aproximou de mim. Sua barba era um emaranhado selvagem de vermelho coberto de gelo, e sua pele estava encardida.

Ele parou para cuspir na neve. O catarro amarelo manchou o branco puro. Dei um passo para trás, enojada, mas ele me agarrou pelos ombros.

– Por que você não está acorrentada?

Ele me sacudiu. O fedor de seu hálito era desagradável, e notei um sotaque escocês.

– Consideraram desnecessário – respondi ao homem odioso, incapaz de esconder o tom altivo em minha voz.

Ele bufou, girando uma grande chave em seu cinto.

– É melhor você se lembrar do que é, Fru Rhodius… a prisioneira do rei. – Ele cuspiu mais uma vez para enfatizar seu poder sobre mim. Segurei o vômito e mantive a cabeça erguida enquanto ele continuava a falar: – Sou o beleguim Lockhert, e agora você está sob minha guarda até segunda ordem.

Até segunda ordem.

As palavras queimaram como se tivessem sido marcadas a ferro em brasa na minha pele.

Como você foi cruel ao não me dar uma data para o seu perdão. Estou por um fio, esperando que você mude de ideia enquanto me manda para longe. Por que tão longe?

– Se causar qualquer problema – declarou Lockhert, sério –, vai ser acorrentada.

Que revoltante! Como se eu fosse me comportar de alguma maneira que fosse contra as suas ordens! Lancei um olhar fulminante ao meu novo carcereiro, mas sem causar grande impacto, conforme ele me empurrava em direção a um trenó preso a três renas.

Havia um condutor enrolado em peles de rena e chapéu de pele, com as rédeas frouxas nas mãos. Apesar de seus chifres ramificados, as renas tinham um ar manso. A que estava atrás, mais perto de mim, virou a cabeça com um olhar quase humano de simpatia. Fiquei surpresa com o salto do meu coração e quis muito acariciar sua cabeça, mas o rude Lockhert me empurrou para a parte de trás do trenó.

A escuridão agora estava se acumulando e foi, de fato, a noite mais fria da minha vida. Fiquei grata pelas peles amontoadas ao meu redor.

Fazia muito tempo que eu não sentia um frio tão profundo nos ossos, pois, nos últimos anos, um fogo sempre ardia em minha barriga, mantendo minhas extremidades aquecidas; em algumas noites, eu acordava em meu quarto, em Bergen, com um calor insuportável dentro de mim, como se estivesse em chamas. Atirava as cobertas no chão, para grande aborrecimento de Ambrosius, e até mesmo abria a janela, não importava a estação, para respirar o ar fresco, apesar de meu marido reclamar que estava desconfortável. Não muito tempo depois, ele deixou de compartilhar meu quarto. Dormimos separados por várias semanas, mesmo antes de eu partir para Copenhague.

Pensei em meu marido agora, a salvo, em casa, em Bergen, fazendo seu passeio diário pelo jardim, colhendo minhas ervas e plantas. Contorci-me no assento, frustrada. Ele com certeza erraria todos os remédios, como sempre fazia. Não dava para confiar que Ambrosius não envenenaria uma pobre alma sem que eu estivesse ao seu lado para auxiliá-lo.

Mas seria noite em Bergen àquela hora, e o doutor Ambrosius Rhodius estaria sentado ao lado de sua lareira na cadeira de veludo verde, com seus óculos na ponta do nariz, lendo *meus* livros. *Enfim paz*, ele estaria pensando.

Tudo o que eu possuíra: uma bela casa, um marido respeitável, o jardim mais abundante de toda Bergen e a maior biblioteca da Noruega – estava perdido. Perdido. Perdido.

Eu estava tão determinada a não derramar nem sequer uma lágrima que mordi o lábio e senti gosto de sangue.

Era lua cheia e uma luz prateada me cercava. A aldeia atrás do porto estava silenciosa e escura, todas as almas dentro de seus minúsculos casebres. Enquanto esperava o trenó começar a se mover, pude ouvir o mar batendo gentilmente nos barcos de pesca. Meu olhar percebeu um movimento, e eu me esforcei para me endireitar um pouco no trenó. Ali, espreitando entre os chalés, pensei ter visto um homem alto usando capa e chapéu na cabeça.

Ah, foi um truque do luar, pois a figura sombria desapareceu. Em seu lugar surgiu uma lembrança de você, de quando éramos jovens, com seu cabelo longo, escuro e encaracolado sobre os ombros, o sorriso em seu olhar ao estender as mãos para as minhas. "Vamos dançar, Anna", você disse.

Eu estava com tanto frio agora, tremendo sem controle, apertando minhas mãos cobertas por luvas e em punhos e enfiando-as fundo em minhas partes.

Saímos em um ritmo acelerado e o frio do Ártico fez minhas bochechas arderem. Abaixei o gorro de pele o máximo que pude e puxei as peles de foca sobre o rosto, deixando apenas os olhos expostos. Ainda conseguia sentir o cheiro do mar frio nelas, e elas tinham uma oleosidade desagradável. O oceano estava cheio de perversidade pagã nessas regiões do Norte.

O capitão Gunderson havia me dito que eu seria transportada de trenó através da Península de Varanger. Quando chegássemos à vila de Svartnes, eu cruzaria, em outro barco, o apertado Estreito de Varanger até o local do meu exílio, a fortaleza de Vardøhus, na pequena ilha de Vardø.

O pensamento me fez tirar uma das mãos que tinha entre as pernas e pressioná-la no peito, onde pude sentir o leve entalhe da cruz – meu bem mais precioso. Mas, claro, isso você deve saber.

Mergulhamos no ermo, atravessando a tundra nevada sob o vasto céu noturno que se enchia de estrelas. Ergui o olhar para a luminosa lua cheia, a última antes da estação pastoral. Ambrosius a chamava de Lua do mártir. Pensei em Cristo e em seu sacrifício pela humanidade.

Eu fui seu sacrifício? Confesso que seria um alívio antes estar ao lado do Bom Deus do que viva, tremendo de pavor a cada sacolejar do trenó que me aproximava dos limites de seu reino e da porta do Inferno.

Você disse para que eu nunca mais lhe escrevesse uma palavra, de tão cansado de minhas constantes petições. Mas se esquece de que, da mesma forma que meu dever, como sua súdita, é para com você, o seu, como meu rei, é um serviço divino para comigo também. Pensou que iria silenciar-me ao ordenar que toda a tinta fosse tirada de mim, mas isso não será suficiente.

Você receberá minhas missivas do Norte, estou determinada.

Seguimos sob o céu prateado do Norte por horas, meus ossos chacoalhavam e minhas articulações doíam. Minhas pálpebras pesavam, embaladas por uma imagem na minha mente. Ajoelhava-me diante de meu rei, trajada com meu melhor vestido de seda azul, e sua mão, enfeitada com pedras preciosas, repousava sobre minha cabeça. Eu conseguia sentir a gratidão de sua palma ao coroar-me.

Fui arrancada do meu devaneio pelo som do grito do condutor. Eu podia ver os traseiros das renas fora da formação, deslizando sobre a neve traiçoeira. O beleguim Lockhert rugiu para que eu me segurasse firme, mas não adiantou, pois o trenó estava fora de controle. Derrapou no gelo e subiu em um monte de neve tão alto que tive de me agarrar às laterais de madeira do trenó para não cair de cabeça. Preparei-me para dar uma volta completa, temendo quebrar os ossos, mas, em vez disso, caímos de volta na neve compactada e derrapamos até parar.

Meu chapéu havia caído por cima do rosto, e eu ouvi o baque pesado das botas de Lockhert aterrisarem na neve. Empurrei o chapéu para trás e vi sua figura corpulenta afastando-se, enquanto o condutor acalmava as renas assustadas. Nenhum dos dois viera verificar como eu estava. Arrastei-me para fora do trenó virado, tentando ver onde meu precioso baú de remédios havia caído. Estava a uma curta distância, seu conteúdo espalhado sobre a neve e iluminado pelo luar. Enquanto tropecei em direção a ele, tive a visão mais surpreendente. Do outro lado do meu baú estava uma garota de pele escura, não exatamente uma mulher, com cabelos pretos soltos, vestida com um manto de penas. O mais surpreendente foi que ao seu lado estava um grande gato selvagem. Nunca tinha visto tal criatura antes. Seu pelo macio era levemente manchado e sua uma barriga era do mais puro branco. Tinha orelhas grandes, afiladas com longos tufos de pelo. Seus olhos eram da cor do âmbar e estavam fixos em mim, destemidos, inabaláveis.

Neste encontro entre mim, a menina e o gato, o ar pareceu feito de vidro fino. Minha respiração emplumada escapava em baforadas pesadas, mas, apesar do frio, a garota não tremia.

Ela colocou a mão na cabeça do grande gato, que continuou a encarar-me, mas foi a garota que mostrou os dentes, não o animal.

Meu coração pulou de medo, porque nunca tinha visto um humano, muito menos uma jovem, fazer tal expressão.

A garota estranha balançou a cabeça, e seu rosnado se transformou em uma gargalhada, como se estivesse feliz em assustar-me.

– Quem é você? – questionei.

Mas ela abriu os braços, de modo que sua capa de penas se transformou em duas grandes asas, e então desapareceu, entrando em um bosque de bétulas prateadas, o grande felino em seu encalço.

Recuperei às pressas o conteúdo do meu baú de remédios, temendo que a garota e a fera voltassem, mas quando ergui o olhar de novo, segurando o baú com força, vi Lockhert voltar correndo da floresta, com um arco e flecha no ombro.

– Você conseguiu? – perguntou o condutor, prendendo os arreios das renas nervosas.

– Não, foi rápido demais – respondeu Lockhert. – O que um lince está fazendo por aqui?

O outro deu de ombros. Claro, era um lince. Eu tinha ouvido falar desses grandes felinos das regiões do Norte. Quão magnífico seria um manto de sua pele macia e lustrosa!

– E a garota? – perguntei, batendo a neve da minha capa. – E a garota?

Lockhert se virou e franziu a testa para mim.

– Sobre o que está falando?

– Havia uma moça com o lince – insisti. – Não a viu? Ela tinha longos cabelos pretos e usava um manto de penas… – Parei, percebendo o quanto isso soava improvável.

– Estamos a duas horas de viagem da aldeia mais próxima, então quem você acha que pode estar perambulando pela floresta com um lince? – Lockhert me desafiou com um tom de escárnio na voz.

– Ela estava bem ali – insisti. – E ela me ameaçou…

– Basta! Fui avisado sobre a sua língua afiada, mas isto é histeria de uma bruxa velha.

Meu corpo enrijeceu com os insultos. Eu nunca havia sido chamada de velha antes; na verdade, quando ele estava próximo, pude ver que eu era mais nova do que meu carcereiro, pois as rugas sujas eram profundas no rosto de Lockhert.

– Como se atreve… – Mas antes que eu pudesse terminar, ele colocou a mão imunda sobre minha boca.

– Cale a boca – disse ele, e o cuspe atingiu minha testa. – Seu transporte já nos causou problemas demais. – Com isso, ele tirou uma corrente do cinto e começou a enrolá-la em meus pulsos.

Em todas as minhas semanas de cativeiro, mesmo durante o julgamento, não fui tratada com tanta indignidade. Tentei lutar, mas ele empurrou a mão contra meu peito com tanta força, que senti que poderia partir meu coração.

Embora, meu rei, meu coração já estivesse partido.

Com o trenó endireitado e as renas acalmadas, tornamos a partir. Lockhert havia me acorrentado com tanta força que eu não conseguia me mexer e fui forçada a ficar deitada de costas. Olhei para a imensidão prateada da Lua do mártir com a fúria percorrendo cada parte do meu ser.

Absorvi a luz da lua e fiz um juramento. Não seria uma mártir, submissa, muda e humilde, pois era contra a minha própria natureza.

A imagem da garota rosnando surgiu diante de mim. Houve um momento de reconhecimento, estranho e sem sentido. Eu tinha certeza de que ela era real, mas não conseguia compreender.

CAPÍTULO 2
INGEBORG

A mudança na mãe de Ingeborg ocorreu muito antes de o mercador Heinrich visitá-las pela primeira vez.

Dois anos e meio antes, no inverno de 1659, eles eram como todas as outras famílias de pescadores da Península de Varanger: ganhavam a vida, enquanto os cardumes de bacalhau diminuíam cada vez mais, afastaram-se mais para o sul, sobreviveram durante longos meses sombrios com pesadas dívidas com os mercadores de Bergen por grãos e agarraram-se ao breve verão para colher o máximo que pudessem do solo ressecado do Ártico. A vida era difícil no vilarejo de Ekkerøy, enfiado entre dois montes de areia branca e penhascos brancos. Mas foram uma família próxima, consolada por sua união. Houvera leveza e risadas. Uma mãe e um pai, um filho e duas filhas.

Mas agora havia apenas três deles.

Ingeborg tinha vivido dezesseis verões, de acordo com a mãe. Era quatro anos mais velha que sua irmã Kirsten, embora fossem da mesma altura. Ingeborg era pequena, mas forte e veloz. Apenas no rosto de Ingeborg era possível notar que ela era a mais velha: no castanho solene de seus olhos, na expressão de seus lábios, que revelava que ela já tinha ouvido e visto muito.

Parecia ter passado pouco tempo desde que ela e o irmão mais novo, Axell, percorreram a costa coletando segredos do mar: minúsculas conchas de caracol, folhas de algas marinhas brilhantes, troncos com nervuras, ouriços-do-mar pontiagudos, seixos tão lisos quanto pedras preciosas polidas e penas de pato macias.

Tinha sido um daqueles raros verões no Norte. A chuva se mantinha afastada em nuvens suaves, e o Sol da meia-noite abençoava o vilarejo. Axell e Ingeborg vagaram pela terra pantanosa, rica com o verde, amarelo e marrom da grama, os aglomerados do branco algodão do pântano e de urzes roxas. À direita, estendia-se o mar cinza-claro e liso, contido pelas distantes montanhas lilases de terras onde nunca estiveram. A noite clara fervilhava de mosquitos e bandos de gaivotas disparavam rumo aos penhascos, bombardeando-os com suas notas estridentes.

O irmão a levou pela costa saliente de Skagodden, até a face rochosa repleta de aves marinhas. Ele estava ensinando-a a escalar.

– Imagine que você é um gato – instruiu ele.

Ela se imaginou como um pequeno gato malhado. Sua apreensão desapareceu, enfiou as pontas da saia dentro do corpete para poder escalar com a mesma facilidade de um menino e escalou as rochas com desenvoltura.

– Somos caçadores, Ingeborg – declarou Axell do topo do penhasco, inclinando-se e estendendo a mão para ela. – Nossos olhos sempre na presa. Nunca olhe para baixo.

Muitas vezes, depois que Axell se fora, Ingeborg refez os passos dele.

As pedras nunca eram afiadas demais para seus pés descalços, tampouco ela tinha medo de escorregar nas pedras molhadas e cair. Axell dissera que ela poderia fazer qualquer coisa se quisesse, apesar de ser apenas uma menina, apesar de ser pobre.

A última vez que ela e o irmão escalaram o penhasco, roubaram os ovos de uma gaivota.

– Está vendo o ninho? – Axell apontou. – É nosso alvo.

– É muito alto – murmurou ela, em dúvida.

– Mas você consegue, Ingeborg. Você escala melhor do que eu. – Ele cuspiu nas mãos e as esfregou. – Devemos ficar bem quietos, porque se a gaivota nos ver, ela vai atacar. – Ele lançou uma piscadela para ela. – Não quer ter o olho bicado por uma gaivota, quer?

Eles subiram pela face do penhasco, sem considerar o fato de que estavam tão alto que, se caíssem, acabariam despedaçados nas rochas abaixo.

Axell a deixou roubar os dois primeiros ovos. Eram grandes, do azul mais claro, e salpicados de marrom como as sardas no nariz do irmão. Ingeborg colocou-os no pequeno saco que tinha em volta do pescoço, acrescentando ao tesouro de pólipos de algas e conchas daquele dia.

Foi Axell quem alertou a gaivota sobre a presença deles, quando estendeu a mão para pegar um terceiro ovo. Ele teve de agarrar-se de repente a um afloramento de rocha, borrifando-os com pequenas pedras e gravetos.

Ele apanhou o último ovo às pressas, enfiando-o no bolso enquanto deslizavam de volta pelo penhasco, sob o ataque furioso da mãe gaivota. Ingeborg abaixou a cabeça quando as asas da gaivota bateram na lateral de sua bochecha. Seu guincho desvairado penetrava os ouvidos. Sentia-se perversa por pegar os ovos, no entanto, estava animada por ser uma ladra.

Eles pousaram na praia lamacenta. A gaivota ainda dava rasantes para atacá-los. Correram de mãos dadas por entre as rochas salpicadas de branco pelo cocô de pássaros, e entraram em uma pequena caverna.

Agacharam-se na rocha molhada e sorriram um para o outro. A gaivota havia bicado o irmão no alto da cabeça, e um rastro de sangue escorria de seu cabelo castanho-claro até o rosto pálido.

Ingeborg tirou um dos ovos de gaivota de sua bolsinha e o segurou na palma da mão, admirando sua delicadeza.

– O passarinho ainda está dentro do ovo? – perguntou a Axell.

– Talvez sim, talvez não – disse ele, tirando-o da mão dela e jogando-o no ar.

– Cuidado!

Axell riu, jogando a cabeça para trás de alegria.

O irmão havia dito a ela que não seria pescador como o pai. Que um dia ele seria um mercador como o jovem e impetuoso Heinrich Brasche.

Agora, ele se virou para ela e disse:

– Vou navegar para o Leste e voltarei trazendo especiarias, pedras preciosas e sedas. Terei uma grande casa em Bergen. Em minha casa, colocarei um armário cheio de conchas, caveiras, nozes e ossos dos quatro cantos do Novo Mundo. – Axell segurou as mãos dela. – Vamos deixar Ekkerøy, irmã, e nunca mais voltaremos.

Na noite de verão em que roubaram os ovos, Ingeborg e Axell correram para casa para apresentar seu tesouro à mãe.

– Que menino esperto você é – disse ela, despenteando o cabelo do filho como se apenas ele os tivesse coletado.

– Ingeborg escalou mais alto do que eu! – Axell disse à mãe. Mas ela não pareceu ouvir enquanto observava os grandes ovos que o filho havia colocado em suas mãos.

– Vamos nos banquetear com eles – disse ela.

Nada jamais se igualara ao sabor daqueles ovos de gaivota. A mãe de Ingeborg os quebrou na frigideira e, com uma lasca de manteiga e uma pitada de sal, cozinhou-os no fogo. Pareciam ouro derretido. Havia um para cada um deles: para ela e Axell, para sua mãe, seu pai e Kirsten.

Depois que o último ovo foi comido, Axell deu as cascas dos ovos para a irmãzinha, Kirsten. Ela havia alinhado as metades abertas ao redor das bordas de pedra da fogueira para cozinhar.

Mas a mãe disse a Kirsten para esmagá-las e jogá-las fora.

– Quero ficar com elas – protestou Kirsten.

– Não, Kirsten, quebre-as. Bruxas usam as conchas para navegar no mar – disse a mãe a eles –, elas vão criar tempestades e destruir barcos.

Kirsten olhou para o pai com olhos suplicantes, pois ele sempre intervinha quando a mãe era dura demais.

– Faça o que sua mãe mandou, Kirsten – disse o pai, com rispidez.

Kirsten juntou as cascas, de cara fechada, com seus cachos ruivos rebeldes, enquanto saiu batendo os pés com as cascas embaladas em suas duas mãozinhas.

*

No dia 7 de outubro de 1659, Axell foi pescar com o pai pela primeira vez.

A mãe de Ingeborg havia protestado com veemência.

– Ele é jovem demais – argumentou ela com o pai. – Ainda não.

Mas todos sabiam que doze anos era a idade na qual os meninos pescadores iam para o mar. Mesmo que fossem ficar fora por semanas.

Além disso, Axell queria ir com o pai.

– Vou ficar bem, mãe – assegurou ele. – Não quero ficar para trás com as mulheres.

Axell sempre havia sido o favorito da mãe. Depois que eles saíram para pescar, ela ficou ainda mais irritada com Kirsten. Ingeborg conseguia evitar as palmadas por ser boa nas tarefas domésticas, mas a irmã sempre dava um jeito de irritar a mãe. Ela não batia a manteiga direito, ou não varria da forma certa, ou por que diabos cantava canções bobas para a ovelha?

À medida que o inverno se prolongava e a mãe ficava nas falésias, esperando o retorno dos pescadores, seu humor piorava. As frias nevascas do Leste chegaram e trouxeram uma crescente sensação de mau presságio.

Ingeborg jamais esqueceria do dia em que os pescadores retornaram; o pai parado à porta aberta da cabana, com as mãos estendidas, dizendo à mãe que seu filho estava perdido.

– Ele tinha apenas doze anos! – a mãe lamentou. – Iver, eu disse que ele era jovem demais! Implorei para que você não o levasse!

Foi terrível ver a mãe bater com os punhos cerrados no peito do marido e ver o pai desmoronar diante dos olhos de Ingeborg. Ele havia retornado do mar como uma sombra. Um homem retorcendo as mãos devido à culpa e incapaz de falar com a própria esposa e filhas sobre como havia perdido Axell. Nem mesmo Kirsten conseguia trazer um sorriso ao seu rosto abatido, mesmo quando ela se sentava em seu colo e repousava a cabeça ruiva sob o queixo dele, com os olhos azuis repletos de perguntas. Para onde fora o riso?

Está com Axell, pensou Ingeborg. Lá no fundo do oceano.

Quando o pai não voltou da temporada de pesca na primavera de 1661, Ingeborg sabia, em seu coração, que ele poderia muito bem ter saudado o oceano. A dor dele era um fardo pesado demais para suportar. De boca aberta, bebendo na redenção salgada. Como ele poderia voltar para casa sem o filho? Era mais fácil deixar o mar levar sua culpa do que enfrentar a destruição da esposa. Ele nunca quisera voltar.

Quando Ingeborg pensou no pai, sozinho, cercado pelos selvagens mares do Norte, tomando a decisão de nunca mais voltar para casa, a tristeza feriu profundamente seu coração. Mas ela também estava zangada com ele. Ele soubera o quanto ela era capaz. Ele havia abandonado Ingeborg para cuidar da mãe e da irmã.

Não era *justo*.

*

Fazia um mês desde que o pai não voltara com os outros pescadores. Com as barrigas vazias, elas passaram o tempestuoso primeiro de maio vasculhando a praia selvagem. Depois de muitas horas cansativas, Ingeborg e a mãe voltaram carregadas de pilhas de algas marinhas para cozinharem para si e suas ovelhas.

Quando abriram a porta do chalé, lá estava Kirsten, ajoelhada perto do fogo, polindo os ovos da gaivota, com um pequeno sorriso em seu rosto, parecendo estar mais o mais feliz que estivera desde que perdeu o pai.

A mãe não se mexeu, mas Ingeborg sentiu a raiva crescer em seu corpo.

– Onde conseguiu isso? – disse a mãe, deixando cair as algas no chão da cabana.

Kirsten ficou pálida ao erguer o olhar e as avistar.

– Eu as guardei – sussurrou Kirsten. – Elas são tão bonitas, mamãe.

A mãe andou até as cascas e as quebrou com suas velhas botas de couro de rena. Kirsten se encolheu. Então puxou a menina pelo colarinho e deu um tapa forte no rosto dela.

– Mãe! – gritou Ingeborg, alarmada.

Mas a perda acumulada da mãe foi canalizada em uma fúria contra a filha mais nova.

– Você matou seu próprio irmão! – gritou ela para Kirsten. – Eu disse para você quebrar as cascas dos ovos e veja o que aconteceu! As bruxas fizeram uma tempestade e ele se afogou. Você matou Axell e seu pai também!

Lágrimas e ranho escorreram pelo rosto de Kirsten.

– Sinto muito, mamãe, por favor…

– Sua garota perversa! – gritou a mãe com Kirsten.

Ingeborg puxou os braços da mãe para soltar Kirsten.

– Ela não quis fazer mal! Mãe, por favor!

– Claro que quis, essa bruxinha – gritou a mãe, virando-se para Ingeborg, com os olhos ardendo pela amargura da dor.

– Ela é *sua* filha, mãe. Pare!

A mãe a encarou, como se visse Ingeborg pela primeira vez. Ela soltou Kirsten e então enterrou o rosto nas mãos antes de sair correndo do chalé.

Ingeborg pegou a irmãzinha nos braços, mas Kirsten estava inconsolável.

– Mamãe tem razão? Eu sou má? – sussurrou ela para Ingeborg.

– Claro que não – Ingeborg tranquilizou Kirsten, enxugando-lhe o rosto com a manga. – Ela apenas sente muita saudade de Axell e do pai.

– Eu também – disse Kirsten, em voz baixa.

– Eu sei – respondeu Ingeborg, acariciando-lhe o cabelo.

Kirsten se abaixou e tentou recolher as conchas quebradas. Mas a maioria delas havia sido esmagada até virar pó.

– Axell as deu para mim. Ele me disse para ficar com elas. – Kirsten fungou, tentando encontrar pedaços da casca delicada.

Ingeborg pegou a vassoura.

– Temos de varrê-las antes que ela volte.

Mas Kirsten continuou a juntar os fragmentos de casca de ovo, contando-os na ponta dos dedos:

– Um, dois, três, quatro, cinco, seis, sete, oito, nove…

Quantos números se passaram antes que Axell se afogasse? Quanto tempo até que o mar enchesse sua barriga e o arrastasse para dormir pela eternidade sobre o leito sombrio?

Qual foi a contagem para seu pai?

Elas varreram a cabana e ferveram as algas para si e para as ovelhas. Mas a mãe demorou horas para voltar.

Quando o fez, estava um pouco diferente.

Nunca mais Ingeborg a viu chorar pelo filho ou pelo marido; nunca mais ela tocou ou dirigiu uma palavra gentil para sua filhinha Kirsten. Ela falava com Ingeborg como se fosse sua irmã, não sua filha.

A frieza da mãe atormentava Ingeborg. Mas ninguém havia amado um filho tanto quanto a mãe adorara Axell. Com a morte do filho, uma parte dela se afogou com ele.

Esta foi a mudança. A mãe sempre fora bonita, mas a suavidade em seus olhos azuis de verão endureceu, tornando-se gelo, e a maneira como falava era diferente, como se ela não se importasse mais com o que acontecia com elas, se tinham o suficiente para comer ou não. Tudo dependia de Ingeborg agora.

Onde a mãe tinha ido na noite em que quebrara as cascas dos ovos? Ingeborg passara tantas horas acordada, esperando que ela voltasse. A longa luz do primeiro de maio se estendia sem fim, os pássaros cantavam do lado de fora, o vento sussurrava: *Perigo, perigo.* A mente de Ingeborg estava agitada.

Quem uma jovem viúva poderia encontrar enquanto corria sozinha pelo pântano?

CAPÍTULO 3
ANNA

O quanto me humilhou, meu rei. Transportara-me pela vasta tundra coberta de neve em um trenó rústico e lascado como lenha, todo o meu corpo doendo de desconforto. Colocara-me em um pequeno navio e carregara-me pelo Estreito de Varanger em direção à ilha de Vardø, as gotas geladas de água golpeando meu rosto cada vez que os remos eram levantados, a noite mais escura que tinta.

Sobre as águas, eu não conseguia ver nada. A lua cheia estava escondida entre nuvens carregadas, mas meus sentidos estavam aguçados. Saber que o domínio do Diabo estava nas proximidades me fez tremer ainda mais do que o frio de gelar os ossos. Você me mostrou uma foto da montanha chamada Domen no diário de viagem de um explorador francês em sua biblioteca, muitos anos atrás. Quem poderia imaginar que eu estaria tão perto dela agora? Nunca esqueci da imagem do Domen com sua corcova baixa e ventre enorme com cavernas que levavam até o Inferno.

Estou no canto mais distante do seu reino, em uma região que você nunca teve coragem de explorar, mas mesmo assim me mandou para cá.

O brutal beleguim Lockhert havia me agrilhoado como se eu fosse uma ladra comum. Você sabe que este está longe de ser meu crime. Honestamente, em todos os meus 47 anos sobre a terra, jamais encontrei um homem tão repulsivo. O fedor de suas peles de foca era como uma nuvem de água parada e salgada pelo mar, e seu hálito cheirava a peixe rançoso, de modo que, toda vez que ele falava comigo, eu ficava nauseada e precisava levar meu lenço ao nariz para inalar a fraca essência de lavanda que eu havia espirrado sobre ele semanas antes.

A cena do meu último dia em minha própria casa ainda estava fresca em minha memória. Lá estava eu, arrumando meu baú de remédios, sendo repreendida pelo meu marido Ambrosius.

– Não consegue esquecer isso, Anna? – dissera ele. – Por que precisa ir até Copenhague para fazer uma petição ao rei?

Peguei uma pequena pilha de lenços brancos engomados, com bordas rendadas e, encontrando o óleo de lavanda, borrifei-o sobre o linho como se fosse água benta, como se estivesse ordenando meus esforços. Senti-me tão justificada, tão inflamada por isso.

– Por que o rei iria escutá-la desta vez, Anna? – perguntou Ambrosius. – Ele disse para você parar.

– Como eu não falaria com ele, Ambrosius? – Virei-me, frustrada com a falta de paixão de meu marido. – A corrupção assola esta cidade, e é nosso dever proteger nosso rei das negociações insidiosas do governador Trolle e de seus homens.

– Por favor, Anna, deixe outros falarem – pediu Ambrosius. – Nossa posição é precária.

Meu marido estava com medo, o que eu achava difícil de tolerar. Eu havia lido a carta enviada a ele pelo governador Trolle, instruindo-o a silenciar-me, ou sofreria as consequências.

Não sou tola, e acreditava na natureza especial de nossa ligação.

– O rei vai me ouvir, pelo bem do povo – insisti.

Diferente de Ambrosius, não afirmo ser capaz de prever o futuro.

Mas talvez ele tivesse visto meu futuro, pois o semblante de meu marido era grave e sua tez, cor de cera, como se o sangue da coragem tivesse sido drenado dele.

– Não cabe a você, enquanto minha esposa, empreender tal tarefa – Ambrosius tentou convencer-me.

– Então você deve ir, marido – eu o desafiei, mas ele olhou para os ladrilhos pretos e brancos do nosso quarto.

– Não posso – murmurou ele. – Tenho minhas responsabilidades em Bergen.

Meu marido, o doutor Ambrosius Rhodius, é uma pessoa estimada, como bem sabe. Ele é um acadêmico e teólogo, médico e professor na Bergen Latin Skole. Mas você sabia que eu adquiri todos os títulos dele por meio de *meu* engenho, conhecimento e habilidade?

Decerto você deve ter deduzido isso, meu rei. E, no entanto, todos os que conheciam o doutor Ambrosius Rhodius me consideravam um fracasso, porque eu era uma esposa sem filhos. E então já era tarde demais, pois meus períodos estavam instáveis, e o ciclo da lua, uma mera provocação.

Eu não queria encolher-me e murchar como tinha visto minha mãe e outras mulheres da minha idade fazerem. Não desejava tornar-me uma esposa invisível como uma partícula de poeira no ombro do marido que ele desejaria espanar. À medida que o prestígio dele crescia com a idade, com a importância, com elogios, a esposa diminuía para viver através dos filhos, dos netos; ela se tornava apenas um fantasma na própria casa, observando em silêncio os casos maldissimulados do marido e as consequências de seus vãos encontros amorosos.

A última vez em que isso acontecera comigo foi quase demais para suportar. Ambrosius nem se dera ao trabalho de explicar os valores que faltavam da renda doméstica, os quais estava mandando para uma prostituta.

Portanto, eu não desapareceria sem deixar vestígios neste mundo; ah, não, preciso deixar minha versão. Esse desejo era uma compulsão dentro de mim além de toda a racionalidade, mas eu acreditava que você, entre todos, me entenderia.

Meu marido me seguiu escada abaixo e até nossa biblioteca. Peguei minha preciosa Bíblia e a tradução de Christian Pedersen do Novo Testamento para quando eu me cansasse do latim.

Você nunca visitou minha casa em Bergen, mas se tivesse visitado, teria visto como era esplêndida. No interior havia corredores de madeira polida, janelas de vidro com treliças de ferro bem trabalhado, tapetes do Oriente, castiçais de prata e lareiras acesas em cada aposento, preparando as boas-vindas para qualquer visitante imprevisto. Minha despensa era repleta da melhor comida: queijos cremosos e potes de geleias saborosas, bolinhos e tortas, pedaços de favo de mel, sacos de amêndoas carameli-zadas e cestas de ovos marrons. Na prateleira do meio, havia fileiras de limões amarelos, meu deleite diário, com uma lasca de cone de açúcar adquirido de comerciantes holandeses da distante ilha de Barbados. Quase todos os dias, eu partia, moía e polvilhava um pedacinho de açúcar nas entranhas suculentas de um limão. Que alegria agridoce era chupar o limão açucarado! Um prazer tão simples!

Acredite em mim, meu rei, você teria sido muito bem recebido em minha casa, pois eu lhe teria preparado um banquete mais suntuoso do que qualquer outro que já ocorrera em Bergen.

Nossa biblioteca era a maior de toda a Noruega. Possuíamos 450 livros! No inverno anterior, eu havia contado e registrado cada título à mão em um grande livro de registro na escrivaninha de meu marido.

Sempre me sentira segura em uma biblioteca, como se os livros estivessem ali para me proteger, como uma fortaleza de palavras, pensamentos e aprendizado.

Lembra-se de como me encontrou escondida entre as pilhas de livros na biblioteca do palácio? Eu, a filha do médico, fugi em uma das visitas de meu pai ao seu pai enfermo. Procurava por qualquer tratado médico, faminta por conhecimento, como aprendiz de meu pai.

Eu estava tão absorta em minha leitura que nem ouvi seus passos até parar perto de mim. Deixei cair o livro, alarmada, e a expressão em seu rosto também foi de choque. Você ficou tão surpreso ao encontrar uma garota na biblioteca! Quantos anos tínhamos naquela época? Acredito que você era um jovem de dezenove anos e eu, uma mocinha desajeitada de treze. Lembra-se das palavras que trocamos?

– Quem é você? – você questionou.

Eu sabia quem *você* era: o príncipe Frederico, segundo filho de nosso rei. Naquela época, não se esperava que você sucedesse o seu pai e, portanto, podia vagar pelo palácio sem um séquito de cortesões e servos. Lembro que você usava um gibão da cor da meia-noite, com bordas prateadas, e seu cabelo escuro era grosso, com mechas encaracoladas. Você tinha cílios pretos, compridos para um homem, mas tão perfeitos para um príncipe, e uma argola de ouro na orelha. Na verdade, você era exatamente como eu imaginava que um príncipe deveria ser.

– Perguntei quem você é – você repetiu com firmeza, observando-me. – Está muito bem-vestida para ser uma criada. Além disso, elas não sabem ler em latim. – Você acenou com a cabeça para o livro que eu havia tomado novamente em minhas mãos.

– Anna Thorsteinsdatter – respondi em um sussurro tímido. – Sou a filha do médico.

– Ah – você disse, esfregando o queixo. – E você sabe ler?

Assenti.

– Meu pai me ensinou.

Você se inclinou e tirou o livro das minhas mãos. Tive um aperto no peito ao sentir o seu cheiro: amadeirado, não o cheiro de um príncipe, mas o de um jardineiro.

Você olhou o título do livro: *Anatomicae Institutiones Corporis Humani.*

– Então, está interessada nos tratados sobre anatomia do médico e teólogo Caspar Bartholin, o Velho, hein, Anna, filha de nosso médico?

Assenti mais uma vez, incapaz de encontrar a voz.

Talvez você ria ao lembrar como era difícil para mim, quando jovem, falar. Tenho certeza de que você não deixará de notar a ironia, pois quais foram as últimas palavras que me disse?

Ti stille. Fique quieta. Hold Kæft. Cale sua boca. Cale-se. Cale-se.

– Seu pai é mesmo um especialista em sangrias, mas o que adoece meu pai, o rei, é causado por mais do que um desequilíbrio de humor.

Você me apresentou a sua teoria com confiança tantos anos atrás, na biblioteca do palácio. A luz do sol se inclinava entre as pilhas de livros, partículas de poeira giravam ao nosso redor como flocos de ouro, e eu me senti como se estivesse em um sonho.

Sua hipótese sobre a enfermidade de seu pai fazia pouco sentido para mim, pois meu pai havia me dito muitas vezes que o que adoecia o corpo provinha de desequilíbrios dos quatro humores: sanguíneo, melancólico, colérico e fleumático. O remédio para todas as doenças dependia do diagnóstico dos humores, e esses remédios eram sangrias, vômitos ou enemas. Meu pai também havia compartilhado comigo seu interesse pela botânica e os benefícios de seu uso para doenças menos graves.

A maior bênção de minha infância foi o fato de meu pai, Thorstein Johansson, médico do rei, não ter tido um filho a quem pudesse transmitir seus conhecimentos.

Se tivesse um irmão, talvez eu fosse uma mulher diferente agora. Com certeza não estaria agrilhoada e aprisionada no Norte, e sem dúvida não teria sido exilada pelo único homem em quem eu confiava ainda mais do que em meu próprio marido.

No entanto, retomemos a feliz recordação do nosso primeiro encontro. Lá estava eu, uma garota encolhida entre os livros, com os dedos empoeirados das prateleiras, com o cabelo escapando da touca branca – você deve ter notado que era tão preto quanto o seu – e olhos azuis, que minha decepcionada mãe me dissera que eram da cor de um ovo de pato e pálidos demais para uma menina.

Tímida e intimidada por sua presença como príncipe da Dinamarca, minha curiosidade foi mais forte.

– O que há de errado com o rei? – arrisquei.

– Ele foi amaldiçoado.

Não precisava explicar mais, pois minha mãe havia me contado muitas histórias sobre as bruxas dos reinos do Norte.

– Como sabe? – sussurrei, desesperada por mais detalhes.

– Porque meu pai me contou – você declarou, como se eu fosse uma tola. – A grande bruxa de Vardø lançou uma maldição sobre ele – você me explicou. – Estou aqui para procurar tudo o que puder encontrar sobre os caminhos malignos das bruxas. Estou em busca de um volume chamado *Daemonologie*, do rei escocês James. Você o viu? Precisamos quebrar a maldição.

– E como é possível quebrar uma maldição? – perguntei.

– Por meio de orações, devoção a Nosso Senhor – você respondeu, de pé, bem ereto, com as mãos cruzadas atrás das costas, a prata da trança de seu gibão brilhando à luz da tarde. – A mais santa das pessoas sempre é capaz de derrotar o Diabo.

Olhei em seus olhos e vi sua convicção e algo mais. Além disso, nenhum menino havia olhado diretamente para mim antes, embora eu suponha que, sendo um príncipe, isso fosse um direito seu. Não baixei meu olhar, pois parecia que não tinha escolha a não ser permanecer concentrada em você, enquanto meu peito ficava apertado em meu corpete e minhas bochechas coravam.

– Você é uma boa menina, Anna? – você me perguntou, com um leve sorriso brincando em seus lábios.

Não consegui encontrar palavras para responder e, então, apenas acenei com a cabeça enquanto você me devolvia o livro.

– Garanta que sim, Anna – você recomendou, continuando a sorrir. – E assegure-se de que o Diabo fique bem longe.

*

Mais tarde, naquela noite, sentada com meus pais para o nosso jantar de arenque e pão, questionei meu pai sobre o mal-estar do rei.

Ele não respondeu de imediato, esperando que nossa criada saísse do aposento antes de falar.

– Os sintomas do rei variam todos os dias – Meu pai suspirou. – Um dia é um problema no estômago, no outro, nos intestinos; em outro dia, ele tem uma forte dor no peito, ou sua cabeça dói tanto que ele mal consegue enxergar.

– Acredita que ele vai se recuperar?

Minha mãe franziu a testa para mim, pois não aprovava meu grande interesse pela medicina; no entanto, não me mandou ficar calada, pois sabia muito bem que o vínculo entre mim e meu pai era como aquele que existe entre um pai e seu filho homem. Eu era a aprendiz dele. Ou melhor, fui, , até Ambrosius aparecer.

– Bem, filha, existem algumas doenças que não podem ser curadas apenas por meio de nossas ações como médicos.

Como amei ouvir meu pai nomear-me médica, como se eu fosse sua semelhante. Senti-me radiante com sua atenção e estima, embora mais uma vez minha mãe franzisse a testa, balançando a cabeça.

Eu ouvi seus sussurros à noite, repreendendo o marido.

– Está dando ideias para Anna, Thorstein. Precisa parar com isso.

– Que mal há? – respondeu ele. – Tenho orgulho de minha filha ter inteligência.

– Está errado, marido, isso fará muito mal a ela – avisou minha mãe.

Minha temerosa mãe, que agora está há muito enterrada sob a pesada terra dinamarquesa, tinha razão.

Mas desejo retomar a feliz lembrança da noite em que jantei com meus pais, quando era uma menina de treze anos, à qual me agarro como a uma pequena vela, uma pequena luz que me aquecia enquanto eu era arrastada morro acima pelo beleguim e seu homem, desde o porto de Vardø até a fortaleza com um cintilar fantasmagórico nesta que é a noite mais escura da minha vida.

– Que doenças seriam, pai? – perguntei a ele.

– Ilusão da mente. Doença que distorce a razão na cabeça dos homens.

Minha mãe soltou um arquejo agudo.

– É traição dizer tal coisa sobre o nosso rei, Thorstein. Tenha cuidado, os criados podem ouvir.

Estava me sentindo atrevida em minha própria casa com meus amorosos pais; pois eles de fato eram: nem sequer uma vez, em toda a minha infância, um deles levantou a mão contra mim.

– Ouvi falar da maldição de uma bruxa – sussurrei, sem querer revelar meu encontro com você, o príncipe. – Isso é verdade, pai?

Meu pai olhou para mim, e lembro-me de seu olhar pensativo, seus olhos do cinza mais suave, da mesma tonalidade do pelo de um coelho.

– Bem – começou ele, puxando a barba bem cuidada –, se uma pessoa acredita que foi amaldiçoada, é como se de fato tivesse sido.

Sua resposta me confundiu.

– Mas é possível que a grande bruxa de Vardø tenha amaldiçoado nosso rei Cristiano?

– É nisto que o nosso rei acredita – concluiu meu pai, ainda se recusando a dar uma resposta definitiva.

*

Todos conheciam Liren Sand, a grande bruxa de Vardø no país de nosso rei, a Noruega, nomeada em homenagem à ave marinha das regiões do Norte e que enviava sua magia negra pelo reino da Dinamarca. A mera menção a ela fazia homens adultos tremerem de medo, como se pudesse alcançar seus corações, através de toda a distância de norte a sul, e arrancá-los para se alimentar de seus pensamentos roubados e desejos secretos.

O que meus pais pensariam agora, vendo-me na mesma ilha que era o domínio dela? Sou grata, pois pelo menos nenhum deles jamais saberia, já que ambos foram enterrados durante a Grande Peste há mais de dez anos.

Foi por vingança pela morte de seu pai, meu príncipe, que você matou Liren Sand? Anos depois, quando eu morava em Bergen, li sobre a captura por seu leal governador de Finnmark e o julgamento dela em Vardø nos folhetins que flutuavam pelas ruas de paralelepípedos. Relatos – com imagens, para os analfabetos – dos detalhes sangrentos de seus muitos crimes e de sua confraternização com o Diabo. Liren Sand aparentemente conjurou magia do tempo e afogou mercadores de Bergen que navegavam no mar de Varanger. Foi Liren Sand quem afligiu todos nós no reino da Dinamarca com a praga e, portanto, assassinou muitas almas inocentes. Liren Sand merecia ser lançada no poço do Inferno; e você a fez arder, em retaliação.

Ainda tenho, em uma gaveta da minha biblioteca em Bergen, o folhetim com a imagem da bruxa Liren Sand amarrada à escada enquanto era baixada para as chamas. Foi preciso coragem para agir como você agiu contra as forças das trevas – ouso dizer que foi preciso mais coragem do que seu pai possuíra, pois Liren Sand jamais foi capaz de lançar feitiços de doença sobre você.

Perguntei-lhe uma vez, anos depois de nosso primeiro encontro, o que Liren Sand, a grande bruxa de Vardø, tinha contra seu pai.

– A divindade dele! – você declarou. – Liren Sand deseja terror e caos. Ela quer destruir a monarquia.

Terror e caos que a praga certamente trouxe.

– Acabarei com ela – você prometeu, e, sim, meu príncipe, alguns anos depois, você fez exatamente isso.

Você me disse que haveria mais bruxas; que as mães entregavam suas filhas ao Diabo. Não pude esquecer essas palavras, pois achei muito chocante a ideia de que uma mãe fosse capaz de sacrificar a própria criança ao Senhor das Trevas.

Quão profundamente sua traição me fere, pois agora me mandou para o lugar que nós dois mais temíamos. Ah, meu rei. Enviou-me para uma região repleta de pagãos selvagens e feitiçaria macabra.

Quando os portões enferrujados da fortaleza de Vardøhus se abriram diante de mim, fui dominada pelo pânico enquanto meu coração batia com força no peito e pensei que fosse desmaiar. Lutei contra meus captores, buscando por ar.

– Não, não mereço isto, sou uma mulher inocente! – implorei ao beleguim Lockhert.

Mas o homem disparou:

– Pare com a choradeira ou terei de lhe amordaçar, como velha rabugenta que é!

Caí de joelhos diante do castelo desolado. Corvos pretos planavam acima enquanto zombavam de mim. Não queria levantar-me nunca mais.

CAPÍTULO 4
INGEBORG

Fome. A dor surda na barriga de Ingeborg durante todo o longo inverno de 1661. No verão passado, elas sobreviveram. Ela colhera mexilhões e muitas algas ao longo da praia branca em forma de lua crescente de Ekkerøy, com Kirsten arrastando os pés ao seu lado, ajudando-a. Sozinha, Ingeborg escalou os penhascos e pegou mais ovos de gaivotas. Ou fora para o interior. Montou armadilhas e pegou lagópodes e, às vezes, até uma lebre. A mãe não a elogiava, apenas tirava de suas mãos os pequenos cadáveres, alguns ainda quentes, e ia esfolá-los ou depená-los. Alimentaria suas meninas, sim. Ia mantê-las vivas; mas isso era tudo.

Assim que o curto verão de 1661 foi arrebatado pelas primeiras chuvas frias do outono, Ingeborg e Kirsten procuraram as últimas amoras e cogumelos do ano. Quando as primeiras neves caíram, Ingeborg cavou à procura de musgo para geléia e de raízes para sopa, antes que a terra ficasse congelada demais. Elas foram forçadas a trocar todos os seus cordeiros, exceto um, para pagar a dívida de grãos ao mercador Brasche, já que seu pai não voltou com os peixes para quitá-la.

Ingeborg acreditava que a fome estava chegando, pois elas não tinham nenhum peixe seco armazenado, nenhuma vaca ou cabra para leite, mas apenas um cordeirinho, que Kirsten adorava.

Fome. O buraco dentro dela, roendo-a por dentro como um rato, a dor aflitiva. Os lábios ressecados, lambendo-os unicamente para que voltassem a ficar secos. Bebendo neve derretida para encher a barriga, adormecendo apenas para acordar com dores intensas. Ela havia dado tudo o que podia a Kirsten, mas a irmãzinha muitas vezes adormecia chorando, pedindo mais para comer. A mãe emagreceu, vagando como um fantasma ruivo, perambulando pelos pântanos em busca do filho perdido.

Os vizinhos ajudaram um pouco, mas todos enfrentavam dificuldades. Os resultados da pesca diminuíam a cada ano, mas o preço dos grãos subia. Os pescadores eram forçados a vender para os mercadores de Bergen o necessário para alimentar suas famílias, ainda assim, não era suficiente para mantê-los abastecidos com grãos para o *flatbrød*[2] ou para seus animais.

A escolha era morrer de fome ou endividar-se ainda mais com o mercador Brasche, que dominava o vilarejo de Ekkerøy.

Sua moradia dele se situava na melhor posição, claro, em uma pequena elevação de terreno mais seco, perto da igreja. Ingeborg e sua família viviam em um aglomerado de cinco cabanas de turfa na periferia da aldeia. Todas as portas davam para um quadrado comunal lamacento, com um poço no meio e vista para o mar. Elas moravam tão perto dos vizinhos que conseguiam ouvir as tosses e os gemidos em todas as casas.

Dias haviam se passado com o peso da fome tão opressivo sobre ela que Ingeborg não conseguia sair para caçar. Logo seria verão de novo, repetia para a irmãzinha, que choramingava a seu lado. Kirsten, tão frágil, com a cor de seu cabelo – tão ruivo quanto o da mãe – sendo sua característica mais vibrante; o restante estava esvaindo-se como a neve do inverno. Haveria recompensa quando o sol derretesse a neve, Ingeborg prometeu à irmã, que soluçava. Ela pegaria muitas criaturas. As áreas de urze estariam pretas com os mirtilos, marcadas com o rosa-dourado das amoras silvestres, e elas ficariam com os bolsos dos aventais cheios de mexilhões azuis tirados do mar. A abundância estava a caminho.

A notícia de sua situação havia se espalhado. Na manhã do dia da lua cheia da Páscoa, em abril de 1662, a prima de sua mãe, Solve Nilsdatter, apareceu à porta delas. Não mais impedidos pelos fortes ventos e nevascas dos meses anteriores, ela e os filhos esquiaram por mais de duas horas de sua aldeia em Andersby para lhes trazer algum sustento. Nas costas, ela carregava provisões, enquanto o filho mais novo estava amarrado ao seu peito sob as pesadas peles de rena. Ela as cumprimentou com um sorriso largo, embora tivesse dificuldade para esconder o choque em seu rosto ao ver a mãe de Ingeborg tão esquálida.

Solve entrou sem ser convidada, o filho mais velho agarrado às suas saias, com as bochechas rosadas, enquanto ela colocava o mais novo no chão antes de tirar o saco dos ombros. Ela colocou as ofertas em cima da mesa: pilhas de *flatbrød*, peixe seco para sopa, ovos, nata e leite em sacos de pele de foca.

– Agora, Zigri – dirigiu-se à mãe delas, depois que Ingeborg e Kirsten tinham tomado seus copos de leite, mastigando o peixe seco com os lábios salgados. – Venha e tome um pouco do meu leite, das melhores vacas. É muito doce. Ela ofereceu um copo cheio de leite branco espumoso à mãe de Ingeborg e, aos poucos, persuadida pela prima, ela bebeu.

Solve sorriu, aprovando.

– Obrigada, prima – sussurrou Zigri, com a voz rouca.

---

2 *Flatbrød* é um pão ázimo norueguês tradicional, geralmente comido com peixes e sopas. (N. T.).

Solve soltou um muxoxo.

– Não é nada – disse ela. – Você teria feito o mesmo por mim.

Do fundo de seu saco, Solve as presenteou com um pequeno pedaço de manteiga envolto em pele de foca.

– Agora, tenho um presente para você. Manteiga recém-batida para misturar com o peixe, assim vocês podem fazer *klinning* – explicou para elas. – Não é o seu favorito, Ingeborg?

O estômago de Ingeborg roncou de prazer. A última vez em que comera*k linning* foi antes do afogamento de Axell.

– Você é muito gentil – disse Zigri, olhando para a manteiga como se fosse ouro puro.

– Bem, na verdade, temos muito leite desde que a sobrinha do meu marido veio morar conosco – explicou Solve. – Nossas duas vacas estão produzindo talvez mais do que quatro, embora sejam velhas.

Houve um momento de silêncio enquanto Zigri levantava a cabeça para olhar para a prima.

– É a garota Maren Olufsdatter? – perguntou Zigri, com um tom cauteloso na voz.

– Sim, é – respondeu Solve, em tom defensivo.

– Então não podemos aceitar isto, Solve – declarou Zigri, afastando o pacote de manteiga. – As bruxas causaram a morte do meu filho. Não posso...

– Ora, Zigri, tenha bom senso! Suas pobres meninas precisam comer – respondeu Solve. – Ela pode ser um pouco... estranha – Lambeu os lábios –, mas Maren não é uma bruxa.

– A mãe dela era Liren Sand! Condenada à fogueira por bruxaria, Solve! – A voz de Zigri diminuiu para um sussurro baixo. – Como pode tê-la em sua casa?

– Não tenho escolha no assunto – disse Solve, ríspida. – Strycke insiste que ela fique – balançou a cabeça e suspirou. – Ela tem seus modos estranhos, é verdade, mas descobri que a companhia dela ajuda nas minhas tarefas domésticas diárias. Se eu tivesse minha própria filha, seria diferente. Mas os meninos querem estar lá fora com suas aventuras. Eles não têm interesse em tarefas domésticas.

Os olhos de Zigri contemplaram os dois filhos da prima. O mais novo, Peder, ainda quase um bebê, no colo da mãe, mastigando um fio de peixe seco, com as bochechas coradas como uma maçã brilhante. O menino mais velho, Erik, de cinco anos, estava correndo pela pequena cabana, perseguido por Kirsten, que havia saído da mesa com novo vigor após sua refeição de peixe e leite.

Ingeborg podia ver a dor nos olhos da mãe quando esta se lembrou de Axell, e desejou distraí-la de tais pensamentos. Além disso, estava curiosa para saber mais sobre a garota Maren Olufsdatter.

– Maren fala alguma coisa sobre o que a mãe dela fazia? – Ingeborg perguntou a Solve.

A mãe de Maren Olufsdatter, Marette Andersdatter, havia sido a grande Liren Sand, líder de todas as bruxas na ilha de Vardø. Suas maldições assolavam não apenas o reino da Noruega, mas também a Dinamarca. Ela enviara a peste e o sofrimento, como se fossem flechas envenenadas, até Copenhague. Ela havia aprendido essa habilidade com a mulher sámi, Elli, que também havia lhe ensinado técnicas de cura. Tal era o poder que a mãe de Maren possuía em mãos, porém ninguém sabia se ela era das trevas ou da luz, pois diziam que ela poderia aparecer à porta com seu saco de raízes e ervas para ajudar a curar um filho doente ou a passar por um parto perigoso. No entanto, essa viúva de pescador, que vivia em uma pequena cabana na ilha de Vardø com a única filha, Maren, fora responsável pela onda gigante que engoliu o barco de Jon Jonson, o mercador de Bergen, afogando todos os homens a bordo. Ela convocou a tempestade como vingança por seu marido perdido, que devia dinheiro ao mercador. O governador de Vardø a vira depois, sobrevoando o mar na forma de um grande petrel-mergulhador, assistindo à morte dos homens bem diante dela.

Ingeborg queria ouvir mais histórias sobre os poderes de Liren Sand, preferindo estas às do Diabo e suas tentações que o reverendo Jacobsen lhes contava todas as semanas na igreja.

– Bem, sim, Ingeborg, a menina não para de falar dos poderes da mãe – Solve bufou. – É por isso que prefiro deixá-la para trás em minhas visitas, porque não aprovo que se pense essas coisas sobre a irmã de meu marido.

Ingeborg se inclinou para a frente, intrigada.

– O que mais ela conta sobre Liren Sand?

Mas Solve se distraiu com o pequeno Peder, que puxou um dos cachos que havia se soltado da touca dela.

– Ai, seu menino travesso! Solte agora – disse ela carinhosamente para o filho.

Ingeborg fez cócegas no queixo do menino, de modo que ele se afastou, rindo.

A mãe se levantou bruscamente da mesa. O banquinho fez barulho ao raspar no chão de terra, e o rosto estava marcado pela dor.

– Precisamos voltar para os nossos afazeres, Ingeborg – declarou ela. – Obrigada, prima. Vamos ficar com a manteiga.

Ingeborg esticou o braço e agarrou o pacote de manteiga, segurando-o entre as mãos. Queria lambê-lo feito um gato.

*

Dois dias após a visita de Solve, caiu uma tempestade que parecia querer alertar a aldeia para que não pensasse que a primavera já havia chegado. O inverno queria firmar-se, lançando granizo e neve contra as cabanas trêmulas. O mar se agitava e fervilhava, e todos ficaram gratos por ninguém ter saído para pescar.

O casebre de turfa e madeira estremecia com o vento, enquanto Kirsten se agarrava à cordeirinha como se fosse seu bebê. A tempestade continuou, dia após dia. A comida que Solve trouxera acabou. Ingeborg precisava sair para caçar, mas toda vez que tentava abrir a porta da casa, era arremessada para o lado pelos ventos uivantes. Desesperada, ela sugeriu que matassem a cordeira, mas Kirsten começou a chorar alto, já que sua tristeza era piorada pela fome.

– Não, a cordeira é tudo o que temos – A mãe balançou a cabeça, cansada. – Logo a tempestade passará e você vai poder caçar, Ingeborg.

Por fim, no décimo dia, o vento parou tão de repente que o silêncio da aldeia pareceu sobrenatural.

Ingeborg estava encolhida ao lado da irmã, tão faminta que mal conseguia se mexer. A mãe estava sentada à mesa, com as costas eretas, as mãos apertando o tampo de madeira, agarrando-o como se fosse uma jangada naufragada.

– Ingeborg – sussurrou, com a voz rouca e seca. – Vá e chame nossos vizinhos. Veja se alguém tem um pouco para dividir.

– Vou caçar, mamãe – respondeu, sabendo muito bem que os vizinhos estariam tão desesperados quanto elas.

Ela puxou o velho gibão de Axell para baixo e o abotoou. Enfiou a lâmina dele no cinto e juntou tudo de que precisava para montar as armadilhas: um pedaço de corda e uma grande pedra redonda com um buraco no meio. A fome havia esgotado tanto suas forças que parecia que precisava arrastar todos os ossos do corpo para se mover, e levou muito tempo para se preparar.

Por fim, quando Ingeborg estava prestes a sair, bateram à porta.

A mãe a encarou com olhos apáticos.

– Talvez seja Solve de volta com mais – comentou.

Contudo, não era a prima da mãe que estava na soleira com uma cesta de víveres no braço. Lá estava um cavalheiro, o filho do mercador Brasche, Heinrich.

Era alto e usava uma capa preta sob a qual Ingeborg podia ver um belo gibão verde. Ele tirou o chapéu e abaixou a cabeça para entrar no casebre. Havia uma abundância de cachos castanhos em sua cabeça e os olhos castanhos eram do mesmo tom.

A mãe se assustou e se levantou da mesa.

– Você é a esposa de Iver Rasmussen? – Sua voz era tão diferente do dialeto a que estavam acostumadas. Ele repetiu a pergunta duas vezes, mas a mãe de Ingeborg ainda assim não disse nada.

Heinrich lançou um olhar demorado para a mãe e, por um momento, Ingeborg a viu pelos olhos do filho do mercador. Sua mãe estava magra, mas ainda havia curvas em sua figura, e sua pele era imaculada, sem marcas ou cicatrizes, apesar da dureza de sua vida. Entretanto, o cabelo era a sua maior glória. Caía, sobre os ombros, uma cachoeira de chamas vermelhas. Como se percebesse a indecência de sua cabeça descoberta, a mãe de Ingeborg pegou a touca às pressas e empurrou os cachos para dentro dela.

Heinrich Brasche repetiu a pergunta mais uma vez.

– Sou a *viúva* do pescador Iver Rasmussen. – A mãe de Ingeborg conseguiu encontrar a voz.

Heinrich Brasche se encolheu.

– Lamento saber disso – Heinrich tossiu. – Mas receio que... – ele tropeçou nas palavras, e Ingeborg se surpreendeu ao perceber que esse nobre rico parecia um pouco nervoso diante de sua mãe – haja uma dívida – explicou Heinrich, olhando para o chão de terra, antes de falar quase em um sussurro: – que deve ser paga, diz meu pai.

Ingeborg sentiu um peso no estômago.

Elas não tinham nada. Apenas um cordeiro, o animalzinho de Kirsten.

Ingeborg viu a mãe dar um lento passo à frente, abrindo bem os braços. Ela não implorou. Ingeborg vira as viúvas de outros pescadores fazerem isso: de joelhos, implorando por misericórdia para não serem enviadas para o asilo de pobres em Bergen e para a morte certa. Para não serem exiladas e expulsas do vilarejo como devedoras. Para vagarem pela tundra, caírem e morrerem. Mendigas. Esbanjadoras. Mulheres e meninas perdidas.

– O que quer de mim, mestre Heinrich? Pois não resta mais nada de valor para dar.

O filho do mercador oscilou de um pé para o outro, erguendo o rosto uma vez, sem conseguir tirar os olhos da mulher.

– Farei o que puder pela senhora – declarou ele, enfim tocando no braço dela. – Vou falar com meu pai.

Ingeborg não sabia ao certo o que a surpreendia mais: essa atitude imprópria de Heinrich Brasche ou o fato de a mãe não ter retirado a mão dele de seu braço. Apenas o encarou. Sem temor.

Esta era a mudança na mãe de Ingeborg. Ela não mais se importava com o que qualquer pessoa pensava dela. O que importava, agora que seu filho se fora e seu marido se perdera?

Mas essa mudança era mais perigosa do que a mãe jamais poderia imaginar, mais do que Ingeborg suspeitava. O fim de sua família começou no dia seguinte à tempestade, quando Heinrich Brasche entrou em sua cabana e se ofereceu para ajudar. Suas palavras inquietantes agitaram a calmaria do vento exausto.

Palavras que colocariam a mãe, Ingeborg e Kirsten no maior dos perigos.

CAPÍTULO 5

ANNA

Havia entrado na fortaleza, tropeçando em altos montes de neve congelada, observada por dois soldados que montavam guarda nos portões. Ali, enfim, Lockhert me soltou, e eu fiquei livre dos grilhões. Olhei para a minha nova casa, massageando os pulsos doloridos.

À direita ficava o castelo, elevando-se em direção ao céu escuro, com suas pedras caiadas reveladas quando a lua brilhante deslizou de trás das nuvens noturnas. Eu estava em um pequeno pátio. Havia um velho poço no meio e um castelo com uma pequena torre cercada por prédios em ruínas, com telhados desmoronados de turfa.

Era difícil acreditar que esta miserável coleção de habitações fosse a fortaleza do governador – e a sede de seu poder nos confins do seu reino ao norte.

Desejando descansar o corpo exausto, comecei a me dirigir ao castelo; ansiava por aquecer meus ossos enregelados em uma lareira e por me deitar em uma cama.

Mas Lockhert me puxou para trás como se eu fosse um cachorro na coleira.

– Aonde vai, senhora?

Virei-me, confusa.

– O governador não está me esperando?

Lockhert soltou uma risada cruel.

– Esqueceu que é uma prisioneira? – provocou ele. – Seu lugar não é na casa do governador.

Ele apontou a luz de sua tocha ao longe do castelo para revelar uma casa extensa e baixa com um telhado de turfa apodrecido. Essa construção já havia sido branca, mas agora estava claramente encardida por trás dos bancos de neve. Meu coração ficou pesado quando notei que nenhuma fumaça animadora saía do buraco da chaminé.

Lockhert instruiu um dos soldados a tirar a neve da frente da porta, então gritou:

– Helwig! – E a amaldiçoou por demorar.

Uma garota de aparência grosseira emergiu dos fundos do castelo, escorregando pelo gelo na pressa de nos alcançar e evitar a ira de seu mestre.

– Esta é sua empregada, Helwig – Lockhert me explicou. – Ela cuidará de você.

Mantive a cabeça erguida, mas senti a criada examinando-me enquanto Lockhert abria a porta da casa comunal. Parecia não haver chave nem fechadura, o que me agradava, embora esta tenha sido uma emoção passageira assim que dei um passo hesitante à frente.

Nenhuma luz brilhava dentro da casa. Espiei lá dentro e fui saudada por um ar gelado, pesado, com um fedor que me fez suspeitar que o prédio havia sido usado para abrigar animais. Procurei desesperadamente por uma fresta de luz na escuridão absoluta, pois a ideia de residir em um aposento sem janelas fazia meu coração palpitar de pânico, mas a noite tornava impossível enxergar.

Todo o meu corpo se rebelou, e descobri que era incapaz de dar mais um passo à frente. Virei-me para o meu carcereiro na porta, tentando me impor com toda a minha estatura; mesmo assim, embora eu seja uma mulher alta, Lockhert ainda se elevava sobre mim.

– Não posso ficar aqui – protestei. – Está imundo e não há fogo aceso.

O guarda parou de retirar a neve, e a garota Helwig ficou imóvel com os olhos arregalados, chocada. Estava claro que nenhum deles tinha visto um prisioneiro responder dessa maneira antes, mas, como sabe, não sou uma prisioneira comum.

Lockhert me agarrou pelos ombros, girando-me de repente, de modo que quase fiquei sem fôlego. Ele apontou com a mão enorme para uma pequena cabana de turfa do outro lado do pátio. Não havia janelas, apenas uma porta fechada com tábuas e que, mesmo de longe, fedia a horror e desespero.

– Se quiser, posso colocá-la naquela cova de bruxa, Fru Rhodius – sugeriu Lockhert. – O Diabo tem agido com sua horda, e estamos em busca de suas amantes. Talvez você tenha sido a primeira que encontramos.

Encarei-o, horrorizada, mesmo enquanto a raiva crescia dentro de mim diante de sua audácia. Eu era tão bruxa quanto ele, e essas palavras exatas estavam em meus lábios.

Mas, quando estava prestes a falar, Helwig puxou minha manga:

– Venha, senhora, vou acender o fogo bem depressa.

Tirei sua mão imunda de mim. Que doença poderia pegar desta garota encardida?

– Muito bem – falei para Lockhert, como se fosse eu quem tivesse tomado a decisão, sem querer mostrar a ele um fragmento de minha aflição, pois conhecia muitos homens iguais a ele para saber que se divertiria com isso.

Virei-me, instruindo o guarda a ter cuidado ao transportar a caixa de remédios para a minha nova casa. Esforçando-me ao máximo para não demonstrar minha completa desolação, entrei na moradia abominável.

*

Sentei-me perto do pequeno fogo em minha casa decrépita, pressionando o lenço com lavanda no nariz, observando Helwig alimentar as chamas com pequenos pedaços de turfa. À medida que o fogo aumentava, o calor voltava aos meus membros enrijecidos e a minha coragem retornava.

Comecei a entender por que você me exilou nesta ilha isolada e selvagem.

– Claro, meu rei – sussurrei para mim mesma, pensando no comentário de Lockhert sobre bruxas no Norte e lembrando-me da garota que vi correr para dentro da floresta em nossa viagem.

Sagrado rei nosso, Frederico, governante divino de nós, mortais inferiores, você que enfrentou os nobres que desafiaram o seu governo absoluto e não se esquivou da batalha contra os suecos para recuperar os seus domínios, ainda assim, meu rei, suspeito que, apesar do grande espetáculo da queima de Liren Sand, você tem tanto medo das artes sombrias das mulheres quanto o seu pai.

Enviou-me para Vardø porque precisa ter ali uma mulher extremamente leal à coroa para cumprir a sua vontade; uma mulher ainda mais dedicada do que sua própria esposa; uma mulher com inteligência, garra e tenacidade.

Eu sou tal mulher, não sou? E nunca vacilarei diante desta tarefa.

Lockhert havia dito que o Diabo estava agindo, assim como suas servas: as irmãs e filhas da grande bruxa, Liren Sand, que amaldiçoou o seu próprio pai até a morte. Estas bruxas enviaram a peste para todos os cantos de nossos reinos do Norte, devastando Copenhague, Christiania e Bergen, e ainda ameaçaram destruí-lo também.

Elas trariam uma peste como a anterior, que tanto tomara de mim?

Essas criaturas vis devem ser expurgadas de uma vez por todas. Sim, sim, agora entendo sua intenção, porque meu exílio foi um ardil, um fingimento, não foi?

Não sou uma prisioneira, mas um soldado sob o seu comando.

Vou livrá-lo das bruxas, prometi, enquanto me encolhia perto do fogo. *E você me devolverá minha liberdade*. Enquanto olhava para as chamas, vi-me de volta em seu abraço, meu rei, seu coração batendo contra o meu e um beijo em minha testa.

– Tudo está perdoado – você me diria, segurando meu queixo em suas mãos.

E eu o perdoaria também, meu rei.

CAPÍTULO 6
INGEBORG

Blocos dourados de manteiga, tigelas de queijo cremoso e jarras de leite espumante das vacas de Heinrich Brasche. Pilhas de *lefse*[3] *doce* polvilhadas com açúcar e canela feitas pela viúva Krog, que cozinhava para ele. Arenque escorregadio grelhado na manteiga. Bacalhau seco ao vento das prateleiras de pesca, pilhas dele, adicionado em todos os ensopados. Peixe fresco! Pescado no próprio barco dos Brasche. Uma embarcação mais resistente do que qualquer outra em toda a aldeia; que havia levado o mercador e o filho para o Sul, até a grande cidade de Bergen, onde Heinrich havia negociado com mercadores de todo o mundo. Agora ele trazia itens que havia adquirido em viagens anteriores a Bergen de presente para a mãe de Ingeborg: um pequeno pote de sal cristalizado como flocos de neve ou um tempero amarelo que, ele contou à mãe dela, vinha do Extremo Oriente – Zigri o colocou no ensopado um dia. Ele incendiou suas bocas, e Kirsten correu para fora para pegar neve e engoli-la, o que fez Ingeborg e a mãe rirem.

Isso tudo fazia Ingeborg pensar em Axell e em suas promessas de tornar-se um mercador também. Se ao menos fosse seu irmão trazendo presentes do Oriente.

Mas fazia tanto tempo que Ingeborg não via a mãe nem sequer sorrir, quanto mais dar uma risada. O som era tão leve, como se ela estivesse rejuvenecendo cada vez que o filho do mercador a visitava. Esses sorrisos eram perigosos, mas, ainda assim, Ingeborg estava contente pelos presentes de Heinrich Brasche. Ela comeu o ensopado quente e picante com prazer, percebendo que se o comesse devagar, colherada por colherada, poderia discernir como o tempero exótico realçava o caldo de *klippfisk*[4].

---

[3] Pão norueguês feito com farinha, batata, leite ou nata, assado em uma chapa. (N. T.)

[4] Bacalhau seco e salgado. (N. T.)

O mais precioso de tudo era um saco de grãos para que a mãe pudesse assar *flatbrød*. Na verdade, Ingeborg não conseguia se lembrar de quando a despensa esteve tão cheia.

Havia momentos em que a mãe desaparecia por horas, deixando Ingeborg para esmagar as espinhas de peixe para a cordeira, coletar água e cuidar do fogo. Quando reaparecia, Ingeborg sempre detectava uma ligeira diferença: a mãe cantarolava enquanto trabalhava ao seu lado, menos reprovadora, menos entristecida. Certa vez, ela voltou com uma fita azul trançada no cabelo ruivo. A mãe não a tirou por dias. Ingeborg a pegava passando os dedos por seu comprimento, enquanto olhava além da cabana de turfa, colina acima, até a casa de Heinrich Brasche.

Quais sonhos impossíveis estariam sendo conjurados em sua imaginação?

Quanto mais presentes Heinrich Brasche dava a elas, mais distante a mãe parecia se tornar. Não apenas dela e de Kirsten, mas de toda a comunidade. Ingeborg percebia olhares de soslaio das outras mulheres no poço sempre que a mãe ia buscar água. Ela ouvira a viúva Krog murmurar baixinho ao avistar a fita azul do cabelo de Zigri: "Cuidado, garota."

Apenas quando os rumores chegaram à aldeia de Andersby e aos ouvidos da prima Solve, é que alguém desafiou a mãe. Com a neve começando a desaparecer, Solve marchou por quatro horas pela terra pantanosa de Andersby a Ekkerøy, levando uma cesta de peixe seco e *flatbrød*, bem como a manteiga que dissera ter sido recém batida pela sobrinha do marido, Maren Olufsdatter. Desta vez estava sozinha, seus dois filhinhos haviam ficado em casa com a sobrinha, Maren, para que ela cuidasse deles.

Ingeborg fez *klinning* com os produtos de Solve enquanto se esforçava para escutar a conversa dela com a mãe.

– Tenha cuidado, prima – sussurrou Solve –, ele tem uma esposa.

Ingeborg lambeu a manteiga da ponta dos dedos. Até mesmo a manteiga do mercador Brasche não tinha um gosto tão bom quanto a manteiga batida pela misteriosa Maren Olufsdatter. Ela olhou para o potinho de creme claro e fofo. Lambeu os lábios, escorregadios pela doçura.

– Mas ele me traz comida. – Ingeborg ouviu a mãe sussurrar de volta. – Coisas que eu nunca comi antes! Como posso recusar a generosidade dele?

– Isso não é tudo o que ele dá para você, não é?

O silêncio foi longo e tenso entre as duas primas.

– Não é da sua conta, Solve Nilsdatter – retrucou a mãe, em voz baixa.

– Somos uma família – respondeu Solve –, portanto, é da minha conta também. Como pode ser tão tola? Quer fazer da esposa dele uma inimiga?

– Ela não sabe de nada – sussurrou Zigri. – Além disso, o casamento deles foi por conveniência. Ela é muito mais velha do que ele.

– Mais uma razão para não fazer dela uma inimiga, Zigri – sibilou Solve. – Se você está se sentindo solitária, há muitos pescadores sem esposas que ficariam felizes em cuidar de você.

– Não – retrucou Zigri. – Nunca mais poderei me casar com um pescador. Nunca!

Ingeborg se aproximou com o *klinning* empilhado em uma bandeja.

– Vá chamar Kirsten – mandou a mãe. – Ela está lá fora com a cordeira.

Ingeborg se afastou, relutante, das duas mulheres em direção à porta da cabana.

– Pense em suas filhas, em mim e na minha família. – Ouviu Solve dizer à mãe. – Você colocará a todos nós em perigo.

– O que quer dizer? – A mãe parecia confusa.

– Foi por este tipo de comportamento que suspeitaram da mãe de Maren na ilha de Vardø. O governador disse que ela o enfeitiçou. Foi assim que começaram as acusações de bruxaria contra ela.

Ingeborg parou na soleira, a palavra *bruxaria* capturou seu coração e o apertou com força.

A mãe bateu a mão na mesa com força.

– Como pode me dizer isto quando foram as bruxas que tomaram meu filho?

Ingeborg se virou para ver Solve tocar no braço da mãe. Ao falar, sua voz foi gentil:

– Eu sei. Mas não entende, prima, vão dizer que você também o enfeitiçou.

Sua mãe soltou uma risada curta.

– É exatamente o contrário – respondeu à Solve, mas não continuou quando viu Ingeborg ainda na soleira: – Já falei para ir buscar sua irmã, Ingeborg.

*

Ingeborg encontrou Kirsten sentada em um monte de turfa, com o avental imundo, enquanto fazia cócegas na barriga de seu cordeirinho, que, embora fosse uma fêmea, dera o nome de Zacharias.

Quando voltaram para a casa, Solve estava ajeitando as saias e levantando a cesta no braço. A despedida das primas não foi tão calorosa como de costume.

Quando Solve passou, Ingeborg notou a mancha desbotada de um hematoma antigo em seu queixo, quase como se fosse uma sombra. Todas estavam acostumadas com os machucados e inchaços de Solve. Dois verões atrás, Solve apareceu com um olho roxo e Ingeborg perguntou à mãe o que o tinha causado. Zigri franziu a testa, balançando a cabeça, dizendo que Solve havia levado um coice da vaca durante a ordenha. Ingeborg sabia que cada palavra era mentira.

Quando Strycke estava fora pescando, a vaca nunca coiceava Solve.

Kirsten exclamou de alegria quando a mãe colocou a travessa de *klinning* que Ingeborg havia feito na mesa. Elas fizeram uma breve oração e Kirsten se fartou, alimentando sua cordeira com petiscos, ação que a mãe ignorou enquanto mordiscava um pedaço do prato.

Ingeborg sentiu uma pontada de medo na barriga. Sua fome a tinha tornado tola. Ela nem mesmo havia considerado o perigo dos presentes de Heinrich Brasche: seus pensamentos foram acalmados pela nutrição da comida, o prazer que ela trazia, pelo fato de Kirsten ter um pouco de cor nas bochechas e não mais chorar até dormir com a barriga vazia e dolorida.

Ela tinha ficado preguiçosa. Não se preocupou em caçar a própria comida por semanas.

*

Ainda havia luz suficiente no céu e as tardes eram longas. O sol mergulhava no horizonte para se erguer mais uma vez no dia seguinte.

Ingeborg se levantou da mesa, mastigando seu último pedaço de *klinning*. Ela juntou suas coisas de caça.

– Onde está indo? – perguntou a mãe.

Ingeborg abotoou o gibão de Axell.

– Vou preparar algumas armadilhas – respondeu.

– Mas temos muita comida – retrucou a mãe. – Heinrich Brasche nos trouxe uma lebre.

– Mãe, a senhora deveria devolver – disse Ingeborg.

Os olhos da mãe se arregalaram, mas ela não disse nada em resposta.

*

Ingeborg seguiu a costa. O mar de Varanger se chocava com umaforça gelada contra as areias suaves de Ekkerøy. Ela ansiava pelo alto verão e por correr descalça ao longo de sua extensão, como ela e Axell costumavam fazer.

Mudando de direção, ela se dirigiu para o interior, atravessando o pântano. A terra pesada puxava seus pés calçados com botas. Com a neve derretendo, o solo começou a se encher de água gelada. Seu progresso era lento, e ela precisava ter cuidado para não cair em um pântano tão atolado do qual nunca mais conseguiria sair.

Ingeborg abriu caminho pelas charnecas até a floresta esparsa entre o pântano e um fiorde interno. Ela tinha a sensação de que estava sendo observada ou seguida, mas quando olhava para trás, tudo o que via era o céu amplo derramando luz, e nuvens escuras de granizo acumulando-se acima dela.

Começou a chover no instante em que ela se escondeu entre as bétulas estreitas, e, então, cobriu sua testa com o chapéu de Axell. O ar estava pesado e frio em suas bochechas, mas pelo menos o vento diminuiu na súbita quietude da floresta invernal. A respiração se desenhava como uma pluma à sua frente enquanto estudava o solo abaixo.

Ainda havia neve onde a luz e o granizo não conseguiram alcançar para descongelar. Ingeborg se agachou, examinando-a em busca de rastros. Mais uma vez, teve a sensação de estar sendo observada. Seu instinto animal formigava com uma sensação que descia por suas costas. Ela se levantou e girou em um círculo lento, mas não conseguiu ver nenhuma outra alma.

Um galho estalou acima de sua cabeça. Ingeborg levantou os olhos para ver um grande corvo pousando no topo de uma bétula alta e fina. Os galhos estreitos oscilavam com o peso do pássaro.

– Xô – gritou para ele, enervada por seu olhar penetrante.

Mas o corvo não foi embora.

Ingeborg curvou os ombros, tentando ignorá-lo, enquanto procurava marcas promissoras na neve. As sombras começaram a surgir das bordas da pequena floresta, com as bétulas austeras na penumbra crescente.

Enfim, a jovem viu a marca inconfundível de rastros de lebre. Pegou um graveto, afiou depressa sua ponta com a faca e o fincou na neve, cravando-o na terra dura com toda a força. Amarrando uma linha em torno dele, Ingeborg prendeu a armadilha que havia feito com rede de pesca, e esta, de tão afiada que estava, cortou a ponta de seus dedos muitas vezes. Finalmente, ela deu um laço, e, fazendo um entalhe em um tronco pequeno e atrofiado do outro lado da trilha, amarrou a armadilha.

Ela se afastou. Era uma posição boa e aberta. Um lugar onde uma lebre poderia aumentar a velocidade Sem notar a armadilha. Tinha esperança de que, quando voltasse na manhã seguinte, seria recompensada. Ingeborg colocou várias outras armadilhas perto das pegadas de lebre, rezando para que pelo menos uma delas a recompensasse no dia seguinte.

No caminho de volta ao pântano, olhou para a árvore onde o corvo pousara, mas ele havia sumido. Mas ainda sentiu seu olhar duro atrás de si. Ingeborg começou a correr ao ar livre. O granizo caía brutal e gelado sobre ela. A breve escuridão estava caindo e agora não havia mais seu irmão para encorajar-lhe.

*

Pela manhã, o céu há muito iluminado, antes mesmo que acordasse, Ingeborg estava de volta à caminhada pela esparsa floresta de bétulas. Uma sensação de expectativa batia forte em seu coração. Se tivesse capturado uma lebre e conseguisse retornar com a caça para a mãe, poderia recusar as comidas de presente de Heinrich Brasche. Mas enquanto serpenteava por entre as árvores, Ingeborg se esforçou para ignorar o que sabia, em seu coração, ser verdade: Heinrich Brasche poderia visitá-las com os bolsos vazios, e a mãe ainda escaparia à noite, com sua sombra esvoaçando pela vila sob a lua cheia, subindo a colina em direção à casa dos Brasche.

Era tão cedo que Ingeborg se sentiu como a primeira criatura acordada. Sua barriga roncou; estava tão ansiosa para verificar suas armadilhas que ainda não tinha comido nada. Mas quando chegou à pequena elevação de terra onde colocara a primeira armadilha, viu que não apenas estava vazia, como também os galhos haviam sido arrancados da terra e a própria armadilha tinha sumido. Ela checou todas as outras armadilhas que armara, e todas haviam sido destruídas.

Parou com as mãos nos quadris, confusa, encarando o lugar onde tinha colocado a primeira armadilha. Ninguém na aldeia faria uma coisa dessas.

E, mais uma vez, teve a repentina sensação de que alguém a estava observando.

Quando ergueu o olhar, havia uma garota parada à sua frente. Pelo seu rosto, parecia ter a mesma idade que ela, embora fosse bem mais alta. O cabelo era o mais preto que Ingeborg já tinha visto, grosso e selvagem como samambaias marinhas, os olhos verdes como gelo profundo de fiorde, a pele marrom como a água salobra do pântano. Embora nunca a tivesse visto, Ingeborg sabia exatamente quem a garota devia ser: Maren Olufsdatter, a estranha sobrinha de Solve. Desde que ela se mudara para a casa do tio e da tia no último inverno, havia rumores de que o verdadeiro pai de Maren não era o pescador de rosto pálido, Oluf Mogensson, mas um pirata da costa da Berbéria. O afogamento de Olaf dois invernos antes havia sido uma maldição, pois a esposa bruxa cometera adultério. Foi a mesma tempestade em que Axell se afogara; aquela pela qual a mãe também culpava as bruxas.

E a mãe de Maren havia sido a líder delas.

Ingeborg tinha ouvido muitos rumores sobre Maren, de que ela era igual à mãe. Uma filha de bruxa. E agora a garota alta e morena estava diante dela, com um olhar em seus olhos semelhante ao do corvo preto na noite passada. De censura e julgamento. Mas pelo que ela julgaria Ingeborg?

Quando a garota deu um passo em sua direção, Ingeborg ficou surpresa ao ver uma pequena lebre branca atrás dela dando um grande salto antes de correr para a floresta.

– Acredito que isto deve ser trabalho seu – Maren mostrou uma das armadilhas de Ingeborg.

A rede de pesca prateada brilhava à luz da manhã.

– O que você acha…

Ingeborg foi silenciada pelo próprio espanto quando Maren tirou uma tesoura de poda do bolso do avental e cortou a armadilha em pequenos pedaços.

– Ei! – Ingeborg avançou furiosamente em sua direção. – Como *ousa*?

Maren acenou com a tesoura, alertando-a para ficar longe enquanto cortava o último pedaço da armadilha. Espalhou-se como neve fina.

– Agora, assim não é melhor? – Maren sorriu docemente para Ingeborg. – Cheguei bem a tempo.

– Eu precisava da lebre para alimentar minha família! – exclamou Ingeborg, chutando os galhos da armadilha. – Você não tem o direito de interferir e destruir as minhas coisas.

Maren inclinou a cabeça para o lado.

– Não precisa ficar tão chateada – disse ela, guardando a tesoura no bolso do avental.

– Você já passou tanta fome que comeu musgo das pedras? – Ingeborg rebateu, com a voz embargada pela emoção.

– Ora, sim, claro que já – respondeu Maren, com uma insinuação zombeteira na voz. – Mas se você caçar, deve fazê-lo pensando nas consequências.

– É só uma lebre!

Mas Maren pareceu não se incomodar com a irritação de Ingeborg. Em vez disso, estendeu a mão para ela.

– Venha comigo – convidou. – Deixe-me mostrar o que quero dizer.

CAPÍTULO 7
ANNA

Agarrei-me à minha fé, mas foi muito difícil. Minha nova casa – como posso chamá-la assim? – foi o lugar mais escuro em que já vivi, apesar das longas horas de luz neste domínio do Norte; pois entre as paredes úmidas desta habitação miserável, a escuridão é permanente. Como meu espírito se abate quando vêm à mente fragmentos de memória de minha casa arejada em Bergen e de todo o conforto do qual eu usufruíra e ao qual não dera valor.

Não ajudou em nada saber, pela criada Helwig, que o último habitante da minha casa-prisão – um padre exilado, de Rogaland – havia morrido uma semana antes na mesma cama em que eu dormiria.

Apesar da natureza inóspita de meu novo lar, na primeira noite eu estava tão cansada de minhas labutas que poderia ter dormido no chão de terra ao lado do fogo crepitante, mas Helwig me conduziu para o quarto sombrio.

Minha cama parecia antiquíssima, com cortinas puídas e peles de animais fétidas como cobertas.

– Esta roupa de cama está limpa? – perguntei a Helwig, pensando no velho padre que morrera ali.

– Claro – respondeu ela, ofendida. – Engelbert perdeu controle dos intestinos. – Ela bufou. –Tive de limpar e trocar tudo.

Olhando para as mãos sujas e o avental encardido dela, duvidei de sua meticulosidade. O odor no quarto me lembrou do fedor em algumas das casas dos moribundos durante o período da peste. No feixe de luz lançado por sua vela, vislumbrei uma pequena abertura de janela. Passei por ela e puxei as cobertas, que pareciam feitas de pele de peixe.

Helwig se aproximou com a vela.

– Há um bastão na prateleira para apoiá-la – indicou ela, sem se oferecer para me ajudar.

Com cuidado, apoiei a cobertura com o bastão, enquanto ar fresco inundava o recinto.

– Vai ficar muito frio se não baixar a cobertura – alertou Helwig enquanto a chama de sua vela crepitava no ar gelado que entrava no quarto.

Mas meu espírito ficou mais leve com luz da lua cheia que entrava. Foi então que vi um grande baú no canto do quarto e ofeguei em choque e prazer, incapaz de esconder minha alegria com sua presença.

– De onde veio isto? – perguntei, apontando meu dedo trêmulo para ele.

– Chegou de trenó antes da última tempestade – respondeu Helwig. Sua voz baixou para um sussurro. – Acredito que seja do rei!

Ajoelhei-me ao lado do grande baú e o abri enquanto minhas mãos tremiam para ver o que você me enviara. No topo havia uma carta dobrada, com o selo rompido, com instruções ao governador de Finnmark de que eu deveria receber todos os itens intactos e ao final da qual estava sua assinatura real. Coloquei a carta de lado nas tábuas rachadas do assoalho enquanto Helwig observava, admirada, todas as roupas finas embaladas dentro do baú. Tenho certeza de que ela nunca tinha visto tais coisas em toda a sua vida.

Você ordenou que enchessem o baú com lençóis brancos e engomados: três toucas para a minha cabeça; anáguas novas, uma delas com bolsos amplos; três golas de renda de bilro; duas camisolas; e três túnicas de gola alta para que eu usasse por baixo dos vestidos de cetim, dos quais havia dois: um da cor de miosótis, para combinar com os meus olhos, e outro preto, para ocasiões formais. Havia mais: um corpete de *bøffelbay* de um vermelho quente, um cinto azul-escuro e uma rica estomaqueira decorada com rosas negras sobre ouro; um novo regalo de pele, um capelete de pele e um chapéu com uma pluma de avestruz. Para os pés, você me enviou um par de *pantofles* em brocado dourado para uso interno e um par de sapatos azul-escuro com rosas de seda preta; mas mais útil era um par de tamancos de madeira.

No topo de todos estes itens havia um pequeno espelho de mão incrustado com madrepérola e uma garrafa de água de rosas, com um frasco de óleo de rosas, que eu peguei e inalei profundamente, banindo o fedor do quarto rançoso. Foi então que notei mais um tesouro, pois em um canto do baú havia um caixote de madeira cheio de limões, e, ao lado dele, embrulhado em papel, um delicado cone de açúcar, ainda intacto, apesar da distância que devia ter percorrido.

A cada vez que enfiava as mãos no baú, encontrava mais: um frasco de genebra, um saco de amêndoas caramelizadas e dois livros para somar à minha Bíblia surrada e ao Novo Testamento de Pedersen: uma cópia do *Daemonologie do rei James* e uma nova publicação de Rasmus e Thomas Bartholin, os médicos dinamarqueses que eu tanto admirava.

Suas escolhas pareciam conflitantes, pois uma era um tratado teológico sobre demonologia, enquanto a segunda era um tratado científico: *De nivis usu medico observationes variae* – sobre o uso da neve em várias observações médicas. Estes livros eram sua ideia de piada? Não faltaria neve em minha nova morada, e bruxas abundavam.

O último item dentro do baú foi uma provocação cruel, não foi? Retirei um rolo de pergaminho, velino grosso de cor creme, esperando minha escrita sobre ele, mas, por mais que eu procurasse, não consegui encontrar tinta nem pena, meu rei. Em meu coração, eu sabia que não era por acaso que esses itens foram omitidos.

Eu estava em conflito quanto ao significado do baú. Sua chegada era um sinal de que meu perdão viria logo, ou esses presentes eram uma despedida final? Ou você estava me provocando com roupas elegantes, que eu não teria chance de usar no terrível lugar do meu exílio, e pergaminho no qual não conseguiria escrever? Eu temia que fosse isso, pois você mudou muito, como descobri na última vez em que estivemos juntos. É, talvez, o que ocorre quando um príncipe se torna rei: ele renuncia à compaixão pela autoridade; não mais deseja ouvir, mas precisa estar acima de todos os seres.

Viajei apenas com o vestido que estava usando, com as pérolas de minha mãe costuradas na bainha por segurança e meu baú de remédios, pois nunca ia a lugar algum sem minhas ervas e tinturas. Como fiquei feliz por tê-lo trazido comigo para Copenhague, pois é claro que não tinha a menor ideia de que não voltaria para casa em Bergen.

Minha alegria de encontrar o baú se transformou em sofrimento quando um novo pensamento me ocorreu: que você tinha me enviado o baú cheio de tudo o que eu amava por culpa, e que a partir de agora você se esforçaria para esquecer minha existência.

O fedor dos meus novos aposentos pairava ao meu redor, e levantei o óleo de rosas mais uma vez para inalá-lo profundamente antes de destrancar meu baú de remédios. Seu conteúdo sempre me acalma.

Peguei um maço de alecrim seco do meu jardim, amarrado com barbante. Helwig olhou para minhas ervas com desconfiança, mas não disse nada.

– Traga a vela – instruí.

Acendi o alecrim e o soprei aos poucos, deixando a fumaça vagar pelo quarto imundo. Ela me observou enquanto eu o espalhava pelo cômodo.

– Eu não deixaria Lockhert ver você fazendo isso – disse ela, balançando a cabeça. – Ele vai pensar que é bruxaria.

– Bem, ele está enganado – retruquei. – Usei estas ervas muitas vezes para limpar as casas dos afligidos pela peste.

Helwig pareceu ainda mais preocupada com a palavra "peste". Ela colocou a vela em uma mesinha ao lado da cama.

– Estarei na casa ao lado – avisou antes de sair.

*

Esperei que o governador fizesse suas apresentações, mas uma semana inteira se passou sem qualquer convite do castelo. Senti-me insultada por ele ignorar-me, mas a solidão também me consumiu. Minha única companhia era a criada Helwig, a quem eu tinha de persuadir a juntar-se a mim nas orações diárias e que estava longe de ser uma companhia adequada para qualquer conversa.

À medida que a neve derretia, as longas horas de escuridão diminuíam e a luz do dia começava no meio da noite. A perda da neve fez o mundo inteiro parecer mais cinza. Todas as manhãs, eu erguia a aba de alabote da minha pequena janela, observando a terra úmida e lamacenta embaixo de onde a neve havia estado. Toda a vista do sombrio assentamento de Vardø estava inundada pela chuva, cinza e implacável. A luz fraca do dia começava tão cedo que eu ainda não estava acordada, mas o tom permanecia na mesma monotonia durante todas as minhas horas de vigília. Senti falta do branco puro da neve e do céu límpido e estrelado, como na noite em que cheguei.

Eu estava acostumada com a chuva, tendo morado tantos anos em Bergen. Na cidade, eu apreciava a visão das pedras molhadas à luz prateada tomada pela chuva, enquanto ficava aninhada em minha casa, junto ao fogo, ouvindo o tamborilar da chuva em nosso telhado. Tudo isso tornava minha casa mais confortável. Mas ali, no Norte, a chuva era de um tipo violento e não havia beleza que eu pudesse encontrar nela.

Poderia ter afundado na melancolia e perdido todas as esperanças, como deve ter acontecido com o velho padre que pereceu em minha cama, mas isso não é do meu feitio. Você sabe disso; sou obstinada como uma cabra montesa e, por isso, ocupei-me em fazer pedidos a cada dia.

Começava todas as manhãs de joelhos, em oração, pois sou uma boa suplicante. Durante a maior parte de minha vida, pedi ao Deus Todo-Poderoso que ouvisse minhas orações, mas enquanto apertava os dedos com força, pressionando a ponta nas juntas de cada mão, perguntas vagavam em minha mente, tentando-me a abandonar a humildade.

Queria perguntar-lhe como é ser um rei como você, Frederico: um monarca absoluto por sanção divina. O Bom Deus ouve todas as suas orações?

E, no entanto, no último dia em que estivemos juntos, não pude ver sua divindade, pois sua boca traçava uma linha dura e seus olhos eram sombrios e cruéis. Penso em como você foi capaz de olhar para mim dessa maneira, e sua imagem me assombra enquanto oro, então preciso apertar bem os olhos e cantar os salmos em voz alta para bani-la.

Depois das orações, eu lia a Bíblia para Helwig, pois leio bem em voz alta e gostava da tarefa de educar a garota.

A criada ficou fascinada com a praga de gafanhotos no Livro do Êxodo, e tinha um apreço pelo Deus pouco misericordioso do Antigo Testamento, todavia era lendo sobre o filho de nosso Bom Deus, Jesus Cristo, que eu encontrava maior consolo. Quarenta dias e quarenta noites ele vagou pelo deserto, mas meu exílio, temo, será mais longo.

Quando o sino da igreja soava doze badaladas, comíamos sopa e bebíamos nossa cerveja. Em seguida, comia uma rodela de limão polvilhada com açúcar.

A primeira vez em que comi minha rodela de limão, Helwig me olhou maravilhada.

– O que é isso? – perguntou ela.

– Um limão.

– E isso é açúcar? – sussurrou ela, admirada. Sua boca estava salivando enquanto lambia os lábios.

– É um sabor refinado – expliquei, virando-lhe as costas.

Não dei a ela uma fatia nem açúcar, porque são tão preciosos para mim quanto as pérolas que costurei na bainha do meu vestido.

Depois das orações e da leitura da Bíblia, lia os livros que você me enviou.

Eu já tinha lido o *Daemonologie,* do rei James. Sabia que havia sido escrito antes de eu nascer, e não posso dizer que concordava com todas as suas práticas. Considerava a afirmação de que uma bruxa deveria ser torturada para obter-se a verdade dela uma teoria errada e uma ferramenta de caça às bruxas que foi uma maneira ilegal de agir em nossos tempos.

Após a leitura, abria minha caixa de remédios e examinava seu conteúdo. Isso costumava me fazer soltar um longo suspiro, pois como reabasteceria os estoques neste lugar árido?

Em certos dias, eu me juntava a Helwig na lavanderia para vê-la trabalhar, esfregando com lixívia de bétula, e inspirava o vapor, absorvendo o calor da água aquecida e borrifando a lavanda do meu baú de remédios em minhas próprias roupas.

Todas as tardes eu andava ao redor do pátio da fortaleza, chovendo ou não. Vestia minha capa e me arrastava na lama com meus novos tamancos. Quando comparava o lugar com seu palácio e seus vastos terrenos, sentia que este território lúgubre de seu poder em seu domínio mais ao Norte mal poderia ser chamado de fortaleza. Eu contava os passos da minha casa-prisão até a lavanderia e à cabana de turfa dos soldados, passando pela guarita, onde uma ou duas vezes vi o beleguim Lockhert à espreita, e pela casa do governador. As janelas do castelo eram feitas de vidro, mas todas sombrias, exceto por uma luz fraca que brilhava em uma ou duas delas. De vez em quando, via um guarda nos portões, mas havia tão poucos deles; apenas seis soldados para lutar contra o mal no Norte.

O último prédio a visitar antes de completar meu círculo era a cova das bruxas. Sua sombra era longa, ou assim eu imaginava na chuva que caía, e seus contornos escuros e sem janelas faziam minha boca secar e meu coração apertar. Não era medo, mas um pressentimento que me fazia sentir assim.

A cova das bruxas está vazia agora, mas sei que logo não estará.

CAPÍTULO 8
INGEBORG

Ingeborg seguiu Maren enquanto esta a conduzia por entre as árvores e além, através da tundra selvagem, mais longe de sua aldeia natal do que jamais estivera.

– Aonde estamos indo? – perguntou enquanto caminhava ao lado de Maren.

– Quero mostrar uma coisa para você.

A neve estava quase derretida e a terra amolecia em torrões pesados que grudavam nas botas de Ingeborg. Por fim, elas pararam e Maren ergueu a mão, colocando um dedo nos lábios para dizer a Ingeborg que ficasse quieta. Ela seguiu em frente, sorrateira, e Ingeborg se agachou atrás dela.

Sob uma saliência de rocha à sua frente, havia uma lebre branca em um ninho forrado de musgo. Suas orelhas compridas se projetavam para trás e o nariz se contorcia, mas ela não fugiu.

– Esta é a lebre que você queria comer – sussurrou Maren –, mas ela está grávida.

Ingeborg deu de ombros. Mas parte dela estava um pouco contente por não ter matado a lebre.

– Em cerca de vinte dias, ela dará à luz até oito filhotes de lebre – explicou Maren a Ingeborg, virando-se para ela. – Você sabia que filhotes de lebre nascem com os olhos abertos?

Ingeborg balançou a cabeça. Ela olhou para a lebre branca, que a encarou de volta. Por que não estava com medo?

– Quando a mamãe lebre sair para se alimentar, vou ficar de olho neles – revelou Maren, segurando a mão de Ingeborg e guiando-a para trás.

– Vamos deixá-la em paz, certo? – sussurrou para Ingeborg.

Tudo em Maren era surpreendente. Seu cuidado gentil com o animal selvagem e o fato de estar segurando a mão de Ingeborg. Quando se viraram para voltar pela tundra, ela parou e esfregou as mãos de Ingeborg nas suas.

– Sua pele está gelada – comentou –, mas seus olhos são calorosos. – Maren sorriu. – Eles são de um marrom bem suave, assim como os olhos da lebre.

Ingeborg afastou as mãos. Ela não gostou de ser chamada de suave.

– Preciso voltar – declarou, com voz zangada. – De mãos vazias e sem jantar.

– De jeito nenhum – disse Maren. – Vou dar um pouco de manteiga e leite para você. Temos bastante.

Ingeborg não queria aceitar nada de Maren, porém era culpa da garota ela não ter caça para o jantar.

– Você é Ingeborg Iversdatter? Minha tia é prima de sua mãe – perguntou Maren, dando passos tão largos que Ingeborg precisou trotar para acompanhá-la. – No começo, pensei que você fosse um menino, porque está vestida igual a um, mas você é bonita demais.

Ingeborg se sentiu corar. A maneira como Maren falava era tão indecente. Devia ser por causa de quem era.

A filha de uma bruxa. Ingeborg se lembrou de como as bruxas haviam matado o seu irmão.

– Não quero comida de você... – começou Ingeborg.

Maren se virou para encará-la, com as mãos nos quadris.

– Por que não?

– Minha mãe diz que sua mãe era uma bruxa.

– Bem, é verdade – respondeu Maren, chocando Ingeborg.

– Minha mãe diz que a sua afogou meu irmão Axell.

– Agora, isso é mentira! Ela nunca machucaria nenhum dos pescadores. Ora, o próprio marido dela se afogou! – retrucou Maren, com veemência. – Minha mãe nunca machucaria nenhum de nós. Ela estava apenas tentando nos defender dos mercadores e de como eles nos usam.

Ingeborg mordeu o lábio, sem ousar olhar Maren nos olhos.

– Então, o que sua mãe fez?

– O governador de Finnmark estava com medo dela porque ela era amiga dos sámi – disse Maren, estendendo a mão e colocando mais uma vez a palma quente sobre a mão fria de Ingeborg.

– O reverendo Jacobsen diz que os sámis cantam para o Diabo – comentou Ingeborg. – Eles são pagãos.

– Ele só diz isso por ignorância e medo – rebateu Maren. – Os sámi entendem os caminhos desta terra do Norte de uma forma que nunca vamos compreender. Eles prosperam enquanto passamos fome. – Ao falar, os olhos de Maren cintilavam com todas as cores dos oceanos árticos: verde e cinza, até manchas de azul gélido. – Minha mãe e a mulher sámi, Elli, eram amigas, mas não eram más.

Seu olhar era totalmente perturbador, mas Ingeborg acreditou nela. Não conseguia entender o motivo, mas havia algo em Maren que a atraía. Fazia seu estômago revirar e sua boca ficar seca.

*

Quando Ingeborg chegou em casa, a cabana estava vazia. Mas ouviu a voz da mãe ao lado, na cabana da viúva Krog, junto de outras, enquanto consertavam as redes de pesca para os homens. Os maridos tinham voltado da temporada de pesca de inverno havia pouco tempo, e barcos e redes precisavam ser consertados em preparação para o outono, quando partiriam mais uma vez para perseguir o grande bacalhau ao Sul.

Ingeborg alimentou as cinzas fumegantes de sua lareira antes de preparar o mingau, acrescentando um pouco do leite que Maren lhe dera. Colocou-o de lado para comer mais tarde e se levantou, espanando as saias e pegando o balde.

Lá fora, a tarde havia mergulhado nas sombras. Enquanto baixava o balde no poço, Ingeborg olhou para cima e viu a figura alta de Heinrich Brasche vindo pelo caminho desde sua bela casa. Ao lado dele estava sua irmã mais nova, Kirsten, carregando Zacharias, a cordeira, nos braços. Heinrich estava com a mão na cabeça da menina. Se não fosse pela diferença em seus trajes – Heinrich em seu belo colete verde e grande chapéu preto, e Kirsten em um vestido de lã velho de Ingeborg – eles poderiam ser pai e filha.

Ingeborg puxou o balde. Precisava chamar a mãe antes que as outras mulheres o vissem, mas era tarde demais. Estavam todas saindo da cabana da viúva Krog, carregando a rede de pesca recém consertada.

Assim que a mãe de Ingeborg avistou Heinrich Brasche, reagiu ajeitando o cabelo na touca e alisando a saia. Ingeborg ergueu seu balde pesado, arrastando-o de volta para casa para chegar ao mesmo tempo em que o filho do mercador.

– Boa tarde, Fru Sigvaldsdatter, encontrei esta pequenina no pântano – disse Heinrich à mulher, afagando a cabeça de Kirsten.

As outras mulheres desapareceram dentro de suas casas. Ninguém permaneceu do lado de fora, pois nenhuma mulher queria ser vista conversando com o filho do mercador ou sendo questionada sobre as dívidas do marido. Contudo, Ingeborg sentia seus olhares espiando pelas rachaduras nas paredes de turfa, observando feito falcões, e seus pensamentos agitados como um enxame de moscas.

– O que estava fazendo no pântano, Kirsten? – repreendeu a mãe. – A terra é traiçoeira lá em cima.

Ingeborg sabia muito bem que se Heinrich não estivesse diante de sua mãe, ela teria dado um tapa na filha mais nova.

– Eu perdi Zacharias – admitiu Kirsten, esperando por mais raiva de sua mãe. Mas ela estava distraída com Heinrich Brasche.

– Posso entrar em sua casa por alguns minutos, Fru Sigvaldsdatter?

– Ah – disse a mãe de Ingeborg, corando.

– É sobre a dívida de seu falecido marido – esclareceu Heinrich Brasche, confiante.

– Sim, claro – respondeu a mãe, enquanto o rosa se espalhava por seu pescoço. – Meninas, esperem aqui fora.

Ingeborg colocou o balde no chão. Olhando para a porta de sua casa se fechando, ela esperou.

A viúva Krog saiu da própria cabana e mancou em sua direção.

– No que sua mãe está pensando? – sibilou para Ingeborg. – Dá para ouvir *tudo*. Ela está brincando com fogo.

– O que é que ela pode fazer? Ele é o filho do mercador – retrucou Ingeborg, na defensiva.

– Queria que ele fosse meu novo papai – falou Kirsten.

– Quieta – ordenou Ingeborg. – Ele é casado. Tem os próprios filhos.

– É verdade – comentou a viúva Krog, fazendo um triste aceno com a cabeça. – Sua mãe está arriscando a todos nós. Espere até o inverno chegar. Eu já vi isto antes.

– O que você quer dizer? – perguntou Ingeborg, embora uma parte sua não quisesse ouvir o que a velha tinha a dizer.

– Marette Andersdatter, a mulher conhecida como Liren Sand, enfeitiçou o governador de Finnmark e o levou ao pecado. A imoralidade dela era um sino tocando, chamando o Diabo. E ele veio.

A risada de sua mãe podia ser ouvida de dentro da cabana agora. Mas era forçada, nada natural.

A viúva Krog balançou a cabeça.

– E que o Bom Deus nos proteja se o Diabo despertar outra vez, trazendo tempestades, fome e doenças para todos – Ela se benzeu. – Diga a Zigri que tome cuidado para não acabar sendo acusada de bruxaria, assim como Marette Andersdatter! – Avisou a viúva Krog antes de voltar a sua cabana, apoiando-se em sua bengala.

Bruxaria. A palavra deixou Ingeborg sufocada de terror. Ela fechou os olhos com força, paralisada ao lado de seu balde cheio de água do poço. Ainda conseguia ouvir a risada da mãe. Ecoava pelo pátio silencioso. Aguda, como o grito de uma gaivota. Será que a esposa de Heinrich Brasche era capaz de ouvi-la em sua casa na colina? Será que podia ser ouvida do outro lado do Estreito de Varanger pelo governador em sua fortaleza, e ainda mais longe, no monte Domen e em suas cavernas?

O Senhor das Trevas ouviria a risada da sua mãe. Esperando, paciente, na profundezas sombrias, com os olhos vermelhos reluzindo de expectativa.

PARTE DOIS

PRIMAVERA / OUTONO
1662

A FITA AZUL

Certa vez, uma menina mendicante caminhava por uma floresta com sua mãe mendicante. Elas tinham pouquíssima comida e vagavam entre as aldeias em busca de esmolas. Mas ninguém as ajudava.

Enquanto caminhavam entre as árvores, encontraram uma fita azul caída no chão da floresta. A menina quis pegá-la e amarrá-la no cabelo, mas a mãe lhe disse que não valia nada para elas. Como uma fita azul poderia encher suas barrigas famintas? Então, a garota a deixou, mas ao continuar a caminhada sentiu o chamado da fita azul. A vontade de trançá-la no cabelo a fez esquecer o quanto estava faminta.

Fora da floresta, elas escalaram uma montanha nevada. Haviam escalado apenas um cume quando a mãe ficou muito cansada e declarou que se encolheriam sob um rochedo próximo e descansariam. A menina perguntou se poderia buscar lenha na floresta. Ela desceu a colina correndo, por meio das árvores, e encontrou a fita azul ainda caída no chão da floresta. Sabendo que a mãe ficaria zangada se descobrisse que tinha voltado para buscá-la, ela a pegou e amarrou na cintura sob o corpete. Assim que o fez, sentiu uma força incrível dominá-la. Correu de volta colina acima com uma pilha de lenha nas costas como se fosse um alce gigante.

Quando alcançou a mãe, viu algumas luzes ao longe, acima delas.

– Mãe, vamos em direção às luzes. Deve ser uma aldeia e talvez nos deem comida e abrigo deste vento frio.

– Está bem – disse a mãe, mas quando ela se levantou, quase caiu de novo, porque estava muito cansada. Então, a filha a pegou e a carregou nos ombros. A mãe ficou surpresa por sua filha ter tanta força, pois a menina era muito mais baixa do que ela. Mas a garota galopou morro acima como se suas pernas fossem como as de um alce gigante.

À medida que se aproximavam das luzes, a mãe ficou preocupada.

– Esta não é uma aldeia normal. É a morada de um trasgo – disse em pânico. – Devemos ir embora, porque ele vai querer roubar e esconder você nas entranhas da montanha.

– Não tenha medo, mãe – declarou a menina. – Talvez ele seja um trasgo bondoso.

– Isso não existe – retrucou a mãe, mas, apesar de seus protestos, a menina continuou correndo em direção à aldeia e a mãe não conseguiu descer.

De repente, elas foram cercadas por um grupo de lobos gigantes. A mãe ficou com muito medo, mas a menina cantou uma canção sobre amarrar uma fita azul em volta do pinheiro da floresta e voltar para casa. A canção agradou aos lobos e eles se deitaram para ela como se fossem cachorrinhos. Lamberam suas mãos, e ela afagou suas barrigas enquanto eles ofegavam de satisfação.

A mãe da menina ficou muito chocada com os novos poderes da filha. Mas não disse nada, porque não queria imaginar de onde poderiam ter vindo.

Assim que colocou a mãe no chão, a menina bateu à porta da casa. Um grande trasgo atendeu. O trasgo mais mal-humorado, feio e grande do que se poderia imaginar. E ele não ficou feliz em vê-las.

A mãe ficou apavorada com o olhar dele e desmaiou, mas a menina não teve medo, porque tinha a fita azul amarrada na cintura e a matilha de grandes lobos para protegê-la.

– Precisamos de comida e abrigo – disse ela ao trasgo.

Ele ficou muito zangado com a audácia da garota.

– Vou comer você e sua mãe e todos aqueles grandes lobos também – gritou ele, brandindo um grande porrete.

Mas quando atirou o porrete na garota, ela conseguiu saltar no ar tão alto quanto uma lebre. O porrete pousou no meio do círculo de lobos e um deles o pegou com a boca e o levou para a garota.

– Minha vez – disse ela.

O trasgo riu, pois não achava que ela conseguiria levantar um porrete tão grande sendo tão pequena, mas a fita azul dava a ela uma força impensável. A garota pegou o porrete e acertou o trasgo na cabeça. Ela o atingiu com tanta força que ele viu estrelas e, confuso, olhou para a mãe dela e achou que ela era uma mulher muito bonita.

– Entrem, entrem – disse ele, agora todo manso. – E comam a ceia comigo.

A garota com a fita azul carregou a mãe para dentro da casa do trasgo.

Quando a mãe acordou, ainda trêmula e amedrontada, o trasgo lhes serviu *flatbrød* e manteiga, arenques salgados e jarras de leite cremoso.

A garota da fita azul ensinou o trasgo a ler todos os livros que ele havia roubado de reis e príncipes. Ensinou-lhe algumas boas maneiras e a ser gentil com os grandes lobos que perambulavam ao redor da casa. E o trasgo fez tudo isso porque havia se apaixonado pela mãe da garota.

Por fim, o trasgo perguntou à mãe da garota se ela dividiria a cama com ele. A mãe da menina estava com muito medo, pois acreditava que ele iria devorá-la na cama, como todos os trasgos fazem.

A menina com a fita azul pegou as mãos da mãe.

– Acredito que este trasgo não seja tão perverso quanto dizem. Vê como ele está sendo gentil conosco: compartilhando sua comida e abrigo quando ninguém mais o fez em todo este reino?

– Mas ele é um trasgo e é da natureza dele querer nos matar – respondeu a mãe.

– Só porque nos foi dito – retrucou a garota –, não o julgue.

Então, a mãe dividiu a cama com o trasgo, porque, na verdade, ela gostava da cor dos olhos dele. Eles a lembravam de folhas verdes em um dia quente de primavera.

Na cama, o trasgo perguntou à mulher se ela permitiria que ele a beijasse. Ela ficou muito surpresa ao ser questionada sobre isso, pois, de fato, nenhum homem jamais havia pedido sua permissão antes, nem mesmo o pai de sua filha.

Quando o trasgo beijou a mãe da menina, aos olhos dela, ele se transformou no rei mais galante do mundo inteiro.

– Veja, filha! – declarou ela durante o café da manhã no dia seguinte. – O trasgo se transformou em um rei. Uma bruxa má deve ter lançado um feitiço sobre ele, e agora ele retornou à sua forma original.

Mas, é claro, a filha podia ver que o trasgo ainda era um trasgo, e de fato o trasgo sabia que ainda era um trasgo, mas nenhum dos dois disse à mãe da menina que ela estava errada, pois ela estava muito feliz. E, de fato, a mãe da menina fazia o trasgo sentir-se um rei.

Os três viveram felizes na casa do trasgo por muitos anos, embora a mãe da garota insistisse que era um castelo e que ela era a rainha.

Um dia, a menina disse à mãe e ao novo pai que deveria partir. A fita azul estava apertando seu coração, e ela sabia que precisaria ir e encontrar o seu destino. Mas antes de seguir, sabia que deveria mostrar a seus pais a fonte de sua força. Então, desamarrou a fita azul da cintura e a trançou no cabelo.

– Ah, a fita azul! – declarou a mãe. – Então você voltou e a pegou?

– Às vezes, a menor das coisas possui a maior magia – observou a filha, sabiamente.

A menina deu um beijo de despedida na mãe e no pai trasgo e foi embora. Mas ela não foi sozinha, porque os lobos a amavam e a seguiram pela floresta. E a seguiriam sempre, até os confins da terra.

CAPÍTULO 9

ANNA

A chuva persistente cessou e, em vez de arrastar-me todas as tardes em círculo com a cabeça baixa, estava pronta para olhar para cima. No primeiro dia claro, um corvo circundou a área, grasnando alto, como se protestasse por estar dentro dos muros da fortaleza; mas o pássaro idiota era capaz de voar rumo à liberdade que me era negada. Eu queria derrubá-lo com pedras, atirá-lo nas pedras do calçamento da fortaleza. Por que este pássaro vulgar podia fazer tanto barulho, enquanto eu era obrigada a abaixar a cabeça de vergonha e calar-me?

Ora, Anna, mantenha a dignidade. É apenas um pássaro.

Quando meus olhos se afastaram do céu, notei uma escada estreita ao lado das paredes da fortaleza. A visão melhorou meu ânimo, pois havia um lugar novo para explorar. Atravessei o pátio e subi as escadas, que estavam tão escorregadias com a chuva e o musgo úmido que precisei apoiar a mão na parede molhada para não cair.

O topo da escada conduzia às ameias, que compunham um passeio em torno da circunferência de todo o castelo, com pequenos postos de observação em cada canto. Não havia soldados no topo da fortaleza naquela manhã fria de maio; por que haveria? Que exército inimigo consideraria atacar nosso desolado posto avançado nos confins do mundo civilizado?

Deixei meu olhar cair para o meu entorno imediato e observei as paredes caiadas da fortaleza, que se erguiam vertiginosamente do topo deste morro lamacento. Estávamos tão acima do minúsculo povoado de Vardø que a vista se estendia do espumante Estreito de Varanger até o imponente monte Domen, ao lado do qual havíamos passado de barco na noite da minha chegada.

Comecei a ter uma vertigem e apoiei a mão no topo da parede da ameia para me firmar. Mesmo que eu conseguisse, de alguma forma, fazer uma corda e amarrá-la a uma das ameias, a enorme queda até o chão seria aterrorizante. Censurei-me por esses pensamentos sobre fuga, porque eu era prisioneira do rei e era meu dever não fugir do destino que me fora determinado; pois acima da minha miséria, minha lealdade a você era mais forte. Além disso, mesmo que eu escalasse as ameias e descesse do outro lado, não conhecia uma alma desesperada nesta ilha que pudesse me ajudar.

Além da fortaleza, a colina se inclinava em direção ao pequeno vilarejo. Na metade da descida, avistei uma pequena igreja. Não havia pináculo ou torre, mas de cima pude ver que tinha a forma de uma cruz e imaginar a pequena nave lá dentro. Era a única outra construção de pedra na ilha, além do castelo dentro da fortaleza, e eu esperava que me fosse permitido visitá-la para rezar em breve.

Nos últimos anos, descobri que minha visão mudou e, às vezes, pegava emprestados os óculos de Ambrosius para ler com mais clareza – para o aborrecimento dele, é claro. Ao olhar do topo da fortaleza agora, descobri que essa mudança me permitia ver mais longe. Consegui discernir os casebres dos ilhéus agrupados em torno do porto. A maioria estava vazia, pois não passava muito do meio-dia, e presumi que todos os pescadores ainda estivessem fora naquela época do ano. Pude ver uma das mulheres da aldeia e alguém que imaginei ser sua filha, varrendo juntas, limpando a sujeira da soleira de sua casinha, trabalhando em uníssono. Fez meu coração doer ao ver as duas. Desviei meu olhar e o voltei para outra direção.

Havia um dedo irregular de terra apontando para o mar, cuja visão me fez estremecer. Por instinto, soube que aquele promontório solitário varrido pelo vento provavelmente era o local de execução da ilha. Olhei para além dele, atravessando o estreito de mar agitado entre a ilha e o continente do outro lado.

Nuvens pesadas estavam se acumulando mais uma vez com a chuva, que caía em faixas extensas sobre a península de Varanger, a caminho da ilha de Vardø. Cortinas cinzentas ocultavam e depois revelavam Domen, o domínio do Diabo.

– As bruxas vão se encontrar com o Diabo em Domen – dissera-me Helwig em sussurros, na primeira noite, depois que peguei meu alecrim. – O governador está determinado a se livrar de todas as bruxas do Norte – Ela balançou a cabeça. – Tenha cuidado, senhora.

Respondi-lhe com uma risada arrogante. Que criatura ignorante por imaginar que eu, Fru Anna Rhodius, filha de um médico do rei e prisioneira do rei, poderia ser suspeita de bruxaria.

Olhei para além dos contornos do monte Domen, para o imenso vazio do Norte. Era ainda mais estéril e selvagem do que jamais poderia imaginar. Onde nosso mundo acabava e o Inferno começava?

Coloquei a mão sobre a barriga, sentindo o calor aumentar dentro de mim; meu coração estava um tanto apavorado. Sentindo uma sombra ao meu lado, virei-me, assustada, e vi um homem vestido de preto com uma gola de rufos branca e engomada em volta do pescoço.

Soube de imediato quem ele era, pois a cicatriz de batalha o entregava. Contaram-me que o governador regional, Christopher Orning, fora um dos comandantes mais leais e corajosos de seus exércitos na recente guerra vencida contra os suecos. Mesmo antes, ele havia lutado por seu pai e sobrevivido a pelo menos uma década dos trinta anos de guerra entre os reinos da Dinamarca e da Suécia.

Enquanto eu o observava sob o céu de chumbo, o governador Orning ficou parado com a altura e a força de um jovem soldado, mas seu rosto estava marcado pela vida e pela morte. A cicatriz era a característica mais proeminente, marcando uma linha branca da ponta da sobrancelha, descendo pela bochecha esquerda até a ponta do queixo.

– Fru Rhodius, o que está fazendo aqui em cima? – Sua voz era surpreendentemente suave, mas estava olhando-me com desagrado.

Sua falta de formalidade ou apresentação foi um insulto, e tenho certeza de que essa era a intenção.

– Voltarei para a minha casa – declarei, recusando-me a dar-lhe qualquer explicação, pois já era prisioneira o suficiente dentro das muralhas da fortaleza, não? Ninguém tinha me acorrentado.

– Sua prisão – corrigiu o governador Orning. – Seria bom que se lembrasse de sua condição, Fru Rhodius, como prisioneira do rei, sob minha jurisdição, e não vagasse por aí.

– Não pensei que me seria negada uma caminhada diária para minha boa saúde...

– Silêncio, mulher! – interrompeu o governador. – Eu pedi sua opinião?

Mordi a língua, embora pudesse sentir a raiva fervendo dentro de mim. A chuva vinda da península caiu, fria e pungente, e puxei o capuz sobre a cabeça.

– Agora, desça, Fru Rhodius – disse ele, dando-me um forte empurrão na direção dos degraus.

Quase desci aos tropeços, mas consegui recuperar o equilíbrio ao chegar lá embaixo. O governador andava tão perto de mim que pisou na parte de trás dos meus tamancos, como se tivesse a intenção de fazer-me tropeçar para que eu quebrasse o pescoço, e o tempo todo falava às minhas costas, como se falasse para si mesmo.

– Disseram-me que você poderia ser um problema – comentou ele. – Fui avisado de sua reputação tagarela. O governador Trolle me escreveu e me aconselhou que seria melhor colocar um freio da repreensão[5] em você, pois nem mesmo seu marido foi capaz de silenciá-la.

---

[5] Espécie de máscara feita em ferro forjado utilizada como tortura para punir e humilhar aqueles que falavam demais na Idade Média. (N. T.)

À menção do governador Trolle, senti meu corpo arrepiar e quis muito retrucar. Escondidas nas minhas mangas, havia tantas coisas inteligentes que eu poderia dizer a este governador, mas forcei minha boca a permanecer fechada. Minha situação já era ruim o bastante e a ideia de ter uma daquelas máscaras hediondas sobre o rosto – com o metal enfiado em minha boca, para prender a língua – era de fato abominável. Eu as vira sobre os rostos de mulheres comuns que desagradaram seus maridos, chamadas de briguentas pelas autoridades de Copenhague e Bergen. Estas briguentas, em geral, eram mulheres mais velhas que falavam demais, como se não conseguissem deixar de dizer a verdade, sem se importarem com as consequências.

Eu havia sido como elas em minha necessidade de falar livremente, e confiante ao fazê-lo, pois acreditava que meu privilégio me protegeria, mas parecia que não em Vardø.

– Perdoe-me, governador – disse eu, com a voz mais mansa que pude, embora estivesse tensa de indignação.

O céu se abriu e a chuva caiu forte enquanto eu corria em direção ao meu casebre, quase escorregando e caindo na lama, sentindo-me mais ignóbil do que já havia me sentido em toda a minha vida.

Quando me aproximava da porta, virei-me para ver o governador ainda de pé no pátio, de braços cruzados, mas ele não estava mais olhando para mim. Estava olhando para a chuva e, seguindo o seu olhar, vi o corvo sobrevoando a fortaleza de novo, atirado de um lado para o outro pelo vento.

Foi de fato uma visão estranha: o governador regional de Finnmark observando o corvo como se fosse algo muito mais significativo do que um pássaro preto, e o corvo girando acima, sem fugir da chuva e nem de tal escrutínio.

CAPÍTULO 10
INGEBORG

Era véspera do dia de São João Batista. Ingeborg costumava adorar o dia mais radiante de todo o ano. Todas as famílias de pescadores das aldeias locais se reuniam em torno de uma grande fogueira no suave crescente da praia de Ekkerøy. A cerveja corria de jarros de estanho. Iriam deleitar-se com carne de foca fresca assada em palitos e tigelas de *rømmekolle*[6], espesso e cremoso, feito pelas mulheres que possuíam vacas. Se o reverendo Jacobsen não estivesse olhando, as crianças pulariam na areia macia com os pés descalços, brincando.

Os preparativos para o evento começavam algumas semanas antes. Os maridos pescavam cedo e próximo de casa em junho; as tardes eram passadas colhendo turfa do pântano e consertando os telhados das cabanas na aldeia. Eles trabalhavam até tarde nas noites claras, reparando seus barcos em preparação para o outono, quando partiriam para as zonas de pesca de inverno, separando tábuas velhas para a fogueira de São João.

No dia mais longo do Sol da meia-noite, ninguém pensava nos meses sombrios e em seus perigos. O ar ficava tomado por partículas minúsculas e flutuantes de algodão do pântano por causa da colheita de turfa. Ingeborg conseguia sentir o cheiro da terra fértil em sua pele por causa de todo o tempo que passara nos pântanos, como se a enraizasse na terra, lembrando-a: *Este é o seu lugar*. O inverno longo e rigoroso podia esconder a terra macia, mas Ingeborg sempre carregava sua presença desde o solstício de verão. Era o que ela chamava de sua esperança.

Antes de o pai e Axell partirem, os cinco teriam muitas oferendas para a véspera de São João: a mãe levaria o melhor de todos os *rømmekolle* e a foca de seu pai seria a mais gorda de todas. Axell levaria um exército de arenques para acrescentar aos assados. O cabelo de Kirsten estaria trançado com flores

---

[6] Sobremesa norueguesa à base de leite. (N. E.)

blåveis[7] que Ingeborg e ela teriam colhido no pântano. Estrelas de pétalas azul-escuras espiando dos cachos ruivos.

Mas no ano seguinte ao afogamento de Axell, a magia do solstício de verão havia se esvaído. Sua mãe se recusara a deixar a cabana, e Kirsten teve de implorar ao pai para levá-las até a praia e às comemorações. Mas toda a cor havia se perdido. O pai igual a um fantasma, e o fantasma do irmão entre eles. Ingeborg não conseguia deixar de pensar no ano anterior e em Axell girando-a ao longo da praia, de modo que perderam o controle e caíram na arrebentação, rindo tanto que chegava a doer.

A última véspera do dia de São João tinha sido ainda pior com a partida do pai e a mãe ainda se recusando a deixar a cabana. Ela e Kirsten tentaram participar, mas a pena dos vizinhos fez Ingeborg sentir-se miserável.

Porém, naquela noite de junho, a mãe não estava mais se escondendo. Na verdade, ela havia desaparecido, como tantas vezes fizera nas últimas semanas. Ingeborg não queria pensar no que ela poderia estar fazendo. Tudo o que sabia era que a mãe usava com orgulho a fita azul que Heinrich Brasche lhe dera, trançada em seus cabelos vermelho-dourados.

Suas saias podiam estar esfarrapadas, mas o cabelo ainda era a sua maior glória.

Ingeborg quisera atravessar os pântanos sozinha. Mas Kirsten estava ao seu lado, implorando para ser levada até a fogueira do solstício de verão.

– Todo mundo vai estar lá, Ingeborg – disse Kirsten, melancólica, com a pequena Zacharias a seus pés.

– É melhor esperarmos pela mamãe – respondeu.

– Mas toda a comida vai acabar – lamentou Kirsten, segurando a barriga. – Consigo até sentir o cheiro!

Ingeborg sentiu pena de sua irmãzinha, que crescia com a falta de metade da família.

– Está bem – consentiu. – Mas deixe Zacharias aqui. Você não vai querer que alguém a coloque para assar na fogueira!

Kirsten deu um gritinho horrorizado, mas seus olhos brilharam de animação. Ingeborg rezou para que a mãe voltasse logo, pois sua ausência certamente seria notada.

*

Era uma noite sem nuvens. O Sol da meia-noite, de um vermelho profundo e fumegante, refletia no mar calmo. Ingeborg sentiu a febre dessa luz eterna queimar dentro de seu peito. Tocava a todos na aldeia, induzindo uma energia

---

[7] Anêmonas hepáticas. (N. T.)

maníaca, como as gaivotas que gritavam enquanto mergulhavam em direção aos penhascos onde faziam seus ninhos.

Os homens faziam barulho enquanto bebiam cerveja, e as mulheres se moviam mais depressa enquanto preparavam a comida.

O robusto reverendo Jacobsen andava entre os aldeões para garantir que ninguém se divertisse demais, enquanto Solve, a prima de sua mãe, vagava entre a multidão servindo cerveja em seu jarro.

– Aceita um pouco de cerveja, Ingeborg? – brincou ela, enquanto passava pelas garotas.

Ingeborg balançou a cabeça, ciente que o reverendo as observava.

– Solve Nilsdatter, eu avisei antes para não oferecer cerveja às crianças.

– É apenas um copinho, reverendo, e Ingeborg é quase uma mulher feita – retrucou Solve, dando uma piscadela para Ingeborg.

Ela podia ver hematomas no rosto de Solve novamente. O brilho em seus olhos disse a Ingeborg que já havia bebido um bocado de cerveja. A garota lançou um olhar para o marido da prima, o pescador Strycke Anderson. Ele estava com os outros homens, mas ela podia vê-lo observar a esposa e suas travessuras com desagrado.

Solve seguiu em frente e Ingeborg sentiu vontade de acompanhá-la. Mas o que poderia fazer para ajudá-la, afinal? Já tinha muito com o que se preocupar com a ausência da própria mãe, tendo que evitar as perguntas dos vizinhos.

O cheiro de foca assada flutuou ao redor delas, e Kirsten gemeu.

– Estou com tanta fome, Inge – reclamou a irmã. – Quando poderemos comer?

Ingeborg sentiu um puxão na manga. Mas não era Kirsten. Pois ali estava Maren Olufsdatter.

Ela era ainda mais alta do que Ingeborg lembrava. Não a via desde o dia em que a menina lhe mostrara a lebre no ninho. Sua pele parecia polida pela luz do fogo, e chamas brilhavam em seus olhos, que haviam se tornado de um verde bem escuro.

– Boa noite, Ingeborg e Kirsten Iversdatter – cumprimentou-lhes, sorrindo.

– Quem é você? – perguntou Kirsten.

– É a sobrinha de Solve – explicou Ingeborg. – Maren Olufsdatter.

Era a primeira vez que Solve trazia Maren para Ekkerøy, e algumas mulheres a encaravam. Afinal, era filha de uma famosa bruxa.

Maren parecia indiferente, virando-se para olhar para o fogo, enrugando o nariz ao sentir o cheiro de foca assada.

– Já nadou com as focas? – perguntou ela a Ingeborg.

– Não sei nadar.

– Eu lhe ensino – ofereceu Maren.

Ingeborg sentiu uma pontada de irritação. Axell deveria tê-la ensinado a nadar – e que bem isso fizera a seu irmão?

– Você *já nadou* com focas? – perguntou Kirsten a Maren, com uma nota de admiração na voz.

– É claro! – respondeu Maren. – Elas me levaram até o fundo do mar e lá conheci uma *havsfrue*[8].

– Ela era muito bonita? – perguntou Kirsten, com os olhos arregalados de fascínio.

– Era sim, e ela cantou para mim – Maren sorriu, juntando as mãos. – Mas se a irritarmos, ela pode trazer tempestades terríveis sobre nós.

– É lá que o papai está? E Axell? No fundo do mar com uma *havsfrue*? – perguntou Kirsten.

– Claro que não, eles estão no Céu com Deus Todo-Poderoso. É uma história, Kirsten, só isso – Ingeborg lançou a Maren um olhar de advertência.

– É verdade – retrucou Maren, em tom de desafio.

– O que está fazendo aqui, afinal? – Ingeborg se irritou. – Por que Solve não deixou você em Andersby para cuidar dos filhos dela?

– Ora, eles vieram conosco. Meu tio trouxe todos nós em seu barco – Maren indicou o pequeno Peder, agora sentado nos ombros do pai, e Erik, puxando suas calças. – Não são dos meninos que preciso cuidar, mas da mãe deles – declarou ela, de maneira enfática, levando um dedo ao rosto.

Ingeborg sabia bem o que ela queria dizer, mas era algo a ser ignorado. Ficou chocada com a franqueza de Maren, embora uma pequena parte dela a admirasse.

– Kirsten, a carne está pronta. Vamos comer – chamou, estendendo a mão para a irmã ao ver alguns dos homens arrancando tiras da foca assada e espetando-as com palitos.

– Você vem? – Kirsten se virou para Maren, mas a garota alta balançou a cabeça.

– Eu não como focas – informou –, porque consigo falar com elas.

Kirsten franziu a testa, mas Ingeborg a afastou.

– O que ela quer dizer, Inge? – perguntou Kirsten.

– É bobagem – disse Ingeborg à irmã. – Acho que ela não bate bem da cabeça. – Mas, honestamente, Ingeborg estava tão intrigada quanto Kirsten com a declaração de Maren.

Ela sentiu o olhar da garota sobre si enquanto se dirigiam para o fogo, e a ideia de Maren Olufsdatter observando-a fez com que suas bochechas corassem de forma espontânea.

*

As duas irmãs comeram todos os pedaços da carne de foca assada que receberam. Estava tão fresca que ainda tinha gosto de mar, um sabor mais rico do

---

[8] Sereia. (N. E.)

que qualquer peixe, carne densa e escura como a de rena. Ingeborg lambeu os dedos escorregadios com a gordura da foca. Sua barriga estava tão cheia.

Ela ainda estava perplexa com as declarações de Maren Olufsdatter. *Como é possível falar com uma foca?* As focas existiam para serem caçadas. Pereceriam sem esse sustento.

Depois de comerem, Ingeborg e Kirsten sentaram-se nas dunas, entre as ervas marinhas, observando todas as outras famílias. Alguns vizinhos lhe perguntaram onde estava sua mãe.

A viúva Krog suspirou e balançou a cabeça quando Ingeborg mentira dizendo que a mãe estava em casa, e Kirsten a denunciara falando que não.

Os homens cantavam velhas canções folclóricas, as vozes arrastadas pela bebida – depois que comera sua grande porção de carne de foca, o reverendo Jacobsen sumira para dentro de casa.

Solve havia esvaziado a última jarra de cerveja e estava tentando persuadir algumas das outras mulheres a dançarem com ela, mas todas recusaram com um aceno de cabeça. Ela ergueu as bainhas sujas de sua saia e cambaleou na direção de Ingeborg.

– Meninas, onde está sua mãe? – Suas palavras eram arrastadas. – Pois com certeza ela vai dançar comigo.

– Eu danço com você, tia – declarou Maren.

Lá estava Maren Olufsdatter outra vez, esgueirando-se atrás dela. As mãos nos quadris, encorajando a tia a causar um escândalo.

– Mas precisamos de mais de duas para dançar em roda – declarou Solve, estendendo as mãos para Kirsten.

Antes que Ingeborg pudesse detê-la, Kirsten deu um salto e pulou de alegria.

– O clérigo gordo foi para a cama – disse Maren, estendendo a mão. – Não há ninguém que se importe com o que fazemos agora. Quando poderemos ser tão livres de novo?

Ingeborg tentou não olhar para o rosto de Maren. A aldeia a chamava de "aparência estranha", "moldada em cor diferente" e "estrangeira". Mas sob o brilho do Sol da meia-noite, Ingeborg não pôde deixar de pensar que ela era magnífica. Deu de ombros, mas mesmo assim deixou Maren segurar sua mão.

Os dedos da outra garota se curvaram ao redor dos seus, e o calor de suas palmas unidas era surpreendentemente reconfortante.

De um lado de Ingeborg estava Kirsten, do outro, Maren, e diante dela o rosto risonho de Solve, bonita em sua saia de *bøffelbay* vermelho e gola de renda, embora seus olhos estivessem cheios de tristeza.

Não havia música e, enquanto dançavam, os homens pararam de cantar. Ingeborg podia sentir seus olhares silenciosos e reprovadores. Maren apertou sua mão, e quando se virou para olhar para ela, os lábios da jovem estavam se movendo, como se estivessem em uma oração silenciosa. Mas não era uma homilia. Ingeborg captou palavras perdidas ao vento – *giram, giram* e *cachos ruivos* – entrelaçadas ao som do mar que varria a costa.

Enquanto giravam devagar, todos os olhares sobre elas, a voz de Maren ficou mais ousada.

Giram, giram as meninas,
Bolsos cheios de cachos ruivos,
Cala, empurra
Todas nós caímos.

Ingeborg sabia que deveria interromper a dança. Sabia que era errado. Mas seu corpo não permitia. Ela nunca tinha ouvido aquela cantiga antes, mas parecia conhecer a letra antes que Maren a cantasse.

Giram, giram as meninas,
Bolsos cheios de cachos ruivos,
Às cinzas! Às cinzas!
Todas nós queimamos.

Os cachos ruivos de quem? Os cachos acobreados de Solve que brilhavam sob o Sol da meia-noite? Ou os cabelos flamejantes de sua irmã Kirsten, surpreendentes em contraste com sua pele pálida? Mas a imagem que surgiu na mente de Ingeborg foi a do cabelo ruivo da mãe, rios dourados de devassidão que caíam sobre os seus ombros.

Maren capturou sua atenção com uma expressão desafiadora, e Ingeborg queria cantar com ela com o sabor do espírito livre nos lábios. Seria doce, tinha certeza disso. Como queria cantar com Maren Olufsdatter.

Giram, giram as meninas,
Bolsos cheios de cachos ruivos,
Cala, amaldiçoa.
Agora vocês caem.

Girando e girando, as quatro rodopiavam, dançando ao ritmo alegre dos estranhos versos de Maren. A viúva Krog deu um passo à frente, com a bengala torta erguida. Ingeborg se preparou para o estalo em suas costas e a advertência para que parassem com aquele espetáculo vergonhoso. Mas a velha não quebrou a pequena roda. Longe disso. Bateu com a bengala na areia pesada e continuou. *Tum. Tum. Tum.* Acompanhando a canção de Maren.

As outras mulheres também não lhes viraram as costas. Foi a febre da véspera do solstício de verão que as desviou? Pois uma a uma, elas avançaram e se juntaram à roda.

Barbra Olsdatter foi a primeira, entrando entre Solve e Kirsten. Ingeborg soltou a mão de Kirsten para permitir a entrada de Maritte Rasumusdatter, que trouxe consigo Karen Olsdatter e, em seguida, sua irmã, Gundelle. Depois das mães, irmãs e primas, vieram as filhas. Todas as meninas do vilarejo. O círculo dançante de mulheres e garotas cresceu e cresceu, de modo que agora Kirsten estava exatamente do outro lado da roda. Um largo sorriso havia se espalhado pelo rosto da irmã, e seus cachos ruivos balançavam sobre seus ombros. Elas dançaram em uma espiral ondulante ao vento sobre o mar, aos pássaros que cantavam no céu e ao bater da bengala da viúva Krog. *Tum. Tum. Tum.* No ritmo das batidas de seus corações.

Por quanto tempo as mulheres e meninas dançaram? Não por muito tempo, mas pareceu uma eternidade. Os homens em uma multidão silenciosa, sóbrios repentinamente.

Qual daqueles pescadores ficou tão perturbado com a visão de sua esposa dançando que correu da praia até a casa do reverendo? Disse-lhe para vir rápido, pois as mulheres estavam enfeitiçadas.

– Parem com esta dança demoníaca agora! – O reverendo Jacobsen apareceu correndo pela areia. Suas vestes pretas batiam como se fossem as asas de um gigantesco biguá.

Mas era como se as mãos das mulheres estivessem entrelaçadas umas nas outras. Como se não pudessem parar mesmo que quisessem. Elas estavam enfeitiçadas, mas não pelo Diabo – não, uma pela outra.

Foram os maridos que quebraram o círculo. Strycke puxou Solve para longe, sacudindo-a como se ela fosse um saco de gravetos. Ingeborg notou o ardor no rosto de Maren enquanto ficava entre Solve e o tio. As mulheres se espalharam, algumas ainda com o brilho do abandono em seus rostos, mas outras confusas, como se despertassem de um feitiço.

O reverendo Jacobsen continuou a repreendê-las, implicando com a viúva Krog, que havia parado de bater com a bengala. Ela encarava o clérigo, perplexa.

– Pensava que você fosse melhor que isso, Dorette Krog – dizia o reverendo Jacobsen. – Não sei o que o mercador Brasche vai pensar disto.

Kirsten correu até Ingeborg, com lágrimas brilhando nos olhos.

– O que fizemos de errado, Inge?

Mas antes que Ingeborg pudesse responder, uma voz de mulher falou por trás delas.

– A dança é invenção do Diabo, criança.

Ingeborg se virou. A esposa de Heinrich Brasche ficou parada ali, olhando a cena na praia com desgosto. Cachos pálidos e ralos de cabelo escapavam de sua touca branca. De braços cruzados, ela era alta e estreita como um pilar de pedra.

– Fico chocada que tais práticas pagãs sejam permitidas em nossa aldeia. O que meu sogro, o mercador Brasche, dirá sobre isso? – Fru Brasche se voltou para o reverendo Jacobsen.

– É apenas uma noite no ano – retrucou o reverendo Jacobsen, com a testa úmida de suor. – E o fogo e o banquete foram sancionados pelo mercador Brasche, pois ele acredita que isso os distraia de suas dificuldades.

Fru Brasche não pareceu convencida, franzindo a testa quando viu a viúva Krog.

– Bem, aqui está você, Dorette! – exclamou ela. – Estou esperando minha ceia há mais de uma hora!

A viúva Krog baixou a cabeça e subiu as dunas em direção a Fru Brasche.

– Perdoe-me, senhora – disse ela, passando por Ingeborg e Kirsten. – Já vou cuidar disso.

– Espere e volte para casa comigo – ordenou Fru Brasche. – Estou procurando por Heinrich – Ela se virou para o reverendo, baixando a voz. – Você viu meu marido? Às vezes ele fica um pouco próximo dos pescadores. Ele estava entre as pessoas reunidas?

– Não, na verdade não vi Herr Brasche – respondeu o reverendo, parecendo chocado.

Os olhos da viúva Krog se voltaram involuntariamente para Ingeborg e Kirsten.

Rápida como um falcão, Fru Brasche notou o movimento, lançando um olhar frio na direção delas.

– Quem são estas garotas? – perguntou ao reverendo.

– São filhas da viúva Sigvaldsdatter – explicou ele.

A expressão de Fru Brasche ficou ainda mais dura à menção do nome da mãe.

– Já ouvi falar; ela nos deve muito dinheiro. – Ela olhou friamente para Ingeborg antes de dar as costas. A viúva Krog correu atrás dela.

– Onde está sua mãe, meninas? – perguntou o reverendo.

Ingeborg apertou a mão de Kirsten com força, em advertência.

– Em casa – mentiu. – Ela acha a véspera do solstício de verão muito triste desde a morte de nosso pai e irmão.

– Entendo. – O reverendo assentiu, mas sem um brilho de simpatia em seu olhar. – Vão para casa, meninas, e façam suas orações. Peçam perdão ao Bom Deus por terem participado da dança pecaminosa esta noite.

*

– Por que você mentiu ao reverendo? – sibilou Kirsten para Ingeborg enquanto subiam as dunas até a grama macia e pantanosa. – Não sabemos onde mamãe está.

– É melhor que ninguém saiba, Kirsten.

Perto do pântano, elas encontraram Maren Olufsdatter carregando o filho mais novo de Solve, Peder, no colo, e puxando a outra pequena alma cansada, Erik, pelo braço.

– Onde Solve está? – perguntou Ingeborg.

– Cumprindo seus deveres de esposa, nas dunas de areia – retorquiu Maren.

Ingeborg enrubesceu, esperando que Kirsten não entendesse o que Maren queria dizer.

Mas Kirsten tinha outras perguntas para Maren.

– Sua mamãe era uma bruxa? – ela se intrometeu.

– Quieta, Kirsten – repreendeu Ingeborg, mas Maren pareceu satisfeita por ela ter feito tal pergunta.

– Sim, claro. Uma bruxa muito poderosa. O próprio governador tinha medo dela.

– Maren, você não deveria falar sobre essas coisas – alertou Ingeborg.

Maren passou Peder para o outro lado, enquanto o pequeno Erik parecia prestes a desabar. Com pena do menino, Ingeborg o pegou.

– Por que não? – questionou Maren. – Acredito que a única maneira de nos protegermos é fazer com que eles tenham medo de nós.

– Quem são eles? – perguntou Kirsten, com os olhos arregalados.

– Os homens no poder, pequenina – respondeu, despenteando os cachos ruivos de Kirsten com a mão livre. – Minha mãe não era como as outras bruxas – comentou ela. Dois familiares a serviam. Um era um corvo preto e o outro, um grande alce.

– Você já viu o Diabo? – sussurrou Kirsten, com a voz rouca de empolgação.

Travessuras dançaram nos olhos de Maren.

– Claro, Kirsten Iversdatter. E você também, pois ele pode aparecer em muitas formas.

Kirsten parou de andar e encarou Maren, chocada.

– O Diabo pode se transformar em todos os tipos de criaturas. Ele pode ser um grande cão de caça, ou um astuto gato preto, ou até mesmo um pequeno pardal saltitando pelo chão de sua casa. Na maioria das vezes, ele vem como um homem todo de preto, disfarçado de sacerdote, mas por baixo de seu manto ele é meio animal, suas mãos com garras, com chifres sob o chapéu.

Ingeborg sentiu o peito apertar e a boca ficar seca. Vivera tantos anos temendo um encontro com o Diabo. Mas as palavras de Maren não faziam sentido, faziam?

Elas passaram pela casa de Heinrich Brasche, cientes do brilho bruxuleante da luz das velas lá dentro, imaginando a intimidada viúva Krog servindo a mal-humorada Fru Brasche enquanto esta esperava pelo marido.

Por que seguiram naquela direção? Devia ser o caminho mais longo. E o que Maren estava fazendo com elas? Ela deveria ter esperado pelos tios lá na praia.

As três garotas seguiram colina abaixo, com os meninos adormecidos e pesados em seus braços. Passaram pela porta do estábulo de Heinrich Brasche, que estava um pouco entreaberta.

Ingeborg podia ouvir um barulho lá dentro, além do murmúrio das vacas. Um outro som. Um ofegar, mas não de cachorro. E então o suspiro de uma mulher, longo e carregado de alívio.

As três garotas se viraram para olhar.

– Ah – Maren ofegou suavemente.

*

Elas andaram em silêncio até a cabana. Até mesmo Kirsten não tinha perguntas para Ingeborg. A imagem do que Ingeborg tinha visto ardia seus olhos, fazendo-a querer gritar. Mas precisava manter a calma. Fingir que não viram nada.

– É melhor você dormir aqui – disse a Maren, pegando peles para ela, incapaz de encará-la. – Não vai conseguir carregar os dois meninos até Andersby.

Maren tocou no seu braço.

– Obrigada, Ingeborg – falou com uma voz gentil, e Ingeborg ficou envergonhada ao ver a pena em seus olhos.

Elas se deitaram, mas era difícil dormir. A luz entrava pelas rachaduras nas paredes de sua cabana e a mãe ainda não tinha voltado para casa. Ela havia enlouquecido por completo? Ou não se importava com o que poderia acontecer com as duas filhas, já que valiam muito menos que um filho?

Ingeborg observou Kirsten enrolar-se ao redor de Zacharias, duas cordeiras inocentes juntas, e os meninos aconchegados ao lado de Maren. Conseguia ver o peito da garota subindo e descendo durante o sono. Esperou a volta da mãe, mas os pássaros continuaram cantando a noite toda, e mesmo assim ela não apareceu.

A imagem terrível permanecia. A mãe com as saias levantadas até a cintura, o traseiro nu, a pele brilhando opalescente no estábulo sombrio; Heinrich Brasche apertado contra ela, seu gibão verde jogado no estábulo. Suas nádegas nuas. Por mais que tentasse, Ingeborg não conseguia afastar a imagem, mas esta começou a assumir uma forma diferente: Heinrich Brasche mais alto, vestido de preto, com chifres brotando do topo da cabeça, segurando a cintura da mãe com garras em vez de dedos.

Quando finalmente adormeceu, Ingeborg podia ouvi-los ofegando em pecaminosa fornicação em seus sonhos.

O suspiro dela, e em seguida o uivo dele, como um lobo para a lua.

CAPÍTULO 11

ANNA

Era quase impossível dormir durante as semanas de luz eterna do verão. Baixei a aba da janela permanentemente para manter a penumbra do quarto, mas não era a luz que me incomodava, e sim a cacofonia das aves marinhas que cantavam sem cessar, a caminho dos penhascos onde se aninhavam.

Na primeira noite em que surgiram, acordei assustada e corri para o outro quarto, até o catre em que Helwig dormia.

– Acorde! – Sacodi seus ombros. – Quem está gritando?

– São só os pássaros, senhora – disse ela, esfregando os olhos com as mãos sujas.

– Mas um barulho tão infernal, que eu nunca ouvi antes.

– Eles voltam para fazer ninho durante o verão – explicou Helwig. – Estão voando para os penhascos do outro lado do mar, no vilarejo de Ekkerøy – Ela se levantou de seu catre, claramente satisfeita por haver algo sobre o qual sabia tudo e que eu nada sabia. – Venha e veja.

Ela abriu nossa porta, pois nunca ficava trancada. Tudo o que Lockhert precisava fazer era trancar os portões da fortaleza, e esta seria uma prisão para todos nós.

Segui Helwig até o pátio. Eu não fazia ideia de que horas eram, pois poderia ser o meio da noite, já que o sol nunca se punha naquele mês ao Norte. O delicado céu do Norte se parecia com aqueles das minúsculas pinturas holandesas embutidas nos painéis de seu aposento de inverno, enquanto sua serenidade era assaltada por pássaros brancos, milhares deles, voando em horda acima da fortaleza.

– Eles vêm do Leste – explicou ela –, sempre para fazer ninho em Ekkerøy, com as gaivotas e os falcões. Os ovos deles são deliciosos – sorriu, mostrando os dentes. – Se tivermos sorte, o governador nos dará alguns.

A ideia de ovos fez meu estômago grunhir. Em minha casa, em Bergen, costumávamos comer ovos de codorna, grelhados com um pouco de manteiga.

Voltamos para a sombria casa-prisão e, claro, era sombria – sempre tão sombria –, mas a barulheira do grito dos pássaros queria dizer que eu não conseguiria voltar a dormir. Havia um pânico em seu som que fazia meu coração disparar com antecipação cada vez mais rápido, a ponto de eu temer que ele saltasse para fora de mim.

*

No dia seguinte, o clamor dos pássaros continuou. Helwig me disse que eu deveria me acostumar, pois o barulho persistiria durante todo o nosso curto verão.

Eu não tinha certeza do quanto podia confiar em Helwig. Uma dama deveria poder compartilhar todos os seus segredos com sua criada, mas Helwig também era minha carcereira, não era? Ela me olhava com um olhar desconfiado enquanto eu abria a minha caixa de remédios e catalogava seu conteúdo. Como eu gostaria de poder cultivar algumas ervas e plantas, mas duvidava que esta ilha rochosa tivesse muito a me oferecer em termos de recursos botânicos.

Helwig me perguntava, de vez em quando, para que servia cada folha seca, raiz, pote de pó ou tintura. Contei a ela que a raiz de confrei era boa para diversos males, em especial sangramentos; as folhas de hortelã amolecem o estômago, aliviando o excesso de gases e, quando em pó, aliviam as dores do parto; ao passo que minha decocção de rosas vermelhas era ótima para dores de cabeça, nos olhos, ouvidos e gengivas.

Ela estendeu a mão e pegou minha garrafa de xarope de erva-fedegosa.

– E para que este serve?

Fiquei irritada por ela ter tocado meu precioso preparado, então, mandei que tirasse a rolha e o cheirasse. Ela recuou no mesmo instante, como se tivesse sido picada, e eu mordi o lábio para reprimir uma gargalhada pouco elegante para uma mulher.

– Isto fede – disse ela. – Igual a peixe podre. O que é esta coisa nojenta?

– Apenas por cheirar o xarope, você beneficiou seu útero – informei à Helwig. – É verdade, não há xarope melhor para uma mulher em trabalho de parto. Ele esfria o útero; o excesso de calor no útero é a maior causa de dificuldades no trabalho de parto.

Ela me lançou um olhar estranho.

– A erva-fedegosa é governada pelo planeta Vênus, sob o signo de Escorpião – expliquei à Helwig. – Não há melhor cura para as aflições do útero ou auxílio no parto.

– Você tem experiência na arte de parir?

Ergui a cabeça, com postura orgulhosa.

– Eu trouxe mais de cem bebês a este mundo – respondi. – Meu marido e meu pai eram médicos. Aprendi muito com eles, mas meus conhecimentos de parteira também me foram passados por minha mãe.

– Não há mais parteira em Vardø.

– O que aconteceu com ela?

– Ela era uma bruxa – revelou Helwig em voz baixa. Embora não houvesse ninguém por perto para nos ouvir. – Faz dez anos que não temos uma parteira. Nenhuma mulher deseja ser chamada assim nestes tempos.

Ela não precisou explicar mais, pois muitas das bruxas de quem eu tinha ouvido falar eram parteiras. Mas eu estava fundamentada na ciência e na respeitabilidade e era um tipo de parteira diferente daquelas astutas camponesas.

– Tivemos de ajudar umas às outras – disse Helwig, balançando tristemente a cabeça. – Muitas das mulheres da ilha morreram dando à luz.

– Isto é uma pena – falei, e estava sendo sincera. Meu propósito sempre foi preservar a vida dos inocentes, e desejo que pelo menos algumas das mulheres da ilha tenham algum grau simples de meu conhecimento para ajudá-las.

– E, senhora, a esposa do governador também está grávida – revelou ela. – Você a viu?

– Ainda não fui convidada para a casa do governador – respondi, mordaz. Quase três meses haviam se passado, e eu ainda não tinha sido apresentada à única outra senhora na ilha de Vardø.

– Fru Orning não é tão resistente quanto uma mulher da ilha – comentou Helwig, cautelosa.

Não agraciei seu comentário com uma resposta, pois o que era a esposa do governador para mim, senão um fantasma a quem era negada a minha apresentação?

– Ela é bem pequenininha – continuou Helwig.

A imagem do alto governador voltou à minha mente. No dia anterior, eu o tinha visto, junto de Lockhert e alguns de seus homens, portanto armas, partindo para uma grande caçada.

Apenas três soldados, incluindo o jovem capitão Hans, foram deixados guardando-me, posicionados na guarita. Eu havia passado por eles mais cedo, enquanto dava uma olhada furtiva nos robustos portões da fortaleza e nas correntes ao redor deles. Enquanto dava mais uma volta pela fortaleza, minhas costas formigaram e me virei, mas não havia alma viva no pátio. Saía vapor da lavanderia, onde Helwig trabalhava, então não poderia ter sido ela.

Girei devagar, olhando instintivamente para as janelas do castelo. No alto de uma das menores janelas, avistei um rosto escondido, exceto pelos olhos, por um grande leque preto. Talvez ela estivesse me observando todos os dias do meu cativeiro, regozijando-se com minhas caminhadas solitárias e cansativas pelo pátio. Eu a encarei, pois por que eu deveria baixar a cabeça de vergonha?

Seus olhos se arregalaram e suas sobrancelhas se ergueram em surpresa por ter sido pega.

Fiz uma reverência, abrindo bem as saias, com a cabeça baixa. Quando levantei os olhos novamente, ela havia sumido da janela.

Senti-me um pouco insultada, porque nenhuma dama deveria dar as costas a uma reverência.

*

Com a ajuda de melaço com infusão de óleo de papoula, consegui adormecer na luz infinita das noites de junho. Mas o barulho dos pássaros berrando tomava meus sonhos, e eu acordava com o coração acelerado, escorregadia de suor, enquanto as peles sob as quais eu dormia estavam úmidas devido ao meu calor.

Quando abria a aba de couro de linguado para deixar entrar um pouco de ar fresco e limpo em minha câmara pegajosa, era impossível dizer que horas eram. O meio da noite e a manhã pareciam iguais, sem sombra sob a qual encontrar refúgio.

Ah, meu rei, como me sentia exposta em todos os momentos.

O governador, Lockhert e seus homens voltaram com presas de sua caçada no continente. Observei-os através de uma fresta na porta enquanto eles marchavam, entrando no pátio do castelo. Não me pareceu que tivessem muito a mostrar por seus esforços: um par de lebres e uma pilha de lagópodes – nenhuma captura digna de orgulho.

Helwig revelou, mais tarde, que o governador estava de mau humor porque tinham rastreado um alce por três dias, cavaram um fosso para ele, o que nunca deixava de pegar os animais, e, ainda assim, o animal lhes havia escapado.

– O boato é que alguém destruiu a armadilha na floresta – ela me contou. – O governador está falando que são as bruxas.

– Como você sabe de tudo isso? – perguntei a Helwig.

– Guri me contou. Ela é a criada da esposa do governador – revelou Helwig, cruzando os braços, satisfeita com a história. – Eles perseguiram o alce e o guiaram direto para o fosso. Ele deveria ter caído, mas voou sobre ele como num passe de mágica!

O governador não permitiu que nada da caça agraciasse minha mesa. O cheiro de lagópode assado flutuava pelo pátio e zombava de mim, enquanto eu enfiava meu caldo gorduroso de peixe na boca. Minha barriga doía, e como eu ansiava por alimentos que me saciassem – queijo, carne e pão!

Aliviei meus desejos chupando uma das minhas amêndoas caramelizadas e depois peguei outra fatia de um dos meus limões, polvilhei com mais açúcar e um gole de mais alguma coisa para ajudar-me a dormir – mas não consegui. A gritaria infernal dos pássaros parecia estar dentro da minha cabeça e, quando fechava os olhos, tudo o que via era a corte de Copenhague dançando, vestidos coloridos rodando e rodando, e todas as lembranças alegres do meu passado zombando de mim.

Devo ter adormecido, porque fui rudemente acordada por Helwig puxando minha manga.

– Senhora – chamou ela. – Senhora, acorde.

– Como ousa colocar as mãos em mim…? – comecei a dizer, mas ela falou por cima de mim, em pânico.

– É Fru Orning, a esposa do governador – explicou ela. – Precisa vir. Guri disse ao governador que você tem as habilidades de uma parteira.

– Como ela sabia? – Eu estava furiosa.

– Eu contei para ela – revelou Helwig, em voz baixa. – Ele ordenou que a senhora fosse ajudar no parto.

Eu não tinha a menor vontade de ajudar a esposa do governador em seu parto, mas então Helwig disse outra coisa:

– Talvez ele seja mais brando com você depois disso – comentou ela.

Cerrei os dentes.

– Apenas se correr bem.

*

Assim que entrei na câmara de parto, pude ver que era tarde demais, pois o fedor de sangue me atingiu como uma onda. A esposa do governador estava deitada em uma cama enorme, minúscula e acabada, como destroços de um naufrágio. A pele de suas bochechas estava marcada e de um branco medonho, mas ao redor de suas partes baixas estava tudo vermelho, enquanto os lençóis estavam banhados em carmesim.

A criada, Guri, estava angustiada, segurando um pequeno embrulho em seus braços. Lágrimas escorriam por seu rosto e não combinavam com sua posição.

– Dê-me o bebê – ordenei, e ela me entregou a forma preciosa.

Ah, meu rei, era um bebê perfeito, a pele tão pálida, cachos de cabelo escuros, como se tivessem sido colados em sua cabeça, mas claramente não havia respirado uma única vez nesta vida, pois seus lábios estavam tingidos de azul e ele estava em silêncio.

Guri havia limpado o bebê, e ele estava bem enrolado, apenas a lua de seu rostinho perfeito visível, e os olhos fechados, para nunca serem abertos.

– É tarde demais – declarei. – O bebê está morto.

– Chegou cedo demais – explicou Guri, com o rosto inchado de tanto chorar.

Coloquei o bebê morto no berço, sem saber onde mais colocar a pobre criaturinha, pois precisava livrar-me da sensação de seu corpo imóvel contra meu peito.

Helwig estava atrás de mim, murmurando orações, enquanto Guri colocava a mão úmida em meu braço.

Eu a afastei. Como essas mulheres do Norte tomavam liberdades.

– Salve a minha senhora – ela me implorou, com os olhos arregalados de medo.

– O governador sabe que o bebê nasceu morto? – perguntei à criada.

Ela negou, balançando a cabeça devagar.

– Não vamos contar a ele, então, ainda não, pois não precisamos de perturbações.

A esposa do governador era frágil e jovem, e eu não tinha certeza se sua vida poderia ser salva. Ela havia perdido muito sangue e ainda estava sangrando, mas, como qualquer bom médico, recusei-me a recuar e abri meu baú de remédios, fechando os olhos e respirando fundo antes de começar.

Peguei minha garrafa de xarope de erva-fedegosa e coloquei uma colher na boca da garota.

Ela torceu o nariz ao sentir o cheiro e o gosto, o que era um bom sinal.

– Traga-me água fervida, bastante sal e mais linhos – ordenei a Helwig, enquanto Guri começou a soluçar de novo.

– Ela não para de sangrar, senhora! – exclamou Guri.

– Pare de chorar – retruquei. – Faça exatamente o que eu digo.

Guri limpou o rosto molhado com a manga da camisa e se aplicou com dedicação às tarefas que lhe dei.

– Vá ferver um pouco de vinho e adicione uma pitada de sementes de erva-doce – orientei-a, entregando-lhe minha garrafa de sementes de erva-doce. – Traga-a de volta assim que puder.

Peguei meu xarope de marroio-verde e, levantando a esposa do governador, encorajei-a a tomar uma colher. Suas pálpebras tremularam e ela gemeu. Rezei para que isso fosse suficiente para expelir a placenta.

– Preciso que você empurre de novo – sussurrei em seu ouvido. – Para salvar sua vida, Fru Orning.

A moça esguia se apoiou nos cotovelos e olhou para mim. Ela tinha lindos olhos castanhos, como uma corça gentil, embora seu rosto tivesse cicatrizes fundas de varíola.

– Está vindo – sussurrou ela.

Graças ao Bom Deus, a placenta saiu em um grande jorro de sangue. Nesse ínterim, Guri voltou com o vinho de erva-doce.

– Ajude sua ama a beber – mandei. – Isso garantirá que seu útero esteja totalmente limpo.

Guri tremia enquanto ajudava sua senhora a beber o vinho.

– Isto é obra de bruxas – sussurrou ela.

Ignorei seu comentário e me ocupei em conter o sangramento, fazendo um cataplasma com um pouco da minha raiz de confrei. Pareceu-me que a esposa do governador era de temperamento melancólico, regida pela Lua e sob o signo de Câncer.

Quando ela tivesse recobrado um pouco as forças – pois já não duvidava de minha capacidade de salvá-la –, eu receitaria um banho com minha decocção de folhas de louro e frutas vermelhas. O louro é do Sol, sob o signo de Leão, e por isso é uma grande defesa contra qualquer feitiçaria.

Este é o meu campo de batalha, meu rei. Você envia seus homens para lutar por nosso reino, com tantos meninos que morrem antes que tenham mais do que alguns pelos no queixo. Mas nós, mulheres, também lutamos, pois nossa guerra é no leito de parto. Seus soldados vêm ao mundo por meio das lutas de suas mães, e nós vamos para a batalha de bom grado, porque as recompensas são grandiosas. Mas quando não são… bem, conheço essa dor, pois ela está enterrada bem dentro de mim. Posso ter perdido a chave para acessá-la, e é verdade, pois nunca mais desejo abrir meu sofrimento de novo, embora cada vez que sou chamada para atuar como parteira, as velhas feridas começam a se abrir, e uma parte de mim se pergunta se esta jovem estaria melhor no outro mundo. Pois se assim fosse, anos de gravidez – algumas perdidas, outras terminando em partos – seriam evitados, e seu sofrimento, reduzido.

Já vi tantas jovens morrerem na câmara de parto – mais do que os bebês nascidos; cada menina dando sua vida pela nova vida.

Mas a mulher do governador não morreria, disso eu estava certa.

Helwig voltou com a água e os lençóis. Ela e Guri afastaram os lençóis ensanguentados e colocaram lençóis limpos sob a esposa do governador, enquanto eu a encorajava a terminar o vinho aquecido com erva-doce.

Quando levei o copo à sua boca, suas pálpebras estremeceram e ela soltou um gemido baixinho.

– Qual é o nome de batismo dela? – perguntei a Guri.

– É Elisa – respondeu.

– Elisa – chamei, gentilmente. – Beba tudo.

Esta garota não parecia ter mais de vinte anos e, no entanto, seu marido, o governador Orning, tinha a idade do pai dela. Eu considerava isso detestável, mas uma ocorrência bastante comum em nossos tempos.

Agora que Elisa estava mais alerta, seus olhos percorreram o quarto. Eu sabia o que ela estava procurando, é claro, mas também sabia que ela deveria beber a poção. O sangramento poderia recomeçar se não o fizesse, e ela já estava tão branca quanto os lençóis, parecendo que poderia desmoronar a qualquer momento.

– Meu bebê – sussurrou, com a voz rouca.

Ignorei-a, colocando aos poucos colheradas do vinho de erva-doce em sua boca, que protestava.

– Você precisa beber isto – disse.

Ela empurrou minha mão com mais força do que eu esperava.

– O bebê! – Ela se virou para olhar para a criada. – Guri, onde está o bebê?

Guri começou a chorar de novo, incapaz de olhar para sua senhora, virando a cabeça.

– Não! – Elisa ofegou, parecendo assustada. – Ele vai ficar tão zangado.

– Fru Orning, precisa beber isto para ficar boa – insisti, tentando colocar mais colheradas da minha poção curativa em sua boca.

– Não – declarou ela, balançando a cabeça. – Diga-me o que aconteceu!

As palavras pesavam em minha boca.

– Sinto muito. Fui chamada tarde demais – expliquei. – O bebê está com Deus no Céu agora.

Ela olhou para mim, com o olhar selvagem.

– Ele vai me matar! – sussurrou ela, horrorizada.

Antes que eu pudesse impedi-la, Guri pegou a trouxa que eu havia colocado, imóvel como uma pedra fria no berço. Tínhamos esquecido completamente o bebê, tão ocupadas que estávamos tentando salvar a vida da mãe.

– O que está fazendo? – sibilei para Guri, mas ela já estava oferecendo a trouxa para a mulher do governador.

– Era uma menina – Guri contou à patroa.

Elisa afastou o embrulho.

– Afaste isto de mim! Não consigo olhar, não consigo! – exclamou ela, muito aflita.

Guri parecia chocada e confusa, segurando o bebê morto contra o peito.

– O bebê não pôde ser salvo? – questionou Elisa, virando-se para mim. – Fru Rhodius, por favor, eu imploro!

Nunca havíamos nos encontrado, mas é claro que ela sabia quem eu era, pois Fru Orning era o rosto na janela do castelo que me observava em minha caminhada.

– Sinto muito – lamentei. – O bebê já havia falecido quando cheguei.

Ela abaixou a cabeça e seu cabelo louro e fino caiu sobre suas bochechas molhadas. Eu não tinha certeza de por quem ela chorava: ela mesma ou o bebê perdido.

Ninguém falou e, pela primeira vez naquela noite, pude ouvir os pássaros lá fora, gritando e esgranando como se lamentassem.

– Ele já sabe? – Ouvi o leve sussurro de Fru Orning, da cama.

O quarto ficou em silêncio, a ameaça do governador já presente.

– Não, senhora – respondeu Guri.

Fru Orning se virou para mim. Seu rosto cheio de cicatrizes estava tingido de amarelo, mas ela havia parado de sangrar.

– Fru Rhodius, pode contar a ele? – pediu ela, em voz baixa. – Não sou capaz de enfrentar a raiva dele.

As criadas pareciam assustadas, mas eu não tinha medo do governador.

– Eu conto, mas você tem de beber a poção que fiz para você – prometi. – Vai lhe trazer a cura.

*

O contraste entre o grande salão da casa do governador e meu casebre-prisão não poderia ser maior. A luz se derramava pelas altas janelas de vidro, enchendo toda a sala com um brilho dourado. Os pisos de madeira estavam limpos e polidos, e as paredes cobertas com belas tapeçarias antigas de cenas de caça do passado – homens montados em seus cavalos, atirando lanças em um pequeno urso marrom, cujos olhos estavam revirados em terror.

Enquanto avançava pelo salão, senti como se o espaço estivesse pulsando com o calor, mas não podia tirar minha capa, porque minhas saias e túnica estavam salpicadas com o sangue da esposa do governador. Baixei os olhos para os pés e vi que os chinelos de brocado que você me deu estavam manchados de lama devido à minha corrida apressada pelo pátio sujo, apesar dos meus tamancos.

Enquanto percorria a câmara, o governador se levantou de sua cadeira perto da lareira e caminhou em minha direção, com uma expressão sombria.

Ele sabe sobre sua criança morta, pensei; na verdade, a notícia teria se espalhado no momento em que Helwig foi buscar água e lençóis. O governador Orning era o tipo de homem que saberia cada palavra que seus servos diziam. Mas por que ele não subiu até o quarto da esposa para consolá-la?

– É verdade? – perguntou ele. – Meu filho morreu?

– Receio que sim, governador – respondi, inclinando a cabeça.

– Mas você é uma parteira habilidosa, Fru Rhodius. Por que não pôde salvar meu filho?

– Era uma menina – corrigi, imediatamente desejando ter segurado a língua sobre este detalhe, enquanto seu rosto se anuviava. – Fui chamada tarde demais, pois quando cheguei a bebê já tinha nascido – Umedeci os lábios. – Ela nunca respirou. Está com o Menino Jesus e o Bom Deus agora.

– Maldita seja, Fru Rhodius. – O governador bateu com a mão na mesa tão de repente que me assustei.

– Não é minha culpa – falei às pressas. – Já vi isto muitas vezes. O bebê nasceu cedo demais.

– Mas por que o bebê nasceu cedo demais, Fru Rhodius? – reclamou ele. – Por que minha filha foi tirada de mim? Quando sou um servo leal do rei e de Deus, por que fui flagelado?

– É a vontade de Deus, governador.

– Mas o que há de novo aqui na nossa ilha de Vardø? Quem trouxe o próprio Diabo para dentro de minha casa para amaldiçoar a mim e à minha filha?

Recusei-me a responder à sua abominável implicação.

– Sua criada Helwig me disse que você tem um baú cheio de estranhas poções e ervas – continuou o governador.

Aquela viborazinha. Helwig!

– Não é bruxaria? Você entrou em minha casa e amaldiçoou minha família, mulher? Pois eu acredito que sim!

– Tenho um baú de ervas e tinturas de médico que salvou a vida de sua esposa, governador – defendi-me, alarmada com suas acusações.

Ele acenou com a mão com desdém, como se a vida da esposa fosse de pouco valor para ele. Notei, pela primeira vez, dois grandes cães de caça de cada lado dele, com suas grandes línguas penduradas para fora de suas mandíbulas pesadas.

– Acredito que você seja uma bruxa, Fru Rhodius, enviando *maleficium* contra mim.

Ele jogou as palavras para mim, e eu recuei.

– Governador, sou uma serva devota de Nosso Senhor – comecei, com o pânico inundando minhas veias.

– Foram as bruxas que sabotaram nossa caçada, deram ao alce o poder de voar sobre o fosso! – declarou ele. – Honestamente, foi um espetáculo sinistro de se testemunhar!

Ele deu um passo ameaçador em minha direção, e os cães de caça rosnaram quando se aproximou.

– Acredito que você está em conluio com outras bruxas, em conluio com o Diabo, e vou queimá-la na fogueira por isso! – vociferou ele.

O terror se abateu sobre mim com sua ameaça.

– Sou uma mulher boa e devota, uma serva leal de nosso rei – argumentei.

– Mas isso é o que todas as bruxas afirmam!

Por um momento, uma imagem tremeluziu em minha mente do local da execução que pude ver da muralha da fortaleza e de uma pira lá ardendo, e imaginei que o governador Orning também poderia estar pensando nisso, pela expressão em seus olhos.

Eu não tinha tempo a perder, se quisesse me salvar.

– Creio que o rei Frederico me enviou a Vardø para ajudá-lo, governador – declarei às pressas.

O governador ergueu as sobrancelhas, a curiosidade acalmando sua raiva.

– É mesmo, Fru Rhodius?

– O senhor está correto, governador, pois existem bruxas aqui no Norte, mas eu não sou uma delas. O rei deseja que libertemos esta região delas.

– E o que a faz presumir que foi escolhida pelo rei para esta tarefa? – questionou o governador, com olhar sombrio. – Não é você uma inimiga do rei, uma prisioneira...

– Nunca! – declarei com fervor. – Amo meu rei e daria minha vida a ele.

De fato, você sabe disso! Fiz tudo por você, meu rei!

A expressão nos olhos do governador Orning se abrandou, a ardósia clareando para um cinza frio.

– Posso lhe ser útil – Umedeci os lábios nervosamente. – De acordo com as leis de nossa terra, o senhor pode prender as suspeitas por bruxaria, porém precisará ouvir suas confissões para obter suas condenações. As bruxas, como deve saber, são criaturas astutas, mas as mulheres vão confiar em mim, porque sou outra mulher e também uma prisioneira. Vou amolecê-las para que confiem em mim, e então elas revelarão seus segredos mais obscuros.

Ele parecia pensativo, seus olhos cinzentos iluminados por faíscas.

– Ouvi dizer que essas bruxas dançam com o Diabo em Domen quando seus maridos saem para pescar. Elas se esgueiram até o topo da montanha e se desnudam para ele – continuou, acariciando a cabeça de um de seus cães de caça, os olhos fixos em mim, com um brilho de fervor neles. – Se já não fosse depravado o suficiente, essas mães sacrificam as próprias filhas ao Diabo. Moças, virgens, prometidas em casamento ao Senhor das Trevas.

– Que perversidade – sussurrei, com o coração apertado no peito. – Que mulher poderia fazer uma coisa dessas com a própria filha?

– Fru Rhodius, ordeno que me auxilie na batalha contra as bruxas de Varanger!

Assenti com toda a dignidade que consegui reunir. O alívio me inundou, bem como a vergonha. Eu havia desviado a suspeita dele sobre mim para outras mulheres. Desejava saber se ele me recompensaria, porém decidi que não precisava dizer nada, pois não necessitava de suas recompensas.

Purificarei o Norte do mal, e quando você, meu rei, tiver visto o que fiz por você, decerto voltarei para casa?

Apenas quando eu estava saindo de seu salão dourado, o governador me chamou, com uma consideração tardia:

– Fru Orning sobreviverá?

– Acredito que sim – respondi, virando-me.

– Livre-se do bebê morto, Fru Rhodius – ordenou ele. – Não desejo ver a coisa amaldiçoada.

Ele estava de pé, de costas para uma das janelas. A luz iluminava o branco em seu cabelo e as rugas em sua pele. Fiquei impressionada com a idade avançada dele, enquanto sua esposa era pouco mais que uma criança.

*

No andar superior, Fru Orning estava sofrendo de dores terríveis na barriga. Para abrandá-las, coloquei um pouco de óleo de papoula no vinho de erva-doce.

– Leve-a embora – sussurrou ela, enquanto suas pálpebras se fechavam.

Esperei ouvir sua respiração aprofundar-se e então instruí Helwig a pegar a bebê.

– Por favor, não, Fru Rhodius – pediu ela, horrorizada.

– Deve fazer o que digo – insisti; era minha vingança contra Helwig por ter contado ao governador que eu era parteira e possuía ervas e remédios curativos.

Peguei minha caixa de remédios e Helwig, carregando a trouxa rígida, seguiu-me para fora do quarto e descemos as escadas do castelo. Não passamos por ninguém e poderia ser noite, embora fosse impossível dizer, pois a luz era implacável do lado de fora.

Atravessamos o pátio da fortaleza. O governador não me havia dito onde enterrar a bebê, mas o chão era duro como pedra.

– Onde devemos levá-la? – perguntou Helwig. – Fru Rhodius, quero me livrar disto.

– Precisamos de um instrumento para cavar um buraco – falei para ela, desejando que tivesse havido oportunidade de batizar a bebê antes que morresse. A pobre alma perdida com certeza deveria ficar em um cemitério cristão. Mas eu estava aprendendo que os modos do governador eram cruéis e estranhos.

Não consegui pensar em outra pessoa que pudesse ter uma ferramenta para nossa tarefa além do beleguim Lockhert. Caminhei até a guarita e bati à porta. Esta foi aberta pela figura enorme do próprio homem, que olhou furioso para mim.

– O governador pediu que enterrássemos a bebê que ele e Fru Orning perderam, mas não temos como cavar... – expliquei às pressas.

– Dê para mim – o beleguim me interrompeu. Seu semblante estava impassível. – O governador veio e me disse que as bruxas amaldiçoaram o filho dele.

– Mas o que você vai fazer? – Eu me ouvi perguntar, pois não desejava passar essa alma perdida para o medonho beleguim.

– Não foi batizado. O melhor é queimá-lo para que o Diabo não possua sua alma.

Helwig soltou um pequeno soluço de aflição, mas entregou a bebê morta assim mesmo. Lockhert a segurou como se fosse um pedaço de turfa, nada mais.

Virei-me em direção à porta com meus tamancos desajeitados, pois não queria tomar mais parte na triste situação.

– Vai nos ajudar a caçar as bruxas agora, Fru Anna? – Lockhert me chamou, enquanto eu me afastava, com um tom de escárnio na voz. – É melhor não decepcionar o governador!

*

Caí na cama, puxando as peles frias sobre meus ossos desgastados e chutando meus chinelos enlameados. Eu ainda usava minha túnica manchada com o sangue de Fru Orning, porém estava cansada demais para tirá-la. Mas quando tentei dormir, não consegui, pois meu coração batia acelerado e os pensamentos rodopiavam em minha mente.

Eu havia feito promessas ao governador que temia não conseguir cumprir.

CAPÍTULO 12
INGEBORG

O reverendo Jacobsen pregou com fervor renovado após a dança na véspera do dia de São João. O verão fugaz se desvaneceu, enquanto a chuva e o vento se precipitavam do Oeste, encharcando a aldeia com uma luz cinzenta e desolada, lavando o pântano e assobiando pela esquálida floresta de bétulas.

Nos raros dias de seca, Ingeborg reuniu as últimas chamas de cor na floresta. Sob seus pés havia uma pálida trilha de luz enquanto ela vagava por entre as árvores. Ela as trouxe para a cabana escura: as urzes sobre o pântano, roxas e verdes acima da terra preta; folhas douradas que caíam das bétulas e espiralavam até o chão.

Ingeborg havia desistido de caçar na floresta. Suas armadilhas sempre eram desarmadas. Em seu lugar, porém, sempre havia um presente: um prato tampado cheio de mirtilos, um potinho de manteiga cremosa, maços de ervas e tubérculos, cachos de cogumelos terrosos ou folhas de algas marinhas, torradas e salgadas. Seu aborrecimento se transformou em espanto ao pensar em como esta garota, Maren Olufsdatter, conseguia conjurar uma nutrição tão deliciosa ao forragear naquele terreno desolado.

Aos domingos, todas as mulheres da aldeia vestiam o que tinham de melhor. Saias e corpetes de lã em tons desbotados. Suas roupas de baixo creme ou bege devido ao desgaste, assim como os lenços sobre os ombros, aventais e toucas para cobrir os cabelos. Nenhum cacho de cabelo era deixado solto. Sempre um desafio para Kirsten, cuja cabeleira vermelha se recusava a submeter-se ao confinamento.

Todos os pescadores estavam banhados com água fria do poço enquanto se arrastavam, rígidos e desconfortáveis, com rostos corados, para dentro da minúscula igreja. Todos se amontoavam no espaço de pé. Todos os seus cheiros se misturavam, deixando Ingeborg enjoada, enquanto a voz do reverendo Jacobsen continuava. A única maneira que ela conseguia evitar correr para fora da capela abafada era deixar sua mente vagar, como se pudesse separar sua mente do corpo.

Era uma sensação agradável, flutuar sobre toda a massa da aldeia e observá-los. Seus vizinhos tentavam esconder o tédio e bocejos. Ela flutuava acima do mercador Brasche e de seu filho Heinrich, da esposa e dos filhos deste nos bancos da frente da igreja. Maravilhava-se com suas costas retas e sua concentração cheia de dignidade. Até as crianças se sentavam eretas e compostas. Mas talvez fosse mais fácil sentar-se quieto em seu próprio banco, com almofadas macias para ajoelhar-se. Ela se deteve sobre eles, apreciando a elegância do corpete de seda de Fru Brasche, bordado no azul mais profundo dos céus primaveris do Norte. Como ficaria bem em sua mãe! Fru Brasche estava extasiada, absorvendo cada palavra que o reverendo Jacobsen dizia. Sua boca sussurrava orações, enquanto o marido, Heinrich, com olhos inquietos, parecia mais um cavalo prestes a fugir. Nuvens de miséria emanavam do casal.

O reverendo Jacobsen continuava pregando, emoldurado por seu grandioso retábulo com suas esculturas, pequenos pilares e trepadeiras retorcidas. Atrás dele, uma grande pintura a óleo da mesma família Brasche: o velho mercador e a esposa, com seus dois filhos, um deles Heinrich, e duas filhas. Todos vestidos de preto austero, com grandes babados brancos, as mãos unidas em oração. Na frente da pintura havia três bebês enfaixados, os bebês que não tinham sobrevivido. Esses Brasches pintados olhavam de volta para a congregação em julgamento.

Ingeborg flutuou de volta para o próprio corpo, espremido ao lado da mãe e da irmã. Agora ela ouvia o que o reverendo estava falando para eles, por cima do som das ondas quebrando-se contra as rochas do lado de fora da pequena igreja.

– O Diabo pode aparecer para vocês a princípio como um homem – advertiu ele –, mas se olharem de perto, saberão que é o Maligno, pois ele pode ter garras no lugar das mãos ou olhos estranhos como os de uma vaca. E sempre – levantou o dedo, apontando para os aldeões – estará vestido de preto da cabeça aos pés.

O próprio reverendo Jacobsen não estava todo vestido de preto? Exceto pela rígida gola branca presa, tão justa ao redor de seu pescoço que sua carne se projetava sobre a borda, avermelhada e irritada. Mas o resto dele era camada por cima de camada de preto. Tanto pano que era difícil distinguir a forma de seu corpo rechonchudo por baixo.

– O Diabo fará promessas de riqueza, mas ele não tem o poder de lhes dar estas coisas. Não acreditem nisso. Ele deseja torná-los seus servos. O Maligno as orienta a causar destruição e morte a seus próprios maridos, irmãos e filhos.

Ah, claro, o reverendo Jacobsen estava alertando as mulheres. Pois em breve seus maridos partiriam para as áreas de pesca de inverno e passariam meses fora. As semanas escuras eram o tempo da tentação.

O reverendo deu um passo à frente, acenando com a mão, como se fosse abençoar toda a congregação.

– Existem muitos demônios – declarou ele, em um sussurro dramático. – Cada bruxa serve a seu próprio demônio, a quem ela se entrega.

Ingeborg não conseguia ver o rosto de Fru Brasche agora, mas notou a inclinação de sua cabeça. Imaginou a expressão fervorosa em seu rosto. O que o reverendo quis dizer foi que mulheres muito más faziam sexo com o Diabo e depois se tornavam bruxas.

Uma imagem indesejada surgiu em sua mente. Sua mãe e Heinrich Brasche juntos no estábulo dele, na véspera do solstício de verão. Ela olhou de relance para Kirsten, que se remexia ao seu lado. Estaria ela lembrando-se disso? Mas a irmãzinha não parecia estar ouvindo o reverendo. Em vez disso, estava enrolando um fio solto do avental no dedo mindinho, puxando-o para fazê-lo desfiar.

Ingeborg olhou para a mãe. Ela era tão bonita, um perigo para uma jovem viúva. A linha esbelta de seu pescoço, com minúsculos tufos de cabelo dourado visíveis na nuca. A pele imaculada tão macia em sua face, tão diferente das rugas de Fru Brasche.

A mãe estava imóvel, e também extasiada. Mas quando Ingeborg seguiu o olhar da mãe, não estava direcionado ao reverendo Jacobsen.

Ela estava olhando abertamente para a nuca de Heinrich Brasche.

Lá estavam as grossas madeixas castanhas do jovem cavalheiro; suas costas retas, que não sofreram o desgaste de puxar redes do trabalho extenuante. Tão alto, sem o peso das preocupações para alimentar a família. Era ele o Diabo sentado entre eles?

– Para praticar sua magia negra, estas mulheres malignas chamarão o apóstolo do demônio ou seu familiar – continuou o reverendo Jacobsen.

Maren Olufsdatter não havia dito a Ingeborg e Kirsten que a mãe dela tinha dois familiares: um corvo preto e um grande alce? Ingeborg lambeu os lábios. Estavam tão secos e, mais do que tudo, ela queria um gole de água. A igreja estava sufocante. O que Maren havia dito? *A única maneira de nos protegermos é fazer com que eles tenham medo de nós.*

Haviam alegado que a mãe de Maren se sentou em cima de um barril flutuante no oceano, com os braços erguidos, lançando relâmpagos brancos e irregulares contra o mar selvagem, com os cabelos pretos como cobras sibilantes na tempestade de inverno.

Era assim que os deixariam com medo, com histórias de bruxaria e magia climática?

O reverendo Jacobsen havia terminado seu sermão. Estavam todos ajoelhados. O chão frio da igreja duro contra seus joelhos, e todos os aldeões amontoados. Alguém peidou e Kirsten deu uma risadinha ao lado dela.

Ingeborg sentiu vontade de rir também. Apertou as mãos e fechou os olhos. Beliscou Kirsten para parar. Fora-lhes dito que o riso e o prazer pertenciam ao Diabo.

– Proteja minha mãe do Maligno e de sua tentação de prazer – sussurrou ela.

O Diabo estava dançando em sua cabeça. Ele tinha o mesmo cabelo castanho espesso e os olhos castanhos de Heinrich Brasche. Saltitando em uma pequena jiga, com as mãos nos quadris e pegando a mão de sua mãe. O cabelo vermelho-dourado dela voava livre como uma bandeira de abandono. O Diabo e a mãe giravam e giravam, dançando com tanta selvageria que nenhuma alma poderia separá-los.

*

O último domingo de agosto estava dourado com uma brisa suave vinda do Oeste. Um raro florescimento de calor antes que o vento frio do Leste começasse a soprar. Os aldeões saíram da igreja, ofegando no ar doce e na luz, como se estivessem respirando pela primeira vez na vida.

Quando chegaram a casa, Ingeborg e Kirsten tiraram as toucas e sacudiram os cabelos.

– Vamos colher os últimos mirtilos – sugeriu Ingeborg.

Kirsten bateu palmas de alegria.

– Posso levar Zacharias?

– Não, bobinha, ela vai atrapalhar.

– Ela é uma cordeirinha muito boa, melhor que um cachorro.

– Ela pode ser pega por uma raposa – alertou Ingeborg. – Você não quer perder Zacharias, quer?

– Não encoraje sua irmã em sua afeição pela ovelha – disse a mãe, com uma voz fria. – Você sabe bem que a ovelha é nosso gado, Kirsten. Um dia será abatida por sua carne.

O rosto de Kirsten se anuviou, mas ela não disse nada, sabendo que a mãe lhe daria um tapa pela insolência caso respondesse.

– Mãe, vem conosco colher amoras na floresta – sugeriu Ingeborg, enquanto Kirsten puxava sua saia, sibilando: "Não!"

Ingeborg queria manter a mãe por perto e longe do filho do mercador.

Mas Zigri Sigvaldsdatter balançou a cabeça. Ela já havia sacudido a fita azul e a enrolava no cabelo.

– Não, meninas, tenho outros negócios para resolver – respondeu.

– Mãe, lembre-se das palavras do reverendo Jacobsen esta manhã – advertiu Ingeborg, em voz baixa.

A mãe pareceu assustada, e suas bochechas pálidas e ao mesmo tempo coradas.

– O que está insinuando, Ingeborg?

Fez-se um silêncio pesado e difícil. As palavras secaram na garganta de Ingeborg. Ela queria gritar com a mãe. *Não vá se meter no estábulo de Heinrich de Brasche, pois outra pessoa vai ver, como nós vimos!* Mas a expressão da mãe era resoluta. Ela havia provado algo do qual claramente desejava mais, e

Ingeborg sabia que todos os seus avisos resultariam apenas em um tapa no próprio rosto.

Ela sacudiu a cabeça e encolheu os ombros, pegando uma das cestas e entregando a outra para Kirsten.

*

Como Ingeborg amava suas escassas florestas. Tinha ouvido falar que não havia uma árvore na ilha de Vardø, onde morava o governador de Finnmark. Como aqueles que lá viviam conseguiam suportar? Ela adorava suas árvores, por mais finas e esguias que fossem.

Ela e Kirsten correram entre as bétulas e pinheiros. Muitas folhas já haviam caído, mas é claro que o abeto ainda estava espesso, e ela inspirou o perfume purificador dos pinheiros, deixando os medos sobre a mãe e Heinrich Brasche desaparecerem.

Ao se aproximarem dos arbustos de mirtilos, viram outra figura com uma cesta no braço, curvando-se e colhendo as bagas carnudas e escuras.

– Maren Olufsdatter! – gritou Kirsten.

Maren se virou.

– Saudações, garotas de Iversdatter – cumprimentou ela. – A terra é rica!

As mechas de cabelo preto de Maren caíam até a cintura. Ela era tão alta quanto o pai de Ingeborg, e tinha quadris estreitos e pernas longas como as de um potro.

Maren as levou até um reduto dentro da floresta, onde o chão estava coberto de arbustos de mirtilo.

– Meu amigo sámi, Zare, me mostrou este lugar – contou ela, lambendo a ponta dos dedos já azul por causa do suco das frutas. – Ele é filho da mulher sámi, Elli, que foi presa com minha mãe.

– Ela morreu como sua mãe? – perguntou Ingeborg.

– Não, ela escapou da fortaleza! – exclamou Maren. – Elli ainda vive.

Elas comeram e colheram até seus lábios ficarem roxos e suas barrigas doerem.

Depois de um tempo, Kirsten se sentou pesadamente no mato, apertando a barriga.

– Estou me sentindo mal – reclamou ela, gemendo.

– Mastigue isto e tudo vai voltar a ficar bem. – Maren entregou a Kirsten um raminho de hortelã.

Maren largou a cesta cheia e se esparramou no chão ao lado de Kirsten. Seus braços e pernas estavam abertos de maneira indecorosa, e Ingeborg podia ver a pele escura de suas pernas sob as saias enroladas.

– Vamos descansar um pouco – declarou ela, e Kirsten, encantada por estar escapando da coleta de frutas, deitou-se ao seu lado.

– Kirsten, o chão pode estar úmido. Levante-se agora mesmo – protestou Ingeborg.

– Ah, mas não está – retrucou Maren, sentando-se. – Descanse, Ingeborg. Você trabalha tanto o tempo todo.

Ingeborg se sentou com cautela. Esperava que a terra fosse fria e dura, mas parecia mais macia do que suas camas de galhos de bétula. Além disso, conseguia sentir o calor dentro do solo, e era reconfortante.

– Gostaria de ouvir uma história? – disse Maren, tirando algumas folhas verdes e caules nodosos dos bolsos da saia.

– Ah, sim – disse Kirsten, pegando o suculento caule verde que Maren lhe deu, mastigando-o como se fosse uma pequena criatura da floresta.

– Bem, vou começar, então – disse Maren, parecendo feliz por ter uma audiência. – Era uma vez uma garota caminhando pela floresta no sul da Noruega, onde crescem as aveleiras. Ela estava quebrando as nozes que havia apanhado de uma dessas árvores. – Maren olhou para Ingeborg com seus encantadores olhos verdes. De repente, Ingeborg sentiu suas bochechas ficarem vermelhas. Ela se perguntou se Maren já tinha visto ou provado uma avelã? Seu pai, o pirata, trouxe-as para ela?

– Esta garota... vamos chamá-la de Freyja, em homenagem à deusa do amor *e* da guerra?

– Silêncio – Ingeborg advertiu Maren. – É perigoso falar da antiga religião.

– Quem vai nos ouvir? – retrucou Maren, enquanto selecionava o caule nodoso mais longo e suculento e o oferecia a Ingeborg.

Incapaz de resistir, Ingeborg começou a sugar o suco do caule, enquanto Maren continuava a falar.

– Freyja encontrou um verme dentro de uma das nozes e estava prestes a jogá-la fora quando se deparou com o Diabo. Ela sabia que ele era o Diabo, porque tinha um grande chapéu preto na cabeça e garras no lugar dos dedos.

Kirsten apertou as próprias mãos; seus olhos brilhavam, intrigados.

– "É verdade o que todos dizem sobre você?", Freyja perguntou ao Diabo. "Que é capaz de mudar de forma para o tamanho que desejar? Ficar tão grande quanto uma montanha e tão pequeno quanto um verme?"

Maren baixou a voz.

– "Claro que posso!", disse o Diabo, orgulhoso. Ela sorriu para Kirsten antes de continuar: – "Bem, então," disse Freyja, "eu gostaria de ver você passar pelo buraco de verme na minha avelã." E abriu a palma da mão para mostrá-la ao Diabo, com a pequena noz marrom com o minúsculo buraco de verme na casca. O Diabo riu, achando graça do desafio. Tirou o chapéu e o colocou com cuidado junto às raízes de uma árvore. Ele bateu palmas três vezes e se transformou em um pequeno verme na mão estendida da garota. Então se esgueirou pelo buraco da noz.

– Oh, como pode o grande Diabo caber no buraquinho? – interrompeu Kirsten.

– Ele pode ter o tamanho que quiser, como ele disse! – respondeu Maren.

Ingeborg balançou a cabeça. Deveria impedir Maren de encher a cabeça da irmã com tais bobagens, mas fazia tempo que não via Kirsten tão feliz. Além disso, havia uma parte dela que também estava apreciando o momento: enchendo a cabeça com as vozes dos personagens e observando Maren. Maren era uma pobre garota pescadora como todo mundo ali, mas quando narrava sua história, Ingeborg conseguia ver a velha deusa nórdica Freyja dentro dela, na suavidade escura e orvalhada de seus olhos e na mordida de seu lábio superior. Amor e Guerra.

– Freyja pegou um galhinho e o enfiou no buraco da noz. Em seguida, pegou o grande chapéu do Diabo e o colocou na cabeça. – Maren imitou, colocando um chapéu imaginário em sua cabeça. – "Agora," ela pensou – "tenho o Diabo na palma da mão." – Ela se sentiu bastante esperta enquanto avançava pela floresta com o chapéu do Diabo na cabeça.

Kirsten repousou a cabeça no colo de Ingeborg, com os cachos ruivos espalhados sobre o avental branco. Ingeborg enrolou o cabelo da irmã nos dedos como se fossem anéis de ouro, enquanto as duas observavam Maren.

– Depois de um tempo, Freyja saiu do bosque e desceu a colina até a aldeia. Ela pensou: "Gostaria de ensinar uma ou duas lições a este Diabo pomposo", então foi até o ferreiro, que estava trabalhando do lado de fora da forja.

Maren deu um pulo e tirou o chapéu imaginário, fingindo ser Freyja.

– "Por favor, mestre ferrreiro," pediu a ele em sua voz mais educada, "o senhor pode quebrar esta noz para mim?". E Freyja tirou a avelã do Diabo do bolso.

Maren colocou as mãos nos quadris, com as pernas bem separadas enquanto imitava o ferreiro.

Kirsten deu um gritinho de alegria.

– "Por que está me incomodando com essa bobagem?", disse o ferreiro, parecendo muito mais assustador do que o Diabo jamais pareceu. "Tire esse chapéu ridículo da cabeça imediatamente." Mas Freyja se recusou a tirá-lo e implorou ao ferreiro para tentar quebrar a noz. Ele agarrou a noz, balançando a cabeça diante da estupidez dela, mas, para a sua surpresa, embora tentasse com todas as forças esmagar a casca em seu punho enorme e forte, não conseguiu quebrá-la.

Maren deixou-se cair no chão ao lado de Ingeborg e Kirsten. Ela se inclinou sobre Ingeborg e acariciou o cabelo de Kirsten.

Maren cheira igual à floresta, pensou Ingeborg. *A pinheiro e lenha.* Enquanto Ingeborg enrolava os dedos no cabelo de Kirsten, tocou as mãos de Maren. Levantou o olhar e Maren estava sorrindo para ela. Devagar, Ingeborg tirou a mão do cabelo da irmã ao sentir o calor em suas bochechas. Maren retirou a sua também, ainda sorrindo para Ingeborg.

– Então, o ferreiro pegou um pequeno martelo, dizendo: "Que coisa estranha." Ele colocou a avelã na bigorna e a golpeou com a ferramenta, mas ela não se quebrou. – Maren gesticulou com um martelo imaginário batendo em uma avelã imaginária. – Ele pegou um martelo maior e bateu de novo; ainda assim, ela não se quebrou. Àquela altura, o ferreiro estava ficando bastante zangado. Por que não conseguia quebrar a avelã? Ele pegou a sua maior marreta e golpeou a casca com toda a força. E a avelã se quebrou com tanta força que o teto da forja explodiu.

– Quanto barulho fez? – perguntou Kirsten à Maren, ansiosa.

– Foi tão alto que o barulho da avelã se abrindo fez toda a aldeia correr para dentro de suas casas e trancar as janelas, pensando que uma grande tempestade chegava!

– Ah, são tão tolos! – exclamou Kirsten, com os olhos cintilando.

– O ferreiro ficou bastante atordoado. "Bem, aquela avelã era tão difícil de quebrar que o próprio Diabo poderia estar lá dentro", declarou ele, irritado por seu teto ter explodido.

– "Ora, sim, ele estava", respondeu Freyja, puxando seu grande chapéu do Diabo para baixo sobre a testa, saltitando para fora da aldeia e retornando à floresta. Quando ficou sozinha outra vez, comeu todo o interior da avelã quebrada. Ela tirou o chapéu e o deixou perto do tronco da árvore para o Diabo o encontrar, mas nunca mais o viu.

– Mas isso significa que o Diabo está dentro de Freyja agora, já que ela comeu a avelã? – Kirsten se intrometeu.

Maren deu de ombros.

– Bem, é assim que a história termina.

– É uma história de faz de conta, Kirsten, uma história boba – interveio Ingeborg.

– Há sempre um grão de verdade em todas as histórias de ninar, Ingeborg – desafiou-a Maren.

– Onde você ouviu uma história tão ridícula, afinal? – Ingeborg se levantou, sacudindo os restos das folhas e caules nodosos de suas saias. Havia comido demais da colheita de Maren e agora se sentia um pouco enjoada. Seu maxilar doía de tanto mastigar.

– Minha mãe me contou – revelou Maren, encarando-a com olhos solenes.

– Sua mãe, a bruxa? – sussurrou Kirsten, impressionada.

Maren assentiu.

– Conte-me outra história que sua mãe contou – pediu Kirsten.

– Já chega – disse Ingeborg com firmeza, segurando a mão da irmã e puxando-a para cima, embora seu coração lhe dissesse: *Sim, mais, mais!* – É hora de ir.

Ela sentiu os olhos de Maren em suas costas enquanto caminhava de volta por entre as bétulas, puxando Kirsten atrás de si, com a cesta batendo em suas pernas. Maren e sua história puxavam-na para trás, pois ansiava por ouvir mais sobre garotas espertas que eram capazes de enganar o Diabo, mas não adiantaria nada deixar sua imaginação vagar. Nada mesmo.

Ingeborg começou a correr, apesar dos protestos de Kirsten por estar sendo arrastada. Era como se estivesse correndo contra o vento, embora nenhum galho se agitasse acima dela.

CAPÍTULO 13

ANNA

O breve verão passara como as roupas de cama no varal de Helwig levadas pelo vento. E então veio a chuva, vinda do Oeste, quente no início, mas pesada, encharcando toda a ilha. Pequenos riachos desciam pelo telhado do castelo e formavam poças no pátio. Ficávamos atoladas rapidamente até os tornozelos na lama espessa toda vez que íamos até o poço ou à lavanderia.

Quanto ao meu úmido casebre-prisão, a chuva escorria pelo telhado de turfa e abaixo pelas paredes internas, como se todo o meu interior estivesse chorando longas e lentas trilhas de lágrimas. Helwig ficava frenética, enfiando pedaços de turfa em todos os buracos nas paredes rachadas para impedir que os ratos entrassem. Para mim, parecia uma atividade inútil, pois assim que um buraco era encontrado e tapado, ela notava outro.

– Logo eles vão aparecer – disse ela, com um tom de pânico na voz.

Eu não tinha medo de ratos, embora minha associação com eles fosse sombria. Durante os anos da peste, quando cuidei dos doentes em Bergen, sempre havia ratos à espreita em torno dos aflitos. Vi um rato morder o dedo da mão de uma criança moribunda. O menino, tão perdido na febre, nem gritou. Não muito tempo depois, o pobrezinho foi mais uma alma inocente que se unira ao Bom Deus.

Quantas frontes de anjos enxuguei e acalentei, algumas daquelas crianças moribundas, sozinhas no mundo, seus pais levados pela praga antes delas.

Quando o vento na ilha mudou de direção, soprando da Rússia, a chuva esfriou em pequenas bolas de granizo que me martelavam toda vez que eu era chamada para falar com o governador. E depois do granizo veio a geada, violenta e penetrante.

Como sinto saudades dos antigos setembros dourados em Copenhague. Eu desejava passear mais uma vez pelos seus jardins, meu rei, parando para admirar os pavões que exibiam seus leques coloridos. Ah, como a luz do sol se espalhava ao meu redor, luz e sombra, e lá o vejo, mais uma vez. A luz do sol em suas mãos quando você as erguia para tocar a minha face, seu rosto escondido na sombra de seu chapéu, seus olhos indecifráveis, enquanto as penas da cauda do pavão abaixavam e seu peito azul pulsava, chamando por sua companheira.

Enquanto estava deitada na cama, tentando dormir na noite passada, contra os uivos do vento leste, imaginei ter ouvido o grito estridente do pavão mais uma vez. Eu conseguia ver a extensão azul brilhante do pescoço e o peito estreito, enquanto todo o corpo se transformava em uma onda de necessidade. O ritmo penetrante de seu grito e sua persistência perfuraram meu crânio, despertando-me.

Contudo, eu não estava no minúsculo quarto de minha prisão, nem na casa de meu marido, em Bergen. Anos, décadas, haviam desaparecido, e eu estava no gabinete de curiosidades de meu pai em minha casa de infância, em Copenhague. Esta, a mais especial das salas, repleta da coleção de artefatos dele, reunidos durante toda a sua vida como médico e filósofo. Era-lhe mais valiosa do que qualquer coisa no mundo – incluindo suas esposa e filha, suspeito eu. Lembrei-me da grande mesa empilhada com meus achados mais recentes no centro do piso de ladrilhos pretos e brancos. Prateleiras cheias de descobertas cobriam as paredes, e acima delas ficava pendurada uma vasta gama de esqueletos e criaturas empalhadas tais como nunca vimos em nossas terras. Cascos de tartarugas gigantes, pequenos pássaros árticos de pé, galhadas, chifres e os peixes mais estranhos com barbatanas como lâminas ou grandes bocas escancaradas. Duas grandes janelas de treliça davam para o nosso jardim botânico. O sol se derramava pela sala de manhã, iluminando a poeira antiga que espiralava pelo ar. Ah, vejo-me agora no assento da janela, com os pés enfiados sob as saias, examinando conchas e pedras nas mãos e imaginando as terras quentes e secas de onde tinham vindo. O legado de meu pai era de fato uma coleção magnífica.

Bem, agora você o possui, meu rei, pois o gabinete de curiosidades de meu pai foi legado ao Estado depois que ele faleceu, e me pergunto: você cuidará do trabalho da vida de meu pai?

Quando menina, eu passava horas dentro do gabinete de curiosidades, ajudando meu pai a categorizar e classificar.

É minha caligrafia em latim nas caixas. Rogo-lhe que trace com os dedos as letras: *Lapides* para pedras e fósseis; *Conchilia Marina* para conchas, *Ceraunia,* as pedras de trovões que acreditávamos que caíam na terra com os raios.

Meu pai compartilhava o conhecimento que tinha comigo, pois a seus olhos eu não era nem menino, nem menina, mas sua herança, e ele considerava seu direito e dever educar-me. No gabinete de curiosidades de meu pai havia ciência, mas também magia e mistério.

Está vendo o chifre do unicórnio? Observe sua extensão em espiral, é de fato notável, não é?

Você sabe, pois meu pai também lhe contou, que o unicórnio é uma criatura mítica, e este chifre retorcido não pertence a um unicórnio dos contos populares. Meu pai o havia encontrado preso a um crânio e, após cuidadosa pesquisa, concluiu que vinha de uma baleia, as magníficas feras que habitam aqui, no Norte. Se você viesse ao limite hiperbóreo de seu reino, poderia encontrar-me nas ameias da fortaleza, contemplando as águas geladas, procurando os narvais – criaturas que meu pai ansiava por ver vivas e respirando.

Encontrarei um para você e, se permitir-me ter a tinta, irei desenhá-lo no pergaminho que me deu.

Se for do seu agrado, meu rei, basta enviar-me tinta e pena.

Na câmara que era o gabinete de curiosidades de meu pai, eu costumava olhar para o teto, para o filhote de urso polar empalhado, já rosnando, e me perguntava o quão enorme ele poderia ter sido, tão imenso – talvez até do tamanho de toda a câmara. Este urso polar poderia ter destruído a sala e nos devorado por inteiro. Às vezes, quando eu observava o urso, podia ver seus olhos mortos piscando para mim para dizer: *Se ao menos, pequena Anna, você me libertasse.*

Quando meu pai lhe mostrou o gabinete de curiosidades, eu estava ao lado dele. Na época, eu tinha quinze anos. Lembra-se de mim, meu rei, desajeitada em minha mais recente encarnação como uma jovem mulher e corando em meu sóbrio vestido preto? Foi uma grande honra um príncipe real dignar-se a visitar o gabinete de curiosidades de meu pai, mas você ouviu falar dele e desejou ver seus tesouros. Como você ficou realmente encantado! Lembro que você analisou com atenção cada item, sem se importar quão pequeno ou trivial pudesse parecer. Você era inflamado pela mesma paixão pelo desconhecido, assim como meu pai, assim como eu. Você revirou cada pedra e examinou cada osso, riu do minúsculo rato mecânico e ficou intrigado com nosso autômato vindo das Américas. Mas o que mais chamou a sua atenção foi o único artigo que eu também temia: o crânio do trasgo.

– Onde conseguiu isto? – Você se virou para meu pai, tirando seus longos cachos pretos dos ombros.

Como seu cabelo era lustroso! Lembro-me de suas vestes tão deslumbrantes quanto os pavões em seus jardins. Você usava um gibão de seda dourada brilhante, com fitas nas mangas e bordas de brocado vermelho; seu colarinho era de renda branca pura, pois você era um príncipe jovem e elegante, de 21 anos de idade, que não precisava de babados antiquados. Suas meias eram de um tom alarmante e vibrante de escarlate naquele dia, e eu me vi incapaz de ignorar os contornos de suas panturrilhas e seus tornozelos finos em seus sapatos dourados, com laços tão ornamentados quanto as fitas em suas mangas. Que visão você era, e como eu estava simples em meu vestido preto, embora minha touca, lenço e avental fossem do mais puro branco.

Seus dedos tocaram o crânio do trasgo enquanto você traçava as órbitas vazias.

– Chegou a mim em minhas viagens para Amsterdã – meu pai explicou a você. – Mas acredito que seja do extremo norte da Noruega.

– Ah, claro – Você assentiu. – Pois não é esta a região onde os trasgos habitam? Poderia até este trasgo estar a serviço do próprio Diabo?

– Não estão *todos* os trasgos a serviço do Diabo, meu príncipe? – meu pai havia respondido.

Você assentiu, sem tirar os olhos do crânio gigante.

Você entendeu a obsessão de meu pai com o mundo natural porque era um príncipe, e agora um rei, que desejava saber tudo sobre o seu reino.

Nós, como pessoas, categorizadas e classificadas, somos exatamente como os animais, de modo que quando nossa carne cai, como decerto acontece, e nossas almas são libertadas, nossos ossos são tudo o que resta. Compartilhamos uma fé enraizada no mundo real, você e eu, meu rei, pois somos pelo povo, não somos?

Meu marido Ambrosius era uma criatura completamente diferente, com a cabeça nas estrelas, olhando para cima e para longe de nosso mundo, enquanto se esforçava para encontrar padrões e previsões no movimento dos planetas. Embora eu seja uma botânica astrológica, não sou como meu marido, pois vejo as propriedades dos planetas no reino material, na terra e nas plantas que podem nos curar.

No entanto, um fato tornava meu marido e eu iguais: éramos estrangeiros na cidade de Bergen. Nosso inimigo era o governador Trolle, e ele ainda é *seu* inimigo, meu rei! Considere o nome dele: *Trolle.* Como essa denominação é adequada, não posso deixar de refletir – embora o governador Trolle de Bergen fosse um homem pequeno e esquelético e nem um pouco gigante em estatura. Ah, mas a opinião dele sobre si mesmo era de fato imensa.

Ele protege aqueles que lhe destronariam: os depravados e os corruptos de Bergen. Atrevo-me a dizer, meu rei, que acredito que o governador Trolle tenha contato com o Senhor das Trevas.

Vou encontrar os colaboradores dele aqui no extremo norte da Noruega, e o coven de bruxas que trarão caos e destruição ao seu reino. Enquanto eu respirar, irei protegê-lo, meu rei, pois então saberá como meu amor por você sempre foi verdadeiro.

Acima dos escassos limites do meu próprio coração, acima do meu marido e de uma família, sou sua serva, sempre.

*

Permita-me contar como o governador e eu começamos a trabalhar juntos.

Desde que salvei a vida de sua jovem esposa, de vez em quando fui convidada para jantar à sua mesa, um evento que desagradava o beleguim Lockhert, que não gostava de nenhuma mulher.

O governador tinha ouvido falar do tamanho da biblioteca de minha casa em Bergen e do quanto eu era educada. Assim, ele queria discutir os escritos dos grandes demonologistas comigo. O governador Orning gostava bastante do *Daemonologie*, de James VI, do *Malleus Maleficarum*, de Kramer e Sprenger e, em particular, do *Undervisning*, de Niels Hemmingsen. Sua teoria era que as bruxas faziam sexo com o Diabo – apesar de minha observação de que os três volumes eram um tanto datados, em particular o *Malleus Maleficarum*, tendo sido publicado pela primeira vez cerca de duzentos anos antes de nosso tempo.

– Existem outros teólogos dignos de consideração na era moderna – informei ao governador. – Não muito antes de chegar a Vardø, encontrei os escritos do teólogo inglês Thomas Ady. Está familiarizado com o tratado dele sobre a natureza das bruxas e da bruxaria intitulado *Uma vela no escuro*? Foi escrito como um conselho para juízes e magistrados, como você.

Não me alonguei mais, pois era um risco mencionar Thomas Ady e seu conhecido ceticismo em relação à feitiçaria. Está familiarizado com os escritos dele, meu rei? O que acha do argumento dele de que a sangrenta Guerra Civil na Inglaterra foi o castigo de Deus por seus brutais julgamentos de bruxas? Pois ele afirma que não há nenhum lugar na Bíblia em que nossas maneiras de provar a bruxaria sejam citadas. Cacei em minha própria Bíblia depois de ter lido o tratado dele e comecei a perceber como é possível que o nome "bruxa" possa ser concebido como papista, tal como ele afirma.

Thomas Ady e suas fortes palavras me deixaram um tanto confusa, e uma parte de mim repeliu sua noção de que as bruxas são apenas melancólicas iludidas. Pois o Diabo é real, não é? E desde sempre sabemos que as bruxas são suas servas. E conhecemos bem as tentações do Senhor das Trevas, você e eu.

– Ah, mas prefiro minhas próprias autoridades em matéria de feitiçaria – retrucou o governador. – Pois não são as proclamações de Lutero sobre bruxas as que mais devemos seguir, já que ele foi muito claro sobre a questão? – O governador fez uma pausa para causar efeito, lançando-me um olhar sóbrio antes de citar o próprio Martinho Lutero: – "Não há compaixão por estas mulheres; eu mesmo queimaria todas elas, de acordo com a lei".

– Estas bruxas são como ratos – falou Lockhert, claramente entediado com nosso debate acadêmico. – Onde há uma, há outras, e elas se multiplicam depressa.

– Como podemos saber quem são as bruxas? – o governador me perguntou com intensidade na voz.

Eu havia colocado meu guardanapo de linho com cuidado sobre sua bela mesa de jantar. Meu apetite foi saciado com peixe fresco, *gullbrød* e vinho tinto doce. Afastei todos os pensamentos sobre as ideias de Thomas Ady da minha mente.

Se tudo corresse bem, eu tinha certeza de que o governador reconheceria a ajuda que lhe dei, e então – ah, então – seu perdão chegaria como uma bênção dos céus.

– Não é tão complicado quanto você pode imaginar – revelei ao governador. – Pois uma bruxa revela sua verdadeira natureza em seu comportamento.

A esposa do governador ergueu os olhos do prato de comida que mal havia tocado e olhou para mim com curiosidade.

– Veja o caso de Maren Spliid – expliquei a Orning. – A bruxa de Ribe, na Dinamarca. Ela tinha a língua mais afiada de toda o país e não parava de xingar os vizinhos e blasfemar contra o Bom Deus.

– Se for este o caso, Fru Rhodius, podem chamá-la de bruxa! – O beleguim Lockhert gargalhou alto.

– Nunca pronunciei uma maldição em toda a minha vida – declarei com uma voz fria.

– Lockhert, pare de zombar de Fru Rhodius, ela é uma convidada em nossa mesa – O governador encarou seu beleguim.

Lockhert me lançou um olhar azedo enquanto o brilho malicioso em seus olhos me incitava.

Eu estava repetindo tudo o que havia lido sobre a natureza das bruxas e falando para o governador como se acreditasse em tudo. Meu perdão pairava diante de meus olhos como uma fruta doce e madura.

– Também existem outras maneiras de saber se uma mulher é uma bruxa por seu caráter – continuei. – Por exemplo, se uma mulher está grávida, fora do matrimônio.

– Ah, então uma desbocada e de moral duvidosa – falou o beleguim Lockhert mais uma vez. – A maioria das mulheres na Península Varanger pode ser descrita como tal.

– Então devem ser bruxas – disse o governador Orning, parecendo satisfeito.

– Existem maneiras mais fáceis de provar que se trata de uma bruxa – comentou Lockhert. Seu sotaque escocês sufocava as palavras dinamarquesas. – Tínhamos maneiras simples na minha terra. Mas eram eficazes.

Helwig me contara que foi por isso que o governador Orning procurou seu beleguim na Escócia, com a sua aprovação, meu rei: para ajudá-lo em sua caça às bruxas.

Todos sabiam que havia mais bruxas na Escócia do que em qualquer outra terra da cristandade. O rei James VI da Escócia e I da Inglaterra havia se casado com a princesa dinamarquesa, Anne, e a união dos dois países provocou um grande ataque de bruxas contra eles. O falecido rei James havia passado décadas expurgando a Escócia, mas, de acordo com Lockhert, elas ainda eram numerosas nas cidades das selvagens Terras Altas.

– O teste da água é uma boa maneira de identificar uma bruxa ou picar a marca do Diabo em sua pele – comentou Lockhert para o governador. - E também, temos as ferramentas de interrogatório, como os anjinhos, que nunca me falharam...

– É importante agirmos de forma apropriada – interrompeu o governador, enquanto eu me perguntava o que seriam esses anjinhos escoceses. – Todas as mulheres acusadas terão um julgamento e a oportunidade de provarem sua inocência. Uma cortesia que o Diabo em suas más ações não nos oferece.

– Mas quando começamos? – bradou Lockhert. – Quando poderei ir caçar estas cadelas nojentas?

O governador puxou a barba e ficou pensativo.

– Acho melhor esperarmos até que os pescadores partam para as áreas de pesca de inverno – disse ele. – É durante o meio do inverno que o Senhor das Trevas chama suas bruxas para si. Mas não toleraremos isso! – Bateu a mão na mesa de repente, e a esposa ergueu o olhar, assustada. – Foram bruxas que tiraram meu filho de mim, e *vou* me vingar.

Os olhos de Fru Orning se arregalaram enquanto ela olhava para o marido.

– Se não fosse por você, Fru Rhodius, minha doce Elisa também teria perecido – comentou o governador Orning, colocando a mão sobre a da esposa, que se encolheu de leve.

Dei um aceno de cabeça cheio de dignidade e me assegurei de guardar a dívida do governador como se a enfiasse na manga, aliviada por ele ter esquecido sua teoria de que eu havia trazido uma maldição comigo.

– Há um detalhe com o qual estou particularmente ansioso para que você investigue, Fru Anna – declarou o governador enquanto se levantava da mesa. Sua pequenina esposa se pôs de pé, embora sua comida estivesse intocada. – É o crime mais hediondo de todos. Li, em alguns panfletos que relatavam o flagelo das bruxas na Alemanha central, que estas criaturas imundas batizam as próprias filhas para o Senhor das Trevas em um pacto vinculativo.

A esposa do governador olhou para ele, horrorizada com a ideia.

O governador Orning me lançou um olhar penetrante.

– Devemos expurgar nossa região não apenas das mães bruxas, mas também das filhas. Espero sua ajuda neste assunto em especial, Fru Anna.

Observei o governador e sua jovem esposa partirem para o quarto.

Fru Orning ainda estava tremendo quando eles saíram, e eu afastei a imagem indesejável de como o governador poderia agir no privado com a garota. Pareceu-me que ela tinha mais medo do próprio marido do que de qualquer bruxa.

Assim que o governador saíra, Lockhert se levantou e chutou a perna da minha cadeira.

– Não se esqueça de que também é minha prisioneira, Fru Rhodius – disse ele, em um tom desagradável. – Volte para o seu casebre antes que eu decida acorrentá-la no porão do governador.

Embora meu coração estivesse batendo de forma irregular no peito, forcei uma expressão composta em meu rosto e me levantei com dignidade. Atravessei o pátio lamacento, fazendo o possível para proteger os chinelos que você me deu e para pisar com cuidado em meus tamancos, de volta ao meu casebre desolado e gelado.

Helwig havia adormecido em seu catre e o fogo para cozinhar estava quase apagado. Joguei um pouco mais de turfa nele e me encolhi ao seu redor para trazer um pouco de calor aos meus ossos. Pensei nas palavras do governador sobre mães sacrificando as filhas ao Diabo e senti meu peito apertar de pavor.

Eu não concordava com sua abominável teoria de que as mães entregavam suas filhas ao Diabo, e sua veemência quanto a isso me preocupou. Pois, meu rei, não são todas as crianças inocentes aos olhos do Bom Deus? Mas eu havia detectado o fervor no semblante do governador e conhecia bem a expressão de um homem em uma missão. Ele não seria facilmente persuadido do contrário. E o que eu poderia fazer, em todo caso, já que aos seus olhos, agora, eu era um instrumento de sua vontade?

Rezei para que as bruxas que ele caçava não tivessem filhas.

No meu quarto, demorei muitas horas para adormecer. Quando o fiz, retornei, em meus sonhos, ao gabinete de curiosidades. Desta vez, eu estava erguendo um pote com um dos fetos disformes da coleção de meu pai. Era uma estranheza, um emaranhado raro, não nascido e fechado de membros minúsculos que Deus não abençoou com o sopro de vida. E, no entanto, era nosso.

CAPÍTULO 14

INGEBORG

No dia em que os pescadores partiram, as chuvas haviam lavado a neve precoce. As últimas urzes do outono flamejavam vermelhas e âmbar sobre os pântanos. Logo, mais neve chegaria e todas as cores desapareceriam; os dois extremos do inverno se preparavam para as temidas semanas escuras de céu preto e terra branca.

Nenhuma esposa de pescador de Ekkerøy estava feliz por ver seu marido partir. Mesmo que às vezes ele fosse um bruto ou que gostasse muito da bebida, era melhor estar sob sua proteção do que sem ela. Todas sabiam que aquela era a época das bruxas, quando podiam ser amaldiçoadas ou, pior ainda, levadas para servir ao Diabo.

– Agora as repreensões de minha tia vão ficar ainda mais duras – comentou Maren com Ingeborg, enquanto observavam os barcos de pesca desaparecendo ao redor do promontório. As velhas velas costuradas mil vezes batiam bravamente ao vento sudoeste. – Ela tem mais medo do Diabo do que de seu homem. Embora, na verdade, se fosse eu, seria o contrário. Meu tio não é um bom marido.

Ingeborg olhou para Maren com preocupação. O que poderia ser mais temível do que o Diabo? Nenhum homem mortal chegava perto, nem mesmo os punhos do marido de Solve.

Uma súbita rajada de frio soprou sobre o mar. Ingeborg estremeceu quando ela penetrou seu xale. Ela se benzeu e começou a fazer uma oração pela passagem segura dos pescadores.

– É por nós que você deve orar – comentou Maren. – Pois agora, nossos homens se foram, e o governador e seus homens virão caçar suas bruxas – Ela puxou para trás o emaranhado de cabelo preto que voava sobre seu rosto. – Ouça-me, Ingeborg. – Ela estendeu a mão e tocou na manga da jovem.

Ingeborg olhou para a pele dos dedos de Maren, escura como o focinho aveludado de uma raposa ártica. – A única maneira de se proteger é mostrar que você tem poder. Faça com que lhe temam.

Lá estavam aquelas palavras novamente. Ingeborg afastou a mão, irritada com a sugestão ridícula de Maren. Com certeza era melhor fazer menos barulho, diminuir, desaparecer. Esta era a única maneira de sobreviver.

– Como o governador de Vardø poderia ter medo de alguém como eu! – declarou.

– Posso mostrar a você – sussurrou Maren, com um olhar furtivo.

Ingeborg balançou a cabeça em recusa e voltou para a aldeia. Era uma conversa como a de Maren que as colocaria em perigo, e não as ajudaria.

*

Ingeborg esperava de todo o coração que Maren estivesse errada sobre a caça às bruxas, já que os rumores sobre sua mãe eram abundantes na aldeia.

Na semana anterior, no serviço divino, Fru Brasche parou ao sair da igreja e olhou diretamente para a sua mãe. Heinrich Brasche ficou da cor de amora, com as bochechas vermelhas, e empurrou a esposa para a frente, mas não antes de ela cuspir no chão diante da mãe de Ingeborg.

Fru Brasche sabia. *Ai, santo Deus.* Ingeborg tinha feito o sinal da cruz. *Ela sabia!*

Quem contou para ela?

Houve um silêncio abafado e horrorizado, enquanto todos olhavam para a poça de saliva antes que a mãe de Ingeborg, que não dissera absolutamente nada, apenas erguesse a cabeça e passasse por cima dela, descendo a colina com passos leves até sua casa.

Era isto que o amor podia fazer com uma mulher? Torná-la tola? Se fosse, Ingeborg não queria jamais se apaixonar. A mãe havia se tornado uma tola imprudente.

*

Como Maren previra, cinco dias após a partida dos pescadores, um barco de Vardø surgiu no horizonte. Nele estava a figura corpulenta do beleguim Lockhert. O cabelo ruivo flamejava ao vento úmido, e a barba desgrenhada estava coberta de gotas de gelo, procurando por sua presa.

A maioria das mulheres estava no pântano, recolhendo o que restava de turfa, mas assim que o barco foi avistado, as pilhas foram largadas e todas correram de volta para a aldeia, precipitando-se para dentro de suas casas, como se as frágeis paredes de turfa pudessem manter o ogro afastado.

A mãe de Ingeborg ordenou que ela esmagasse espinhas de peixe para as vacas de Heinrich Brasche, enquanto Kirsten se encolhia no canto com Zacharias.

– Mantenha-se ocupada, Ingeborg.

Sua voz estava calma, mas Ingeborg podia ver o medo cintilando em seus olhos.

Tarde demais, mãe!, ela quis gritar com a mãe. *É tarde demais agora.*

Juntas, ela e a mãe golpeavam os ossos fervidos no grande caldeirão, enquanto Lockhert e seus homens marchavam pela vila até a casa do mercador Brasche. Um silêncio mortal caiu sobre todas as casas como uma névoa espessa. Ingeborg imaginou todas as vizinhas prendendo a respiração, lembrando-se da caça às bruxas que terminara com a perseguição da mãe de Maren.

O silêncio foi quebrado pelas batidas dos homens pelo conjunto de chalés. Lockhert abria as portas e rugia para as mulheres lá dentro.

As mãos de Ingeborg tremiam de medo, enquanto Kirsten se agarrava com força a Zacharias.

– Não temos negócios com o Diabo, meninas. Por que o beleguim viria até aqui?

Mas as palavras da mãe não a apaziguaram. Ingeborg sentiu um enjôo na boca do estômago, e o terror desceu por sua espinha gelada com a premonição.

E claro que a porta da cabana foi aberta de repente, e Lockhert entrou com dois soldados ao seu lado.

A mãe saltou para trás, assustada, derrubando o caldeirão de espinhas de peixe. Entranhas grossas e lamacentas de peixe se espalharam no fogo de cozinhar e na cabana ao redor deles.

Lockhert ignorou a confusão, pois seus olhos tinham um ponto de foco. A mãe de Ingeborg. Ele deu um passo ameaçador em sua direção.

– Estou aqui para prendê-la, Zigri Sigvaldsdatter – rosnou ele.

A mãe recuou, pressionando seu corpo nas paredes rachadas da cabana de turfa. Kirsten se encolheu ao redor de Zacharias, com os olhos bem fechados.

Mas Ingeborg não conseguia se mexer. O caldo fervente de espinhas de peixe estava se infiltrando no chão de terra. O odor fazia seu estômago revirar, e os dedos de seus pés descalços se apertavam no vil solo pantanoso.

– Sob as ordens do honorável governador de Vardø, fui instruído a levá-la, Zigri Sigvaldsdatter, à fortaleza de Vardø para interrogatório sobre acusações de bruxaria.

– Quem me acusara? – protestou a mãe. O pânico brilhava em seus olhos.

– Temos uma testemunha que a viu em conluio com o Diabo.

– Sou uma viúva temente a Deus; pergunte ao reverendo Jacobsen, pois estou na igreja todas as semanas. Não fiz nenhum pacto com o Diabo.

– Foi Fru Brasche quem a viu com o Diabo, senhora. Está dizendo que a nora do mercador Brasche fala mentiras? Ela, uma devota senhora cristã? E o que é você? – Ele fez um gesto com os braços, indicando o pequeno casebre delas.

Isso silenciou a mãe, mas Ingeborg teve de falar.

– Fru Brasche denuncia minha mãe por despeito – protestou ela.

O beleguim a ignorou, ordenando aos soldados que prendessem a mãe. Não havia para onde a mãe correr, que então se agarrava às paredes rachadas. Eles a levaram embora, enquanto ela gritava que não era verdade, arrastando-a pela cabana.

Em desespero, Ingeborg parou à frente do beleguim Lockhert.

– Acredite em mim, minha mãe não é uma bruxa.

Lockhert ergueu as sobrancelhas, finalmente notando-a, abrindo um leve sorriso ante sua audácia. Rapidamente, ele a esbofeteou, e Ingeborg desabou com força no chão de terra, por pouco não acertando a bagunça de ossos de peixe.

– Deixe-a em paz – gritou a mãe.

– Silêncio, sua vadia! – rosnou Lockhert.

Ingeborg se levantou em um piscar de olhos e estava furiosa. Sentia a raiva queimar dentro de si. De nada ajudaria sua mãe se ela a liberasse, mas queria esmagar o rosto do beleguim com seu bastão de macerar. Ela o agarrou com força, sentindo uma necessidade animal de destruir o homem.

– Ingeborg, não! Fique quieta!

Os apelos da mãe a detiveram. Ingeborg deixou o bastão escorregar de sua mão e cair no chão.

*

Ingeborg e Kirsten se esgueiraram atrás de Lockhert e seus homens enquanto eles marchavam com a mãe trêmula até a casa do mercador Brasche. A mãe não gritou nem protestou sua inocência, pois sabia muito bem que isso resultaria em dor e sofrimento.

Ninguém se mexeu na pequena aldeia. Todas as outras mulheres e crianças ainda estavam escondidas, embora Ingeborg sentisse os olhos sobre elas, espiando pelas rachaduras e buracos nas paredes.

Eles caminharam de seu pequeno reduto, passando pela praia em crescente, e para a elevação de uma terra mais seca e rica, onde ficava a grande casa de madeira do mercador Brasche. O próprio e importante homem saiu até os degraus da frente, com os braços cruzados sobre o peito largo, para inspecionar a bruxa presa.

*

Lockhert empurrou a mãe pelos degraus do lado de fora do porão do mercador Brasche. O som dos pesados ferrolhos pareceram ecoar pela vila silenciosa.

Depois disso, o beleguim Lockhert seguiu o mercador até a casa, e este lhe deu um tapa nas costas em aprovação.

Ingeborg pressionou as mãos na porta do porão.

– Mãe? – sussurrou ela. – Mãe?

– Tudo ficará bem, meninas – Ingeborg ouviu a voz trêmula da mãe.

No crepúsculo que se aproximava, a figura corpulenta do reverendo Jacobsen correu na direção delas, com suas vestes pretas se arrastando na lama.

– O reverendo Jacobsen está aqui – disse Ingeborg à mãe. – Vou pedir a ele que fale em seu favor.

Ingeborg se levantou cambaleante, puxando Kirsten para o seu lado. Elas subiram correndo os degraus até o padre quando começava a chover forte.

– Reverendo, por favor, ajude minha mãe – implorou Ingeborg. – Eles a prenderam no porão do mercador Brasche sob a acusação de bruxaria.

O reverendo a examinou com olhos frios.

– Eu sei disso, criança – revelou ele. – Estou indo interrogá-la.

– Ela pode voltar para casa depois? – perguntou Kirsten.

Ele olhou para a irmãzinha dela, e sua expressão se suavizou.

– Não, há um processo contra ela – revelou, enquanto a chuva escorria de seu nariz largo. – Ela será levada para Vardø amanhã de manhã para ser julgada.

Suas palavras se cravaram em Ingeborg como uma faca em seu peito. Nenhum dos que foram a julgamento em Vardø voltou.

– Não falará em favor de minha mãe, reverendo? – implorou Ingeborg.

– Ela foi apontada como bruxa e deve responder por isso ao próprio governador – declarou o reverendo, sem rodeios. Ele tirou um grande lenço de linho do bolso e enxugou o nariz, que pingava. – Vá para casa e ore pela alma dela. Isso é tudo o que pode fazer por ela agora.

*

Como ela poderia ir para casa e orar? Com a mãe a apenas alguns passos, atrás das paredes do porão. Depois que o reverendo entrara, Ingeborg se esgueirou pelas laterais da casa do mercador. Conseguia ouvir os homens conversando lá dentro, até mesmo rindo, alegres com sua cerveja e sua refeição, enquanto sua mãe estava presa abaixo deles em terror.

Kirsten se arrastou ao seu lado, afastando a lama das paredes do porão.

– Inge, há um buraco, aqui!

Juntas, elas puxaram a madeira podre, e farpas perfuraram a ponta dos seus dedos, mas por que se importariam? A raiva que Ingeborg sentira em relação à devassidão da mãe desapareceu. Apesar de tudo, ela era sua mãe, e Ingeborg precisava dela. Não poderia perder outro ente querido, de novo não. Além disso, sua mãe não era bruxa.

– Mãe – chamou Ingeborg. – Estamos indo!

A mãe estava do outro lado, também puxando a madeira. Mas a parte podre era pequena e, por mais que puxassem, o maior buraco que conseguiram fazer era do tamanho do punho da mãe.

Ela estendeu os dedos frios e trêmulos e Ingeborg os apertou.

– Você deve procurar Heinrich agora e pedir a ajuda dele, Ingeborg – instruiu a mãe.

– Mas é a esposa dele que acusa a senhora.

– Mesmo assim, acredito que ele vai me salvar.

Havia confiança na voz da mãe enquanto ela afastava a mão.

Ingeborg não conseguia ver o que ela estava fazendo, mas então a mãe estendeu a mão novamente. Presa entre seus dedos estava a fita azul.

– Dê a fita a ele – mandou ela.

*

O ar estava carregado com o cheiro de fumaça de turfa, e plumas brancas se retorciam no céu escuro enquanto Ingeborg e Kirsten se esgueiravam, passando em frente à porta do mercador Brasche, e se arrastavam pela trilha coberta de urze, o musgo incrustado de gelo fresco, até a casa do filho dele. Kirsten tremia e devia estar com muita fome. No entanto, ela não reclamou.

– Por que não vai para casa e se seca? – sugeriu Ingeborg a sua irmãzinha.

– Não – respondeu Kirsten com ferocidade, duas manchas de cor flamejavam em suas bochechas pálidas. – Quero ajudar você, Ingeborg.

A porta dos Brasches foi aberta pela viúva Krog.

– Meu Deus, o que você está fazendo aqui, Ingeborg Iversdatter? – sussurrou a viúva Krog, com o rosto pálido e abatido.

– Preciso falar com Heinrich Brasche – respondeu Ingeborg, com a voz trêmula, apesar de sua determinação.

– Ah, não – disse a viúva Krog, e seus olhos baixaram para a fita azul na mão de Ingeborg. – Não entre aqui, garota.

– Por favor, Fru Krog, nossa mãe foi presa sob a acusação de bruxaria.

O rosto da viúva Krog empalideceu.

– Eu avisei sua mãe. Quantas vezes eu disse que esse seria o fim dela?

– Mas ela é inocente de bruxaria – argumentou Ingeborg, segurando a fita para a viúva Krog. – Por favor, ele é a única chance que ela tem!

A viúva Krog parecia de fato muito perturbada. Seus olhos passaram de Ingeborg para Kirsten.

– Claro que sua mãe não é uma bruxa, Ingeborg Iversdatter – concordou a viúva Krog, abrindo um pouco mais a porta para que as meninas pudessem entrar. – Entre, se quiser.

*

Marido e mulher estavam sentados de cada lado da lareira. Não era um mero fogo para cozinhar, mas uma verdadeira lareira com uma cornija e uma chaminé de verdade. Sobre a cornija havia três tigelas sámi de prata e, perto do fogo, um grande balde de cobre cheio de turfa ao lado de um atiçador pendurado e pinças, com o fole em cima de uma prateleira de alcova. Ao lado do casal, havia uma grande mesa coberta por uma toalha de tapeçaria ricamente estampada com folhas, flores e frutas. Que bela imagem: o marido fumando seu cachimbo, enquanto a esposa estava ocupada bordando.

Ambos olharam surpresos quando Ingeborg entrou.

– Quem são estas garotas enxovalhadas e filhas de pescadores, Heinrich? – A voz de Fru Brasche foi imediatamente hostil. – Veja como seus pés imundos estão deixando sujeira em nosso piso limpo.

Fru Brasche chamou a viúva Krog, mas a velha mulher havia desaparecido. Escondida na cozinha, sem dúvida, rezando para não ser culpada pela intrusão das garotas Iversdatter.

Ingeborg se virou para dirigir-se ao filho do mercador.

– Senhor, nossa mãe foi presa pelo beleguim Lockhert e acusada de bruxaria – disse Ingeborg, com a voz furiosa de emoção. – Ela está presa no porão de seu pai.

Heinrich se levantou, alarmado, e seu cachimbo caiu no chão. Ingeborg sentiu os olhos frios da esposa dele sobre ela.

– Ninguém me contou sobre isso – declarou ele, parecendo muito perturbado.

– Claro que você sabia, Heinrich – interrompeu Fru Brasche. – Seu pai falou sobre isso ontem. Ele está empenhado em ajudar o governador a livrar nossa aldeia da bruxaria.

– Minha mãe é inocente – declarou Ingeborg, com os olhos fixos no rosto perturbado de Heinrich Brasche.

– Mas ela foi vista com o Diabo, menina – falou Fru Brasche mais uma vez, com a voz gélida.

Ingeborg não conseguiu mais se conter. Voltou-se para Fru Brasche ao ver o brilho de triunfo em seus olhos.

– Foi *você* quem a acusou.

– O que significa isto, esposa? – perguntou Heinrich a Fru Brasche. – Por que você acusaria Zigri Sigvaldsdatter de bruxaria?

– Como eu disse à garota – respondeu a esposa, alisando as saias com as mãos, tentando parecer composta, embora Ingeborg pudesse ver que estavam trêmulas. – Eu a vi com o Diabo em nosso estábulo. Ficou bem claro para mim. Eles estavam fornicando.

Kirsten soltou um pequeno suspiro e Ingeborg agarrou sua mão, apertando-a com força para mantê-la em silêncio. Ela manteve os olhos em Heinrich Brasche. O rosto dele era um conflito de emoções. Um profundo tom vermelho de vergonha se estendia a partir do colarinho e subia pelo pescoço.

Ingeborg tirou do bolso a fita azul de sua mãe e a balançou diante do filho do mercador. A visão dela teve um grande efeito sobre o jovem. Ele levou a mão ao peito e começou a ofegar como um peixe encalhado.

– Deve dizer a seu pai e ao governador de Vardø que minha mãe é inocente e que sua esposa estava enganada – insistiu Ingeborg, soando mais corajosa do que se sentia.

– Como se atreve a abordar meu marido com tais exigências? – retrucou Fru Brasche, parecendo furiosa. Duas fileiras de pérolas estavam enroladas em seu pescoço, e ela usava um suntuoso corpete de seda verde. No entanto, apesar de toda a elegância de Fru Brasche, a mãe de Ingeborg a superava em beleza. – Vá embora agora! – ordenou ela, apontando para a porta.

Mas Ingeborg não ia desistir.

– Você sabe que minha mãe não é uma bruxa, você sabe disso – implorou ela a Heinrich, com a voz elevando-se em frustração.

Ele estava muito pálido agora; seu rubor havia desaparecido. Seus olhos castanhos escureceram até ficarem pretos.

– Precisa ajudá-la.

Como poderia este homem de poder e riqueza não agir em favor da mãe dela?

– Não tenho influência sobre o governador Orning em Vardø – Heinrich finalmente falou.

– Mas seu pai tem – protestou Ingeborg.

– Meu pai não vai me ouvir – falou Heinrich, com uma voz amarga. – Ele acredita que quase todas as esposas de pescadores em Ekkerøy são bruxas.

– Livre-se destas garotas, Heinrich – exigiu a esposa, encarando a fita azul. – Por que se importa com a mãe bruxa delas?

– Deixe-me em paz, esposa – retrucou Heinrich, tirando a fita de Ingeborg e enrolando-a no punho.

O rosto de Fru Brasche se iluminou de fúria, mas ela não disse mais nada. Afinal de contas, seu dano já estava feito. Pegando seu bordado, ela encarou Ingeborg e Kirsten com ódio.

Heinrich abriu a palma da mão e olhou para a fita azul.

– Sinto muito, crianças, mas vocês devem ir.

– Mas por que você deu a fita a ela? – persistiu Ingeborg, puxando a manga de Heinrich Brasche em seu desespero.

Heinrich empurrou a mão dela, sem encará-la, e Ingeborg sentiu o calor da ira de Fru Brasche, mas não se importava mais. Estava com raiva de Heinrich.

– Minha mãe deu tanto a você! – Ingeborg estendeu a mão e puxou a fita azul da palma da mão aberta de Heinrich. Pertencia a sua mãe, e ela a teria de volta.

– Que insolência sua, garota! Ela não deveria ser presa também? – A voz de Fru Brasche era afiada como uma adaga.

Heinrich se voltou para a esposa.

– Lisebet, silêncio, eu imploro!

Ela olhou para ele, o ódio sumia de seus olhos. Tudo o que restava era dor nua e crua.

– Vou tentar falar em favor de sua mãe – Heinrich se voltou para Ingeborg novamente. – Mas pode piorar as coisas para ela – Ele soltou um suspiro longo e profundo. – Irei até meu pai ver o que pode ser feito.

Ele chamou a viúva Krog para trazer seu chapéu e capa.

– Vá para casa – orientou ele a Ingeborg. – Reze por sua mãe. Farei o possível por ela.

Fru Brasche encarava Ingeborg e Kirsten da lareira. Seu bordado havia caído no chão e seus olhos brilhavam com lágrimas.

– Vão para casa, Ingeborg – ordenou Heinrich a Ingeborg e Kirsten mais uma vez.

*

Nuvens escuras rodopiavam acima deles e o vento uivava. Ingeborg e Kirsten seguiram Heinrich Brasche.

A longa capa preta de Heinrich sacudia em torno dele como duas grandes asas enquanto ele atravessava o pântano até a casa do pai. Elas o observaram entrar.

As irmãs se amontoaram perto do porão e sussurraram para a mãe.

– Ele está aqui agora. Seu Heinrich chegou. Ele vai salvar você, mamãe.

Mas não havia qualquer som lá dentro. Ela ainda estava lá? Ou eles a colocaram em outro lugar? Ou pior, será que ela havia sido espancada com tanta força que jazia meio morta no chão do porão?

Ingeborg e Kirsten esperaram noite adentro. Até que a chuva parou, as nuvens se dissiparam e elas puderam ver o primeiro crescente da lua nova. Ingeborg imaginou o momento em que Heinrich traria sua mãe para fora da casa do pai dele. Os dois desceriam as escadas como um príncipe com sua princesa. Mas as horas se passaram e, ainda assim, ele não saiu.

Kirsten tremia de frio e fome. Ingeborg sabia que ficar fora por mais tempo seria arriscar a saúde da irmãzinha. Elas tropeçaram de volta até sua cabana. Logo seria manhã. Elas voltariam, então.

Mas assim que a irmã embrulhou-se em peles, com a cordeira Zacharias ao lado dela, Ingeborg retornou à casa do mercador Brasche, rastejando e arranhando as paredes do porão como um gato à procura de ratos. Precisava haver uma maneira de entrar. Ela bateu na parede perto do buraco. Sussurrou: "Mãe!"

De repente, atrás de si, ela ouviu um latido feroz. Era o grande cachorro preto do mercador Brasche que rosnava para ela, com os olhos vermelhos e revirados, e a saliva escorrendo de sua boca com presas.

Ingeborg respirou fundo de medo e de raiva, e então… sibilou para o cachorro. O som que saiu de sua boca a surpreendeu. Era feroz, selvagem, inumano em sua origem. Ela sentiu toda a coluna arquear, a pele eriçar. O cachorro salivava diante dela, rosnando. Ela sibilou mais uma vez e, então, correu.

O cão saltou sobre ela, mordeu-lhe a mão, e ela soltou um gritinho, mas continuou a correr. Mais rápido do que jamais correra antes. O cachorro a perseguiu e, no entanto, ela foi mais rápida que a grande fera preta.

Ela fugiu colina abaixo e entrou na aldeia. Todo o seu corpo ficou lustroso com a velocidade. Entrou em sua casa e bateu a porta atrás de si com tanta força que com certeza todos os vizinhos acordariam. Mas nenhuma alma se mexeu. Tudo o que ela podia ouvir era o cão farejando lá fora.

Ingeborg se abraçou, apoiando-se com força contra a porta. Não havia fechadura, e a besta poderia abri-la com facilidade. Ele continuou farejando e fungando – ela conseguia sentir seu hálito quente muito perto. Por fim, cansou-se, e ela o ouviu trotando para longe.

Ingeborg se sentou perto das brasas moribundas do fogo de cozinhar, aquecendo a pele molhada e enrugada dos pés. O sangue escorria sem parar da ferida em sua mão. A mãe a faria limpá-la e enfeixá-la, mas ela estava muito cansada. Levou a mão ao rosto e sugou o próprio sangue. Não era uma ferida profunda. O cachorro apenas arranhou sua pele com os dentes afiados. Mas como ela havia conseguido correr tão depressa?

Ingeborg lambeu o sangue da pele e continuou lambendo, até que sua mão brilhasse branca e macia à luz do fogo.

Foi só então que ela viu que Kirsten ainda estava acordada, encolhida ao lado da cordeira adormecida e olhando para ela com os olhos arregalados.

– Eu vi a mamãe com o Diabo, Ingeborg – sussurrou ela. – Exatamente como Fru Brasche disse.

– Não, Kirsten, meu amor, não foi isso que você viu, juro.

– O que vai acontecer com a mamãe? – sussurrou a irmã com uma voz temerosa.

– Ela será salva – respondeu Ingeborg, sem saber por que o dizia com tanta convicção.

– Mas como? – perguntou Kirsten.

Ingeborg tirou do bolso a fita azul da mãe.

– Lembra-se da história da fita azul que Axell costumava nos contar?

Kirsten assentiu.

– Ela dava à garota poderes especiais. E é isso que a fita azul da mamãe é para ela.

– Mas nós estamos com a fita, Ingeborg. Não mamãe.

– Então devemos devolver a ela.

Ingeborg deslizou para a cama ao lado da irmã e puxou as peles de rena sobre os ombros. Ela estava com frio e muito cansada, mas toda vez que fechava os olhos, via os olhos vermelhos revirados do grande cão do mercador Brasche. O Diabo podia aparecer na forma de um cão de caça preto – ela já tinha ouvido isso várias vezes dos lábios do reverendo Jacobsen.

Sua mão latejava, embora não sangrasse mais. Tinha sido marcada?

Ela estremeceu quando pressionou as mãos trêmulas no peito e apertou os dedos dos pés frios, esfregando as solas dos pés.

– Se dermos a fita azul para mamãe, ela vai fugir como a garota da história? – sussurrou Kirsten. – Ela vai fugir com os lobos?

Elas foram criadas para temer os lobos, mas agora Ingeborg desejava que a mãe estivesse entre aqueles animais, e não entre os homens no poder.

*

Assim que a aurora cinzenta penetrou pelas frestas da cabana, Ingeborg acordou Kirsten.

Com aventais limpos e toucas brancas, elas se ajoelharam em oração do lado de fora da casa do mercador Brasche enquanto a chuva as castigava, encharcando o linho fino sobre suas cabeças, penetrando seus casacos de lã. Elas tremiam de frio, mas, mesmo assim, Ingeborg não desistiu. Era tudo o que podia fazer agora: tentar obter a piedade dos homens no poder, mesmo enquanto elas eram ignoradas pelas mulheres da aldeia, que passavam apressadas a caminho do poço. Como ela desejava que a prima de sua mãe, Solve, estivesse ali, e até mesmo Maren Olufsdatter, pois tinha certeza de que as duas se ajoelhariam com elas. Mas a notícia ainda não devia ter chegado até elas, na vila de Andersby.

Quando Ingeborg finalmente viu a mãe de novo, ficou claro que o choque pela prisão havia dado lugar ao puro terror. O corpo dela estava convulsionando de medo enquanto o beleguim Lockhert e seus homens a conduziam para fora da casa do mercador Brasche. Seus pulsos estavam amarrados com tanta força que Ingeborg conseguia ver vergões vermelhos surgindo em sua pele pálida. A touca havia sido arrancada de sua cabeça, e seu cabelo vermelho-dourado caía solto. Ingeborg podia ver hematomas recentes surgindo em seus braços e um corte em seu lábio, cuja visão a atingiu como uma facada.

Atrás dela, Ingeborg avistou Heinrich, retido por seu pai e seu criado.

– Eu imploro, pai! – Ingeborg podia ouvir a voz desesperada de Heinrich. – Lisebet está enganada. Não foi o Diabo que ela viu com Zigri.

Mas Fru Brasche não estava em lugar nenhum para admitir sua mentira.

O pai de Heinrich olhou para ele.

– Você foi enfeitiçado, não vê, filho?

– Ela é inocente, pai! Eu imploro!

Em um movimento rápido, o velho mercador puxou uma faca e a apontou para a garganta do filho.

– Se não parar de berrar, vou suspeitar que você também está de conluio – declarou. – E não será mais *meu* filho. Vou destituí-lo de tudo, Heinrich! – sibilou ele, indicando ao criado corpulento que empurrasse Heinrich de volta para dentro de casa. A porta bateu atrás deles.

O beleguim Lockhert e seus homens começaram a arrastar a mãe delas na direção do porto, como se puxassem uma égua relutante.

Kirsten começou a correr atrás deles. Ingeborg a seguiu.

– Mamãe! – chamou Kirsten. – Mamãe, aqui está a sua fita azul.

Kirsten agarrou a mão da mãe, empurrando a agora esfarrapada fita azul nela. Mas, embora a mãe tenha pegado a fita, ela não disse nada à filha mais nova.

– Ah, Heinrich – lamentou a mãe, olhando para Ingeborg.

Mas o filho do mercador não reapareceu da casa do pai.

Nenhuma porta se abriu quando o beleguim Lockhert arrastou Zigri pela aldeia de Ekkerøy.

Eles chegaram ao porto, onde o barco do beleguim Lockhert estava pronto para zarpar. Os soldados atiraram a mãe para dentro. Ela tropeçou e caiu de joelhos, soluçando; as lágrimas escorriam por seu rosto ao entender que Heinrich Brasche não conseguiu salvá-la de Vardøhus.

Todo o corpo de Ingeborg doeu ao assistir. Ela precisava chegar até a mãe.

– Ela é inocente, eu juro! – gritou Ingeborg, empurrando os soldados.

O beleguim a viu e soltou um berro exasperado. Agarrando-a pela gola, ergueu Ingeborg de modo que seus pés ficassem pendurados no ar.

– Sua cadela! Se não desistir, vou colocá-la na cova das bruxas de Vardø com sua mãe bruxa.

Ela se contorceu, mas foi inútil, como um peixe no anzol.

– Por favor, deixe-a ir, beleguim, ela é apenas uma menina – implorou a mãe.

Lockhert a soltou, e Ingeborg caiu sobre os joelhos dobrados com um baque. A dor percorreu todo o seu corpo.

A mãe estava sentada, encolhida e amarrada no convés, com os olhos cheios de terror.

– Ingeborg, peça ajuda – sussurrou ela. – Prometa!

– Prometo – sussurrou Ingeborg.

Sua mãe ergueu as mãos atadas em súplica, e a fita balançava entre elas. O azul suplicante de seus olhos ficaram cravados em Ingeborg.

Ela havia jurado ajudá-la. Mas *como*?

Os homens do beleguim partiram. As velas brancas ondulavam, enquanto o barco balançava no vazio cinzento do mar. Os grupos de patos de inverno eram suas únicas testemunhas enquanto o barco desaparecia nas bordas dos penhascos.

Ingeborg continuou observando muito tempo depois do último tremular de velas e da última visão do cabelo esvoaçante da mãe, solto como um minúsculo estandarte de ouro. Ela imaginou a mãe trêmula, encolhida no fundo do barco do beleguim, levada pelo mar de Murman até a ilha de Vardø e à fortaleza do governador.

Como conseguiria trazê-la de volta para casa?

PARTE TRÊS

INVERNO 1662

AS TRÊS MÃES

Era uma vez, em um tempo além da nossa imaginação, três mães que viviam aos pés de Yggdrasil, a grande árvore da vida, no reino de Aesir, perto da fonte sagrada do destino. Era sua tarefa nutrir a grande árvore com as águas puras da nascente sagrada, preservar sua vida com a argila branca da nascente e coletar gotas da nascente para borrifar sobre a grama como orvalho. Os nomes das três mães eram Urth, Verthandi e Skuld, e foram elas que teceram os destinos de todos.

As três mães tratavam a todos da mesma forma, pois ninguém – nem mesmo Odin, o pai de todos os deuses e homens – tinha poder sobre elas. Todos estavam sujeitos ao seu destino. As mães, ou as Nornas, como eram conhecidas, talvez fossem irmãs, talvez não, mas uma não podia existir sem a outra. Era o trabalho das mães assistir ao nascimento de cada bebê e tecer a história de suas vidas. Não era um dever que elas cumpriam levianamente e, à medida que cada alma nascia, as mães dedicavam cuidado e consideração para criar o padrão de cada vida.

Urth era conhecida como o Passado, ou Destino. Ela possuía cabelos longos e soltos, que mudavam de cor conforme as estações, entre tons de dourado e marrom: no inverno, era marrom-escuro da água do pântano, mas no verão, tornava-se da cor de um campo de cevada. Sua pele também mudava com a estação, assim como seus olhos: mel e avelã no verão, creme e brasas queimadas no inverno. Urth era cheia de riso e luz, oferecendo diversas histórias diferentes da existência de uma pessoa enquanto cantava a existência ao padrão do destino das pessoas. Cada nota que ela entoava se transformava em um fio, e cada cor iluminava um caminho para a alma.

Verthandi era conhecida como o Presente, ou Existência. Ela tinha cabelos cacheados em mil tons de vermelho. Era a menor das três mães, tão elegante e pequena quanto um dos anões-elfos, mas era a que possuía maior poder. Era ela quem tecia o segredo da alegria na vida de uma alma. Porém sua essência era o fio mais difícil de encontrar. Ela não cantava nem falava, mas respirava a vida suavemente para dentro e para fora do coração das pessoas; ela era como o som do mar batendo na praia em um dia calmo de verão ou o suave balanço do vento nos galhos.

Skuld era conhecida como o Futuro, ou Necessidade. Seu cabelo era o preto mais preto já visto, atravessado por um raio de puro branco. Skuld era a mais problemática das mães. Às vezes, ela não queria nem mesmo ser mãe e se rebelava contra as irmãs.

– Qual é o sentido de todo o nosso trabalho árduo, tecendo o destino de cada alma recém-nascida, quando nossos próprios futuros são eternamente incertos? – reclamava ela, acenando com o pergaminho em branco que tinha na mão.

No entanto, em outras ocasiões, quando as outras duas mães a acalmavam com frutas e vinho, Skuld pegava seu pergaminho e escrevia, e escrevia, e escrevia. Ela nunca contava as histórias do destino da alma recém-nascida, mas registrava sua vida em tinta sobre pergaminho.

Nenhum de nós pode deixar de passar pelas três mães quando nascemos. Sejamos deuses, humanos, elfos, anões, trasgos ou gigantes de gelo. Para as três mães, somos todos iguais. Alguns de nós terão destinos dourados, e alguns de nós lutarão para deixar as sombras, mas todos nós temos mães, gostemos ou não, seja de sangue ou de coração.

As três mães consideraram seu dever mais importante proteger as mulheres no parto. Elas extraíam a cura da grande árvore da vida e colhiam frutos de seus galhos, que elas queimavam em uma fogueira perto das raízes. Esses frutos queimados, elas administravam às mulheres em trabalho de parto para que o que estava dentro pudesse sair.

As três mães entrelaçavam em cada alma recém-nascida o céu e a terra, com fios roxos de fé de Urth, fios verdes de amor de Verthandi e fios laranja de esperança de Skuld.

Estes eram seus presentes para todos que abriam seus corações para receber a sabedoria das mães. Temos um destino, mas podemos puxar os fios que desejamos.

O maior presente de todos era a pedra preciosa que Verthandi enterrava no terceiro olho oculto de todos os que respiram nesta terra. Até Odin, caolho,possui uma.

Está lá, no espaço entre os nossos olhos, em nossa testa.

Feche os olhos e procure. Consegue vê-la brilhando? É uma pedra preciosa, a mais pura e rica de todas, incrustada no tecido de sua vida pelas Três Mães.

É a sua verdade.

CAPÍTULO 15
ANNA

Na noite em que a primeira bruxa de Varanger chegou à fortaleza em Vardøhus, passei o dia inteiro com dor e desconforto com um sangramento intenso. A chegada da minha menstruação nesse momento foi inesperada, pois eu não sofria de sangramentos desde antes do meu julgamento no inverno passado. A culpa era de minha criada Helwig, pois é do conhecimento geral que mulheres que moram na mesma casa sangram juntas. Todos os meses, em Bergen, minhas criadas e eu tínhamos cãibras sob a lua cheia, e ouso dizer que, para algumas mulheres que não tinham sido honestas, era sempre um alívio sangrento.

Durante anos, a visão de minha faixa vermelha mensal reduzia minha esperança mais uma vez, pois meu tempo para a maternidade havia passado, e eu não conseguira dar ao meu marido um herdeiro vivo.

Para um homem, ou melhor, para um rei, você tinha um grande interesse no funcionamento do corpo das mulheres, pois me lembro de você perguntar-me como era sangrar a cada mês, antes e depois.

– Sempre é diferente – expliquei. – E para cada mulher também. Tenho sorte de não sofrer de cólicas ou fluxo intenso.

Mas nestes últimos anos, o ritmo do meu corpo mudou, pois passo meses sem sangramento, e depois surge um ataque repentino, o fluxo imparável, e pesado, com cólicas que me fazem dobrar-me. Tentei remédios diferentes, mas davam apenas um pequeno alívio. A violência dentro do meu próprio corpo fazia parecer como se houvesse uma rebelião em mim.

Algumas vezes, à noite, um calor se abatia sobre mim, tão forte que minha pele parecia estar em chamas, com o desejo do meu coração apenas por um fio, pois quando minha menstruação parasse para sempre, então minha esperança também acabaria.

Como prisioneira, qualquer pequena promessa que eu pudesse ter de outro bebê havia se extinguido para sempre.

E assim, neste dia úmido e frio de outubro, quando a bruxa estava para chegar, Helwig recolheu nossos trapos ensanguentados para ferver com lixívia de bétula na lavanderia, com o corpo curvado de dor e o rosto pálido.

– Espere – instruí, sentindo uma compaixão inesperada pela moça, enquanto apertava a minha própria mão em minha barriga latejante. – Vou lhe dar algo para aliviar a dor.

Abri minha caixa de remédios, levantei a tampa superior e tirei o pequeno pedaço de raiz de confrei. Pegando uma faca afiada do mesmo lugar, raspei um pedacinho da raiz.

– Coloque uma panela com água no fogo – orientei Helwig.

Ela largou a roupa e fez o que eu disse, observando, desconfiada, enquanto eu colocava a raiz de confrei na água e a levava para ferver. Eu podia sentir o cheiro de terra dos canteiros macios e úmidos do meu jardim botânico em Bergen, e a lembrança fez meu coração doer, combinando com as cólicas na minha barriga.

Deixei a decocção esfriar e então ofereci uma xícara a Helwig, que estivera esperando para deixar a cabana com sua cesta de trapos ensanguentados o tempo todo.

– O que é isso? – ela perguntou, com os olhos semicerrados.

– A raiz da planta confrei – respondi. – Usamos para aliviar o sangramento de Fru Orning, lembra?

Ela pareceu tranquilizada e pegou a xícara, bebendo-a.

– Tem um gosto estranho – comentou ela, arrotando e limpando a boca.

Torci o nariz em desgosto com a sua falta de modos, arrependendo-me de compartilhar minha preciosa raiz de confrei com a garota grosseira.

– Vai fazer com que suas cólicas desapareçam – expliquei a ela, bebendo de meu próprio copo.

Helwig bufou, como se não acreditasse, mas quando voltou algumas horas depois com nossos trapos limpos, estava com as bochechas coradas e até cantarolava contente enquanto preparava nosso jantar.

De minha parte, a raiz de confrei aliviou meu sangramento e pude continuar rabiscando minha escrita em segredo, enquanto os olhos de Helwig não estavam sobre mim.

Com nosso caldo de peixe pronto para ser consumido, estava prestes a me sentar à mesa para Helwig servir-me quando ouvi o som de vozes de homens e botas no chão duro do lado de fora. Era tão raro ouvir qualquer acontecimento em nossa silenciosa fortaleza, vazia de todos os prisioneiros além de mim, que meu instinto foi o de levantar-me da mesa. Igualmente curiosa, Helwig me seguiu até a pequena janela voltada para o pátio em nossa casa-prisão. Levantei a aba e espiei lá fora.

As curtas horas de luz do dia haviam se transformado em tons de safira esvaindo-se em preto, e a lua cheia havia surgido, transbordando de luz prateada, lançando-a sobre o pátio. Ali pude ver figuras iluminadas pela luz de tochas: a silhueta de trasgo do enorme beleguim Lockhert e vários dos guardas, mas a figura que chamou minha a atenção foi a de uma mulher acorrentada, com o cabelo solto, obscurecendo seu rosto. Pelos contornos suaves de seus seios e quadris, concluí que ela era uma mulher ainda jovem, mas enquanto os homens pareciam sólidos, ela tremia e estremecia sem controle.

– Coloque-a na cova das bruxas – instruiu Lockhert.

Ela não ofereceu resistência quando os homens de Lockhert a arrastaram pelo pátio.

– Quem é ela? – sussurrou Helwig para mim, seu hálito de peixe fazendo-me recuar.

– Afaste-se da janela – ordenei, levando meu lenço embebido em lavanda ao nariz.

– Mas quem é a mulher? – repetiu Helwig. Seu rosto já me dizia que ela sabia muito bem.

– Imagino que seja uma mulher acusada de bruxaria, já que a estão colocando na cova das bruxas.

Voltei para a mesa e para o meu jantar, agora frio. Encarei as bolhas de gordura e peixe coaguladas, mais ossos do que carne, enquanto uma cenoura perdida boiava. Eu não tinha vontade de terminar minha refeição e meu peito arfava, pressionando o meu corpete. Meus lábios estavam secos de antecipação e medo.

Em breve, eu teria de desempenhar o meu papel.

CAPÍTULO 16
INGEBORG

O mar de Murman cintilava, uma vasta extensão cinza. As montanhas distantes estavam vestidas de branco contra o céu que escurecia. Os pensamentos de Ingeborg estavam com a mãe. Ela tinha o suficiente para comer, um fogo com o qual se aquecer nas semanas frias e escuras de novembro?

Ela imaginou sua figura elegante mais uma vez: os cabelos dourados escondidos sob uma touca branca, acenando para ela de um barco que se aproximava da praia. Heinrich Brasche ao lado dela. Seu salvador. No entanto, quanto mais olhava para o mar, mais o sonho a ridicularizava.

Aqueles grupos de patos de inverno pareciam tão contentes e despreocupados, uma família de centenas. Ela desejou ser um deles – flutuando, livre acima dos redemoinhos gelados do fiorde.

À noite, quando Ingeborg fechava os olhos, a mãe ainda estava lá. Em tempos há muito distantes, antes de sua febre por Heinrich Brasche, antes de Axell e do pai morrerem. Tempos em que era pequena, antes de Kirsten nascer, e a mãe era gentil com ela. Ingeborg podia evocar o cheiro daquela época: sálvia da comida de sua mãe e ervas-marinhas de sua colheita à beira-mar. Sentir o veludo da pele da mãe, a força das mãos dela, enquanto segurava as de Ingeborg.

Queria tanto esta mãe de volta. Doía como uma dor profunda na barriga, do tipo que se tem por comer arandos-vermelhos demais.

*

Alguns dias depois que a mãe fora levada, Ingeborg voltou à casa de Heinrich Brasche, tão cedo que ainda estava escuro; na hora em que apenas os servos estariam acordados. Tinha visto como Heinrich ficara desesperado para ajudar a mãe. Com certeza ele poderia ser persuadido a ir falar com o governador em favor dela.

Contudo, a pouca esperança que ela tinha de uma intervenção por parte dele desapareceu com a notícia que a viúva Krog lhe deu:

– Sinto dizer que Heinrich Brasche partiu, Ingeborg – sussurrou a viúva Krog para ela; a porta aberta em uma fresta.

– Aonde ele foi? – exigiu ela.

– Ele está viajando a negócios para o pai em Bergen.

– Bergen! – Ingeborg ofegou, horrorizada. A cidade natal do mercador ficava a quilômetros de distância. Uma viagem que levaria várias semanas. – Mas ele prometeu ajudar minha mãe – argumentou ela, com a voz embargada pelo desespero.

A viúva Krog estendeu o braço. Tocou a mão dela com a própria mão fria. Enfiou um pacote de *lefse* doce na palma da garota.

– Sinto muito, criança – ofereceu. – Sua mãe não é bruxa, mas humilhou Fru Brasche. – A viúva Krog suspirou. – Temo que isso não será perdoado.

Enquanto a viúva Krog falava, Ingeborg ouviu o chamado agudo da própria Fru Brasche. De todo o coração, queria abrir a porta e enfrentá-la. Mas o que poderia dizer para dissuadi-la? E antes que Ingeborg pudesse agir, a viúva Krog logo fechou a porta na sua cara.

Correu de volta até cabana, com a fúria inundando-a. Cada vez mais rápido, com o vento cortando suas bochechas.

Heinrich Brasche tinha mentido. Ele fugira e abandonara a mãe dela. Era um covarde, como o pai dela havia sido.

*

Quando a neve começou a cair para valer, ela e Kirsten fecharam seu casebre. Com Zacharias tropeçando na neve atrás delas, as irmãs calçaram os esquis.

Kirsten insistiu que não podiam deixar Zacharias para trás. A cordeira havia crescido tanto e estava pesada, mas a irmã nem considerou a ideia. Afinal, Zacharias era a única coisa de valor que possuíam, então Ingeborg amarrou a cordeira que balia a um pequeno trenó, o qual puxou com o resto de suas provisões insignificantes embaladas em sacos de pele de foca.

Elas avançaram pela neve fresca. Deslizaram pelo vasto branco e atravessaram a floresta de bétulas esquálidas, ao longo da borda da península de Varanger. O mar de Murman se acalmou no vítreo fiorde de Varanger, enquanto o lívido céu do meio-dia as pressionava.

Quando chegaram à casa de Solve, na aldeia de Andersby, a prima de sua mãe não gostou de vê-las.

– Essa situação com Zigri é terrível – declarou Solve, nem mesmo convidando-as a entrar. –Mas vocês não deveriam ter vindo até aqui, meninas.

– Não temos para onde ir – disse Ingeborg, magoada com a reação da prima da mãe.

– Peça ao reverendo Jacobsen para encontrar alguém para adotá-las – sugeriu Solve.

– Que outra família nos aceitaria?

– Eles podem aceitar Kirsten. Ela ainda é tão pequena.

– Não, não – pediu Kirsten, em pânico. – Não me deixe, Ingeborg.

– Acalme-se, Kirsten. Claro que não vou deixá-la – tranquilizou-a Ingeborg, pegando a mão da irmã. Ela encarou Solve. – Por favor, precisamos de abrigo – implorou. – Trouxe comida conosco e nossa ovelha para ordenhar quando ela crescer. Vamos trabalhar duro por nosso abrigo, eu prometo!

– Não posso ser associada a vocês, Ingeborg – respondeu Solve, com a mão na cabeça de Peder, que agarrava com força suas saias. – Já temos Maren aqui, e tenho que pensar em meus meninos.

Enquanto ela falava, Maren e Erik saíram do estábulo carregando dois baldes cheios de leite cremoso.

– Ela fez de novo, mamãe! – gritou Erik com um olhar encantado no rosto. – Olha quanto leite Maren conseguiu que a vaca produzisse!

Solve ficou roxa.

– Quieto, menino.

Assim que Maren pôs os olhos em Ingeborg e Kirsten, seu rosto se abriu em um largo sorriso.

– Enfim, vocês vieram – declarou ela. – Estive esperando por vocês.

– Elas não vão ficar, sobrinha. Não podemos acolhê-las – informou a tia.

Maren se virou.

– Mas temos bastante, o suficiente para todos nós!

– Não é por isso – disse Solve, lambendo os lábios em nervosismo. – É muito perigoso para nós confraternizar com as filhas de Zigri.

Maren colocou as mãos nos quadris e olhou para a tia, como se ela fosse uma pobre tola.

– É tarde demais para se preocupar com tudo isso agora! – afirmou. – Seu marido colocou você em perigo no dia em que ele *me* acolheu. Minha mãe também foi condenada como bruxa!

Solve se remexeu.

– Eu não tive escolha nesse caso, e isso é coisa do passado.

– Isso nunca passa, tia – declarou Maren com uma voz fria. – Precisamos nos unir, mostrar nossa força.

Solve soltou uma fraca risada.

– Que força, sua menina miserável!

Mas Maren a ignorou e se virou para Ingeborg e Kirsten.

– Entrem, irmãs.

Ingeborg detectou uma suavização na expressão de Solve. Ela não rejeitaria as filhas da prima.

– Bem, vocês são apenas garotas, o que os homens do governador iriam querer com vocês?

*

Reflexos do sol de inverno escondido brilhavam baixo sobre o fiorde de Varanger. O vapor subia como fumaça da margem onde o gelo encontrava o mar, uma infusão do Inferno. A respiração do Diabo. Ingeborg estava sentada em sua borda gelada enquanto a luz fugaz desaparecia. O céu era um suspiro azulado, a neve, rosada. Era ali que o gelo queimava, onde o ar era rarefeito e quebradiço.

Haveria algum lugar tão poderoso quanto aquele? Ela conseguia sentir, conforme a ponta dos seus dedos pinicava, como se estivesse sendo perfurada com alfinetes, e em sua pele irritada. Como desejava controlar este poder e cuspir fogo. Como desejava derreter os quilômetros de gelo e neve entre si e a mãe.

*

Maren encontrou Ingeborg no fiorde de Varanger, com os esquis atirados para o lado, ainda observando o vapor acima do gelo, imaginando se era espesso o bastante para suportar seu peso. Se fosse verão, o ar estaria cheio dos berros das andorinhas-do-mar a caminho das saliências de descanso em sua aldeia, Ekkerøy, porém nos tons sombrios de novembro, o ar estava silencioso, com apenas uma lua invernal presente no céu. Tudo o que se podia ouvir era o chamado solitário de um petrel-do-mar mergulhando no ar severo e o ranger da neve nas finas árvores ao lado do fiorde.

Ingeborg encarava o fiorde enquanto lágrimas quentes em suas bochechas geladas corriam por seu rosto. Ela estava com raiva de Heinrich Brasche e da mãe por ter se apaixonado por ele. Ela estava com raiva do pai por nunca ter voltado do mar e de Axell por ter se afogado. Estava com raiva de quem era: uma pobre garota, filha de um pescador morto. Quem a ouviria? Como ela poderia salvar a mãe? Ela nem conhecia o caminho para Vardø.

– Não chore – disse Maren, colocando a mão no braço de Ingeborg. – Coloque sua tristeza para fora e deixe-a fortalecer sua determinação em ajudar sua mãe.

– Mas minha mãe está condenada – retrucou Ingeborg, tentando conter as lágrimas, embora elas continuassem caindo. – Marcada como bruxa.

– E a minha também! Mas lembre-se de que o mercador Brasche, o governador, e até o beleguim Lockhert temem as bruxas – Maren agarrou os ombros de Ingeborg. – E o medo deles nos dá poder!

Ingeborg secou o rosto com a manga. Maren estava errada. Nem uma alma sequer tinha medo dela. Ela nem mesmo era uma mulher adulta. Apenas uma garota lutando para emergir no mundo com tudo contra ela.

– Eles *não têm* medo de nós! – cuspiu ela para Maren, voltando sua frustração contra ela. – Eles nos mantêm submissas. Fazem com que tenhamos medo *deles*.

– E, mesmo assim, colocariam todas nós, mulheres, na fogueira, se pudessem – retorquiu Maren com uma voz fria, os olhos verde-mar iluminados por luzes ocultas. – Não nos serve de nada deixarmos que eles nos dominem – continuou Maren. – Mas estes homens não são invencíveis. Eles acreditam no Diabo. Acreditam que ele pode destruí-los e que as bruxas são agentes dele.

– Mas como isso pode ajudar minha mãe? – lamentou Ingeborg. – Ela está trancada na fortaleza do governador do outro lado do mar de Murman...

– Existem maneiras de ajudá-la – sussurrou Maren, enquanto olhava ao redor. Mas não havia nenhuma outra alma no fiorde de Varanger. Os últimos resquícios de luz afundaram no crepúsculo precoce. A lua brilhava acima delas, lajes refletidas de gelo flutuante lançando luz prateada sobre as bochechas escuras de Maren. – Quem você acha que são as bruxas, Ingeborg?

– Eu não sei – Ela vacilou, – mas não a minha mãe...

– As bruxas são as párias – afirmou Maren. – Aquelas que são diferentes. Cuspidas. Violentadas e abusadas. Juntas nos erguemos, damos força umas às outras.

– O que está dizendo? – disse Ingeborg, em um leve sussurro.

– O governador, o mercador Brasche e o beleguim Lockhert... ora, o próprio rei Frederico, nos mancham com o mesmo pincel sombrio da bruxaria. Estão determinados a destruir todas as bruxas do Norte. Mas por quê? Por que se preocuparem com as esposas e viúvas de pobres pescadores? Porque, como eu disse, eles têm medo do poder que possuímos em harmonia com a natureza, com os animais e com as fases da Lua. Eles têm medo das mulheres unidas. Não conseguem compreender toda a nossa sabedoria.

– Não tenho poder, Maren. Ninguém vai me escutar!

– *Faça*-os escutarem você, Ingeborg – declarou Maren. – Torne-se a dona do desconhecido, pois esta é a única maneira de proteger a si mesma e à Kirsten.

– Mas como?

Maren mordeu o lábio, lançando-lhe um olhar pensativo.

– Eu tenho um segredo, um que você nunca deve contar à minha tia Solve – contou ela. –Você promete?

Ingeborg assentiu.

– Prometo – respondeu ela, pois a expressão no rosto de Maren lhe deu um pouco de esperança.

– Vou levá-la até alguém que pode nos ajudar.

– Quem? – Não havia outros homens influentes em sua vizinhança. Os Brasches tinham todo o poder.

– Coloque seus esquis de novo e me siga – disse Maren. – Vamos até os sámi.

Ingeborg hesitou, mas havia passado muitas horas infrutíferas orando ao Bom Deus. Era hora de pedir a ajuda do Diabo, se de fato o reverendo Jacobsen estivesse certo e os sámi fossem seus discípulos.

CAPÍTULO 17
ANNA

Na semana seguinte à chegada da bruxa à fortaleza, fui chamada para jantar com o governador Orning e a sua esposa. O calor de seus aposentos quase me derrubou, depois de meu próprio casebre gelado: enquanto o fogo ardia na lareira, seu brilho parecia penetrar cada aspecto do salão, inclusive em mim. As cores das tapeçarias de caça nas paredes pareciam ainda mais vibrantes, e os tapetes no chão de madeira dançavam com padrões.

Ao aproximar-me da mesa, pude sentir o cheiro do luxo de sua ceia. Diante de mim havia uma pilha de *flatbrød* crocante e recém-assado, com outro prato de arenques grelhados na manteiga e uma grande tigela de *rømmekolle* fumegante e coberto de canela.

Peguei uma pequena porção, embora desejasse devorar todo o banquete. O governador Orning encheu uma taça de vinho, e eu tomei um gole discreto e delicioso. Ah, beber de uma taça tão fina! O líquido me falou de verões ao sul, de cerejas escuras e amoras da floresta e de especiarias muito doces, depois de todas as minhas semanas de cerveja amarga.

– Nosso trabalho começa de fato, Fru Rhodius – anunciou o governador Orning, parecendo solene, como um homem prestes a entrar em guerra contra as bruxas.

– É verdade, governador Orning – respondi, bebendo o vinho de novo.

– A primeira bruxa, de nome Zigri Sigvaldsdatter, da vila de Ekkerøy, foi aprisionada na cova das bruxas para aguardar nosso interrogatório.

– De que *maleficium* ela é acusada? – perguntei.

O governador apoiou os cotovelos na mesa de jantar, entrelaçando os dedos e pousando o queixo sobre eles, franzindo a testa o tempo todo ante a importância de suas palavras.

– Um mercador, Brasche, informou-me que Zigri Sigvaldsdatter foi uma das bruxas responsáveis pela magia climática que destruiu seu navio no inverno passado, quando se dirigia para o Sul com uma carga completa de *klippfisk*. Não apenas toda a tripulação morreu, mas a perda em *riksdaler*[9] foi considerável.

O governador Orning baixou a voz para um sussurro conspiratório, embora as únicas pessoas presentes fossêmos eu e sua boa esposa, Fru Orning, que como sempre beliscava sua comida de maneira nervosa.

– Além disso, esta mulher Sigvaldsdatter foi vista fornicando com o Diabo.

Senti uma pontada de desespero, embora tivesse cuidado para não demonstrar. Ouvia com atenção, com as mãos humildemente cruzadas sobre o colo, meu olhar fixo nos alimentos convidativos. O governador havia capturado sua primeira presa e, no entanto, tudo em que eu conseguia pensar era no creme de canela de *rømmekolle* em minha boca cheia de água.

– Se não fosse pelo mercador Brasche e seus navios, não teríamos rotas comerciais para Bergen – comentou o governador Orning. – Nosso povoado ficaria bastante empobrecido sem os recursos dele. Mas ele me disse que a península está tão infestada de bruxas que sua família está com medo.

O governador Orning fez uma pausa e se recostou em seu assento, pegando sua taça de vinho e bebendo antes de continuar:

– Os pescadores vivem reclamando de suas dívidas de grãos, mas são eles que se endividam por não pegarem peixes suficientes para pagar o mercador Brasche. E suas esposas são seduzidas pelo Diabo – O governador Orning enxugou a boca com o guardanapo antes de colocá-lo cuidadosamente dobrado em sua travessa. – O mercador Brasche insinuou seu desejo de voltar a viver em Bergen. Mas não podemos aceitar isso, Fru Rhodius. Ele precisa da certeza de que a península de Varanger fique livre destas bruxas pescadoras de uma vez por todas.

– Quem acusa a mulher Zigri Sigvaldsdatter? – perguntei. *Reúna todas as evidências, Anna. Torne seu caso invencível.*

– Ora, o próprio mercador, pois ele viu as bruxas voando tal qual pássaros e lançando sua magia do tempo – Ele fez uma pausa, inclinando-se para a frente. – Mas foi a esposa do filho dele, Heinrich, que testemunhou Zigri Sigvaldsdatter fornicando com o Diabo nos estábulos deles.

– Ambos estão dispostos a testemunhar?

– Mas é claro. Na verdade, o mercador testemunhou antes no julgamento da bruxa Marette Andersdatter. E quanto a Fru Brasche, ela é uma mulher de bem – disse o governador. – No entanto, eu ficaria muito feliz se pudéssemos persuadir Zigri a confessar e a se arrepender de seus pecados. De acordo com nossas leis, precisamos que a bruxa confesse para determinar uma condenação.

O governador me examinou, e me vi baixando o olhar humildemente, desejando poder comer mais uma fatia de *flatbrød*.

---

[9] Moeda sueca corrente na época. (N. E.)

– É por isso que desejo que você fale com Zigri Sigvaldsdatter e use seus meios gentis e persuasivos de mulher para obter uma confissão e, além disso, denúncias sobre outras bruxas envolvidas no crime hediondo da magia climática.

O governador Orning estalou os dedos e Guri começou a retirar os pratos antes que eu tivesse a chance de pegar o desejado *flatbrød*. Notei mais uma vez que Fru Orning não havia tocado em sua refeição, e só de olhar para seu rosto cheio de cicatrizes, com a pele parecendo esticada sobre os ossos, percebi que ela precisava de um bom tônico.

O governador se levantou e eu me ergui também.

– Venha comigo, Fru Rhodius – chamou ele.

Segui o alto governador para fora do calor de seu salão, com seus dois cães de caça em seu encalço, e eu trotando atrás deles. Passamos por um corredor e depois entramos em uma vasta câmara de teto alto. O ar lá dentro era tão frio que vapor saía de nossa boca, e apertei mais o xale ao redor dos ombros, desejando estar usando a capa de pele que você me dera.

Havia uma enorme tapeçaria ao longo de uma parede iluminada pelo luar que entrava por uma fileira de janelas altas, e pude perceber que era mais uma cena de caça; desta vez, um grupo de caçadores cercava um lobo solitário, seu corpo contorcendo-se enquanto o perfuravam com lanças. Sob as janelas havia uma grande cadeira, como um trono, com chifres de alce pendurados acima dela, e ao lado havia um baú enorme.

Era, sem dúvida, um salão impressionante e, no entanto, andando por toda a sua extensão, senti uma pressão no peito e uma sensação de confinamento maior do que dentro de meu casebre-prisão.

O governador abarcou com um gesto da mão o grande salão.

– Esta, minha cara senhora, é a nossa câmara de julgamento – informou ele. – Feche os olhos agora e imagine-a cheia, porque com o tempo estará.

– Para o julgamento de Zigri Sigvaldsdatter?

– Para o julgamento de *todas* as bruxas de Varanger, porque ela não é a única – declarou ele, sentando-se na grande cadeira e colocando as mãos sobre os apoios de braço esculpidos. – Já ouviu falar de Liren Sand?

– Não, Governador – menti, sem querer revelar qualquer conhecimento sobre as bruxas de Vardø.

– Ela era a líder das bruxas, e tenho o prazer de dizer que ela foi capturada e queimada na fogueira há dois anos – esclareceu o governador. Sua voz era um rosnado baixo. – Mas sua cúmplice era uma mulher sámi chamada Elli, que escapou. Procuro por ela desde então.

Ele se levantou da cadeira e ficou diante de mim, com os braços atrás das costas.

– Ouvi dizer que algumas das mulheres de Ekkerøy a conhecem.

Refleti sobre o que ele havia me dito, enquanto o governador se ajoelhava diante do grande baú e o abria, tirando uma chave de ferro. Sua cruzada contra as bruxas começara muito antes de minha chegada.

Levantando-se novamente, o governador deu meia-volta e andou em minha direção.

– Veja como confio em você, Fru Rhodius, mais ainda do que o nosso abençoado rei – disse ele, acenando com a chave diante de mim. – Mas preciso de você e você precisa de mim – Ele me deu um meio sorriso, embora seus olhos tivessem um olhar impiedoso. – Juntos poderemos fazer grandes coisas pelo nosso reino, não poderemos?

– Sim, governador Orning – sussurrei. Mas eu não confiava nele, embora ele estivesse balançando a chance de liberdade outra vez bem à minha frente.

Ele deu um passo à frente e pude sentir sua respiração em meu rosto. Por um momento, perguntei-me qual seria sua intenção, porque ele colocou uma das mãos na minha cintura e seus olhos investigaram os meus. Seus olhos eram duros e brutais, haviam lutado em muitas batalhas e eram imunes ao sofrimento.

Não vacilei, pois sabia que ele não poderia detectar um pingo de fraqueza dentro de mim.

Com a chave na mão livre, ele a balançou diante dos meus olhos.

– Esta, senhora, é uma das chaves da cova das bruxas – explicou ele. – Dou-lhe a autoridade para entrar e sair da cova das bruxas o quanto quiser.

Ele moveu a mão da minha cintura subindo pela lateral do meu corpo até chegar ao meu peito. Puxou meu lenço para revelar o creme dos meus seios, que arfava em meu corpete em constrangimento. Os cantos dos lábios finos do governador Orning se curvaram em um sorriso desagradável quando ele enfiou a chave fria entre meus seios antes de dar-lhes um tapinha.

– Acredito que estará segura aqui, não é, Fru Rhodius? Você é uma mulher casta.

Senti-me corar com força, para a minha própria irritação.

– Eu não lhe entrego esta chave levianamente. É sua tarefa falar com Zigri Sigvaldsdatter e fazê-la confessar o crime dela. Descubra se sámi Elli está por trás da bruxaria. Faça com que ela denuncie todas as outras mulheres que são bruxas na península de Varanger.

– Sim, governador – respondi, obediente, pois o que mais eu poderia dizer?

– Se não conseguir persuadir Zigri Sigvaldsdatter a se confessar livremente, deve informá-la das consequências – O governador bateu o pé no chão de madeira tão de repente que me sobressaltei. – Sabe o que há em meu porão, debaixo desta vasta câmara, Fru Rhodius? – Ele bateu o pé mais uma vez, com um esgar cruel em seu rosto. – É o domínio do beleguim Lockhert – revelou ele. – Com todos os seus instrumentos de persuasão, incluindo seus amados anjinhos e o cavalete.

– Acredito que seja contra a lei dinamarquesa torturar uma suspeita de bruxaria para fazê-la se confessar, excelência. – Só Deus sabe o que me levou a falar, gaguejando enquanto o fazia.

– Estes são tempos extraordinários, Fru Rhodius, e exigem medidas extraordinárias. Estamos sob o reino do terror e devemos fazer o que for necessário para proteger nosso rei e nosso país.

Eu não queria pensar na câmara de tortura de Lockhert e rezei para que Zigri Sigvaldsdatter fosse maleável, mas então um pensamento me ocorreu.

– A bruxa é uma mulher casada, com filhos?

O governador Orning se sentou em sua grande cadeira de juiz, com as pernas afastadas. A cicatriz na lateral de seu rosto estava tão branca e pálida quanto os chifres de alce acima dele.

– Ela é viúva, Fru Rhodius… parece ser uma viúva jovem e alegre, com duas filhas.

– Posso sugerir que o beleguim vá à aldeia dela para interrogar as filhas, excelência?

O governador cruzou as mãos sobre o colo.

– Como é inteligente, Fru Rhodius – comentou ele. – Mas irei eu mesmo, com minha boa esposa. Ela é gentil e pode falar com elas. Na verdade, as palavras das filhas podem ser exatamente o que precisamos.

Meu coração ficou apertado, pois era minha intenção afastar Lockhert, para que a mulher não fosse atormentada por ele. Eu não queria fazer parte de qualquer tortura.

No entanto, se eu dissesse à bruxa acusada que o governador estava indo até sua aldeia natal questionar sua prole, talvez ela pudesse oferecer a verdade com mais prontidão. Não havia muito que o governador Orning pudesse fazer contra crianças, pois nem mesmo ele quebraria tais leis. Mas eu poderia trazer Zigri Sigvaldsdatter de volta ao nosso Bom Deus e conduzi-la humildemente ao seu fim.

Eu poderia salvar sua alma.

Pois jamais quebrei qualquer uma de suas leis em toda a minha vida, apesar de ser sua prisioneira.

Lembre-se, meu rei, eu não quebrei *nenhuma* lei.

CAPÍTULO 18

INGEBORG

Elas avançaram por Andersbyvatnet, indo por um caminho que Ingeborg nunca havia percorrido antes, atravessando pântanos cobertos de neve. Os esquis de madeira de Ingeborg cortavam a neve intocada, e o céu cinzento aos poucos se tornava índigo, transformando a neve em azul, a pele delas em azul. Tudo ao redor delas se tornou um profundo e audaz azul.

Maren continuou esquiando e as conduziu mais para o interior. O céu se encheu de estrelas enquanto a neve brilhava, reluzente sob a lua cheia. Em certo momento, ela diminuiu a velocidade para que Ingeborg pudesse juntar-se a ela, ficando ao seu lado.

Ingeborg estava ofegante, molhada de suor sob as peles apesar do frio intenso. Maren, no entanto, parecia mal ter se esforçado. Em vez disso, ela olhava para longe. Sem olhar para Ingeborg, declarou:

– A lua ilumina um caminho para nós.

– Até onde vamos? – perguntou Ingeborg, um pouco nervosa. – E se uma nevasca vier do Leste?

Elas estavam longe demais de Andersby para encontrar abrigo.

Maren farejou o ar.

– Não haverá tempestade! – disse ela, com confiança.

O céu parecia vasto adiante, e a tundra se abria em pequenas colinas nevadas. Elas cambalearam com seus esquis na neve espessa, agora caminhando continuamente colina acima. Quando por fim chegaram ao topo de uma pequena crista de terra, as duas garotas estavam bufando nuvens de vapor no ar gelado.

– Aqui estamos! – Maren apontou.

Um aglomerado de bétulas enrugadas se retorcia para fora da neve, mas ficava além das árvores o lugar para o qual Maren apontou. Nas margens de um lago interior havia um anel de quatro sámi *lávvu* – círculos esticados de peles de rena com varas saindo de seus buracos de fumaça.

O pai costumava visitar os sámi para negociar carne e peles de rena, mas aquela era a primeira vez em que Ingeborg via um assentamento sámi. Ela sentia uma pequena vibração no peito, porém não estava com medo. Não como estivera quando Lockhert levara a sua mãe.

Um galho se partiu atrás delas, e Ingeborg se virou para ver um menino sámi parado, com as costas nas bétulas encarquilhadas, olhando para ela sem piscar. Ele devia ser pouco mais velho do que ela e usava um impressionante chapéu azul com quatro pontas, trançado com detalhes em vermelho, amarelo e branco. O pai sempre chamara os chapéus que os homens sámi usavam de chapéus de "quatro ventos", devido à forma de estrela que tinham. Como o chapéu parecia colorido para Ingeborg, comparado ao chapéu preto de copa alta que Heinrich Brasche usava!

– Zare! – exclamou Maren.

O rosto do menino se abriu em um sorriso, embora seus olhos ainda estivessem examinando Ingeborg. Ela sentiu um rubor espalhar-se em suas bochechas, apesar do frio intenso.

Maren começou a falar em sámi, para grande surpresa de Ingeborg.

– Você fala sámi? – Maren se virou para Ingeborg, que balançou a cabeça. – Vamos falar em norueguês então – disse ela a Zare. – Esta é minha amiga, Ingeborg Iversdatter – acrescentou.

*

Os sámi com quem o pai havia negociado eram figuras sombrias de sua infância. O pai trazia peixe e, às vezes, grãos, e em troca recebia carne de rena, peles e botas feitas de pele de rena. Os sámi eram diferentes deles, e Ingeborg nunca pensara muito neste povo, mas agora observava o pequeno círculo de *lávvu* e as famílias que se moviam entre eles; o cheiro de comida cozinhando e o zumbido de vozes. Parecia pacífico e tão diferente da tensão em sua aldeia, esquecidos como eram pela casa do mercador.

– Venham comigo ver as renas – disse Zare a elas.

Elas viraram seus esquis na direção pela qual Zare seguiu e passaram pelo *siida.* Apenas uma das mulheres sámi olhou para elas. Estava claro que Maren não era uma estranha para eles.

As renas estavam no planalto e nos esparsos bosques de bétulas nas pastagens de inverno. Elas tiraram os esquis e os apoiaram em uma árvore, enquanto Zare entregava punhados de musgo às duas. Já havia um menino sámi com as renas, cuidando delas e vigiando os predadores.

Maren acenou para ele antes de aproximar-se das renas. Estas se reuniram ao redor dela, com os chifres esbarrando-se, e enfiaram seu focinho em suas mãos.

– Uma de cada vez, meus amores – disse Maren, enquanto as acariciava na cabeça.

Ingeborg ofereceu uma palma cheia de musgo, e uma das renas de Maren trotou até ela. Seus lábios peludos fizeram cócegas em sua palma.

Zare se juntou a ela, colocando a mão na cabeça da rena.

– Elas são tão gentis – comentou Ingeborg.

– Não sei por que Deus as abençoou com chifres, pois, na minha opinião, as renas não possuem um pingo de espírito de luta – declarou Maren.

– O touro tem bastante espírito de luta nele, Maren – falou Zare, antes de lançar-lhe um olhar penetrante. – Não a vemos há muitos dias. O que traz você aqui?

Maren parou de alimentar os animais. Olhou primeiro para Ingeborg, com uma expressão nos olhos como se dissesse *confie em mim* antes de virar-se para Zare.

– Precisamos pedir a ajuda de sua mãe – explicou. – A mãe de Ingeborg foi presa por bruxaria e levada para Vardøhus para julgamento. Você sabe bem o que isso significa.

Zare ficou muito quieto por um momento, como se prendesse a respiração.

– Sim – ele admitiu, em voz baixa –, eu sei.

– Vai nos levar até sua mãe? – perguntou Maren. – Ela pode nos ajudar.

Os olhos de Zare se voltaram para Ingeborg.

– Sinto muito por sua mãe – declarou ele. – mas tenho de proteger a minha.

– Elli me deve – exigiu Maren. – Ela escapou, e minha mãe não.

Zare ficou tenso.

– Com certeza é escolha dela se ela decidirá ajudar ou não – continuou Maren.

Zare alimentou uma rena com o resto de seu musgo.

– Muito bem – assentiu ele, com um tom relutante. – Vou levá-las até ela.

*

Eles esquiaram pelas pastagens invernais e voltaram para o *siida*, tirando seus esquis e seguindo Zare, enquanto ele se dirigia para a *lávvu central no* círculo.

Puxando para trás a aba de entrada de pele de rena, ele indicou que elas entrassem.

A fumaça de uma fogueira central subia em direção à abertura. A luz da neve lá fora se refletia dentro do *lávvu*.

Ingeborg se agachou perto de Maren, ao lado de uma pilha de turfa e de um cachorro preto e branco desgrenhado que cheirou os pés delas. Ingeborg sentiu o cheiro de folhas de azedinha e imaginou seu sabor levemente azedo, preparado com leite e açúcar, em sua língua.

Uma mulher muito pequena estava mexendo uma panela no fogo. Ela era ainda mais baixa que Ingeborg. A mulher sámi olhou para cima e acenou com a cabeça para Zare. O pequeno movimento era convite suficiente, e Maren se arrastou para a frente para sentar-se sobre algumas peles de rena. Ingeborg a seguiu. As peles eram macias e elásticas devido à sua cobertura de bétula ao lado do fogo para os hóspedes.

Zare foi para o outro lado do fogo e se sentou. A mulher serviu três xícaras de leite de rena aquecido e com ervas, e o jovem passou uma para Maren e outra para Ingeborg antes de pegar uma para si.

Ficaram sentados em silêncio, segurando suas xícaras de bétula antes de tomar os primeiros goles deliciosos.

Por fim, a mulher falou em norueguês:

– Como posso ajudá-la, Maren Olufsdatter?

Esta deve ser Elli. À primeira vista, Ingeborg pensou que ela fosse velha, porém agora podia ver que ela não era muito mais velha que a mãe, sua pele marcada devido à vida passada ao ar livre, mas seus olhos do mesmo azul penetrante dos do filho. E enquanto Elli pegava seu copo de leite de rena e bebia, Ingeborg percebeu que alguns de seus dedos foram amputados e quebrados.

– Você mandará alguns feitiços contra o governador Orning e seus homens? – perguntou Maren a Elli.

– Por que deseja que eu faça uma coisa dessas? – perguntou Elli.

– Porque eles colocaram minha mãe na cova das bruxas – falou Ingeborg, incapaz de conter-se por mais tempo.

Elli soltou um suspiro. Foi longo e triste, e fez com que a esperança de Ingeborg despencasse como uma pedra.

– Feitiços não farão nenhum bem para sua mãe – disse a mulher, gentilmente.

– Mas não pode lançar um *gand*? – perguntou Maren. – Afinal, você os vende para os mercadores, para que eles possam usá-los contra inimigos no Sul.

Ingeborg estremeceu. Axell uma vez dissera a ela que os feiticeiros sámi eram capazes de enviar esses *gands*, feitiços mágicos, a grandes distâncias: "Eles atiram suas maldições como flechas, com pontas tão mortais quanto a coisa real", disse ele, imitando o feitiço lançado com o próprio arco e flecha imaginários.

Elli soltou uma risada curta.

– Ah, Maren! – disse ela. – Não são maldições reais. Nós os vendemos aos mercadores imbecis pelo dinheiro.

Maren parecia cabisbaixa.

– Sinto muito, meninas – lamentou Elli. – Não posso enviar nenhum feitiço para ajudar sua mãe.

– Mas minha mãe disse que vocês duas lançavam feitiços…

– Sua mãe era uma amiga querida – respondeu Elli, com a voz carregada de tristeza. – É graças a ela que estou sentada diante de você agora. Mas não praticamos bruxaria juntas.

O fogo crepitou e uma faísca disparou sobre as peles de rena. Zare a abafou.

Maren franzia a testa para Elli, descontente com a revelação. Ingeborg seguiu seu olhar.

A mulher sámi observava as chamas, imersa em pensamentos. Sombras e luz bruxuleavam em seu rosto.

– Existe uma maneira de você salvar sua mãe – Elli se virou para Ingeborg. – Mas é perigoso.

Os olhos de Maren faiscaram.

– Diga-nos como, Elli, nós imploramos.

– Há um túnel – revelou ela. – Sua mãe e eu encontramos um grande buraco na cova das bruxas que os guardas não notaram, então cavamos e cavamos com nossas próprias mãos, enquanto Zare e o pai dele cavaram fora dos muros da fortaleza. Demorou semanas, mas finalmente as duas metades se encontraram e tínhamos feito um túnel. Foi assim que escapamos.

– Minha mãe escapou? – questionou Maren agora, em voz baixa.

– Sim, sim, ela escapou. Lamento nunca ter contado isso a você – disse Elli, encarando o fogo. – Saímos do túnel, mas os soldados nos viram fugir em direção ao barco que o pai de Zare havia escondido na baía.

A expressão de Maren era feroz enquanto ela ouvia Elli com atenção.

– Ela escorregou nas pedras. Eles a pegaram.

– Ah, não! – Maren agarrou seu copo de leite de rena com as mãos trêmulas quando o conteúdo caiu em seu colo.

– Ela ia buscá-la na casa do seu tio e depois vir morar conosco – disse Elli, baixinho. – O lugar dela era com os sámi.

Nenhum deles falou. Ingeborg estava pensando na mãe de Maren. A fuga desesperada pelas rochas escorregadias e a queda, sabendo que estava sozinha, enquanto os amigos sámi partiam.

– Por que não me contou isso antes? – perguntou Maren a Elli, com a voz magoada.

– Achei que saber tornaria tudo ainda mais difícil para você – respondeu Elli, encarando Maren com compaixão.

Maren largou a xícara, limpando as manchas de leite de rena derramado em seu colo.

– Ainda bem que me contou agora – disse ela, com a voz forte de novo. – Se minha mãe conseguiu escapar, a sua também pode, Ingeborg.

– Se encontrarmos o túnel – observou Ingeborg, sem ousar acreditar que havia uma chance de poder ajudar a mãe. – Vai nos dizer como chegar lá? Onde está?

– Zare vai mostrar a vocês – disse Elli.

– Não! – Zare protestou, virando-se para a mãe. – E se eles vierem atrás de você de novo? Preciso protegê-la.

– Estou em dívida com a mãe de Maren, Zare, e devemos ajudar a amiga de Maren – declarou Elli ao filho.

Zare parecia furioso.

– O povo de Ekkerøy jamais pagaria a mesma dívida para conosco, mãe! – ele declarou. – Os homens do governador virão aqui e levarão você embora.

– Prometo a você, meu filho, que nunca mais serei presa – declarou Elli, com a voz feroz de repente. – Pense na situação desta pobre garota.

Elli levantou a mão e abriu a palma para Ingeborg. Zare encarou Ingeborg, e ela não conseguiu desviar o olhar. Os olhos dele eram do azul mais estranho e selvagem que ela já havia encontrado. Tão gélidos quanto o fiorde congelado e igualmente profundos.

– Entendemos que quer proteger sua mãe, Zare – falou Maren. – Mas lembra de como nos sentimos quando nossas mães foram presas? Agora Elli está segura, embora eu tenha perdido minha mãe. Mas ainda podemos salvar a mãe de Ingeborg.

– Eu imploro – sussurrou Ingeborg. Ela podia ver o pior da fúria de Zare abrandando-se, e o gelo nos olhos dele, derretendo. Sentiu-se corar com a franqueza do olhar do rapaz, mas não desviou o seu próprio.

O fogo crepitava enquanto o vento soprava nas bordas do *lávvu*. Ingeborg estremeceu, embora estivesse quente no pequeno círculo que formavam. Mas ela sabia o quanto estava frio e escuro lá fora, e sua mãe estava tão distante, aprisionada no lugar mais escuro e frio de todos.

– Eu imploro – repetiu ela, agarrando-se à pequena esperança que esse menino sámi poderia lhe dar.

– Muito bem – concordou ele, balançando a cabeça e não parecendo nada condescendente. – Partiremos em algumas horas.

O peito de Ingeborg estremeceu de pânico.

– Mas preciso voltar e dizer à minha irmã que estamos indo…

– Não há tempo para isso, Ingeborg! – declarou Maren. – Temos de chegar a Vardø o mais rápido possível. Kirsten está segura com tia Solve e os meninos.

Ingeborg se sentiu miserável.

– Ela vai pensar que fugi sem ela.

– Mas ela saberá, no fim, que você foi salvar sua mãe – Maren a tranquilizou. – Kirsten vai ficar tão feliz quando você voltar com ela!

Ingeborg sentiu uma pontada de dúvida. Afastou-a. É claro, Kirsten amava a mãe tanto quanto ela. Quando Ingeborg a trouxesse de volta para casa, a mãe seria como era há muito tempo, exatamente como havia sonhado.

– Vocês precisam descansar por enquanto – declarou Elli, oferecendo-lhes uma pele de rena. – Fechem os olhos e reúnam suas forças, pois vão precisar delas.

*

Encolhida no canto do *lávvu sámi* ao lado de Maren, Ingeborg pensou que nunca se sentiria à vontade o suficiente para dormir. Mas, embora estivessem em uma casa móvel, uma mera tenda feita de peles de rena e varas, parecia mais resistente do que sua cabana com telhado de turfa em Ekkerøy. O interior quente e amadeirado e o gemido baixo do vento lá fora a embalaram em sonhos intermitentes.

Ela viu a mãe vestida com o suntuoso vestido de seda verde de Fru Brasche, o cabelo ruivo solto e a fita azul trançada nele. No sonho de Ingeborg, ela estava enganada: a mãe não havia sido aprisionada na fortaleza da ilha de Vardø; na verdade, não, ela havia sido resgatada por Heinrich Brasche e estava vivendo uma vida de liberdade na cidade de Bergen.

– Mãe, por que abandonou a Kirsten e a mim? Por que se esqueceu de nós? – implorou ela à mãe. Mas era ela, Ingeborg, quem era o fantasma, e a mãe olhava através dela.

Lá estava ela, Zigri Sigvaldsdatter, com seu Heinrich, sentada à cabeceira de um grande banquete, com torres de cones de açúcar e travessas de frutas maduras como Ingeborg só vira nas tapeçarias do salão de Heinrich Brasche em Ekkerøy. O casal tinha bochechas coradas e estava belo, empanturrando-se da fruta doce. O suco pingava de seus queixos. Comiam cada vez mais, com apetite insaciável. Festejaram com convidados de outro reino, criaturas do submundo sombrio: raposas em jaquetas vermelhas; cabras vestindo gibões; trasgos bobos, grisalhos como ursos; lobos com chapéus altos; e centauros, meio homem e meio cavalo, com seus peitos nus cheios de pelos cacheados.

Um gato preto de libré tocou um tambor para anunciar o convidado mais importante de todos. Ingeborg quis desviar o olhar. Não queria ver quem era, mas parecia que duas mãos estavam nas laterais de sua cabeça, segurando-a no lugar, e ela não conseguia fechar os olhos.

Ele fez uma entrada triunfal, como só o Príncipe das Trevas seria capaz de fazer, entrando no grande salão da casa de Heinrich Brasche, em Bergen, com uma grande capa preta.

O gato continuou batendo no tambor. *ESTOU. AQUI. POR. VOCÊS.*

O Diabo olhou para ela. Seus olhos eram iguais a apenas um outro par que ela já tinha visto antes.

Ela estremeceu em estado de choque.

– Maren! – gritou.

– Estou aqui!

Ingeborg estava sendo sacudida, saindo do sonho diabólico.

– Acorde, Ingeborg. – Era a voz de Maren.

Ingeborg abriu os olhos para ver as írises brilhantes da cor do mar de Maren – verde alga, dourado do sol, prata como escamas de peixe –, cores sobrehumanas, exatamente como os próprios olhos do Diabo em seu sonho. Ela estremeceu de pavor. Este era um erro terrível. E se estivesse colocando a mãe em perigo ainda maior ao associar-se à filha de uma bruxa e aos sámi?

Mas a quem mais poderia recorrer?

O tambor ainda batia. Não mais em seu sonho, nem em sua cabeça. Ela percebeu que o som vinha do assentamento sámi lá fora.

– Por que eles estão tocando um tambor? – sussurrou ela, com uma voz rouca para Maren.

– É o *noaidi*, o xamã sámi – Maren respondeu, parecendo animada. – Venha, vamos ver.

Ela puxou a mão flácida de Ingeborg.

A batida implacável do tambor ecoava pelo *vidda*. Elas estavam no centro de sua batida, e havia outro som também. Vozes chamando, estranhas e etéreas.

– O *noaidi* está entoando o *rune* e o *yoik* com seu tambor mágico – Os olhos de Maren reluziam de curiosidade. – Vamos chegar mais perto para ouvir melhor.

– Não – protestou Ingeborg, alarmada. – Isto é feitiçaria! O Diabo faz estes sons.

– E daí, e se ele fizer? – desafiou Maren, enquanto saía do *lávvu* para a noite escura. – Eu não tenho medo do Senhor das Trevas – Ela ergueu a aba com uma das mãos e acenou para Ingeborg segui-la.

Ingeborg obedeceu, tomada agora por um impulso dentro de si que não conseguia conter.

Lá fora, o ar estava cheio de sons estranhos. Eram mesmo humanos? Ela hesitou.

– Deveríamos voltar para dentro, Maren – Ela puxou a manga da outra garota, lamentando ter deixado a curiosidade dominá-la.

Maren se afastou de seu toque e foi em direção ao som do tambor. A falta de medo desta garota era tola, não corajosa. Será que Maren não sabia que estava intrometendo-se em um mundo que poderia engoli-las? E nunca permitir que voltassem para o seu próprio povo?

À medida que o som do tambor ficava mais alto e o ulular continuava, Ingeborg sentiu que vinham de um *lávvu* no centro do *siida*. Agora uma voz emergiu como se fosse a canção de um lobo.

Elas estavam tão perto da tenda, que Ingeborg pôde imaginar os sámi reunidos lá dentro. O tamborilar havia tomado conta de seu coração. Ele batia no tempo do tambor. O reverendo Jacobsen havia dito a elas que a execução da *runebomme* dos sámi despertava demônios. Estava ela, agora, respondendo ao chamado do Maligno?

Maren avançou pela neve para colocar as mãos sobre a pele de rena esticada da tenda. Ela ousaria entrar? Com certeza ofenderia muito os sámi se elas interrompessem seus rituais. Mas Maren não entrou no *lávvu*, em vez disso, ajoelhou-se no frio seco da neve.

Quando Ingeborg se juntou a ela, percebeu que estava espiando por uma fenda nas dobras da pele de rena contra uma das varas de apoio. Maren se afastou para Ingeborg espiar. Ela pressionou o rosto na pele retesada de rena e espiou dentro da tenda.

Dentro do *lávvu*, o *noaidi* tocava seu *runebomme*. Ele não estava vestido de preto como o Diabo, mas era uma figura cheia de cor, com sua jaqueta bordada em vermelho e azul. Tinha uma barba pontiaguda, e a pele de seu rosto parecia tão dura quanto carne seca de rena. Ele batia no tambor com um pequeno martelo enquanto anéis de cobre balançavam nele. Havia símbolos que dançavam sobre a pele esticada do tambor – Ingeborg podia distinguir o Sol no centro, e homenzinhos com renas. O *noaidi* estava tocando seu tambor, mas olhava além dele. A expressão em seus olhos era distante, e parecia a Ingeborg como se a alma dele tivesse partido em uma jornada, como as bruxas quando voavam com o Diabo.

Ele estava lançando *gands*? Mas Elli havia dito que os *gands* eram apenas feitiços que eles vendiam para mercadores supersticiosos de Bergen, sedentos por vingança.

Então, o que aquelas imagens no tambor significam? Ingeborg ansiava por tomá-lo nas próprias mãos e ler as histórias contidas nele, entender os símbolos.

– O tambor é um presente do Senhor das Trevas – sussurrou Maren para ela, enquanto se espremia ao seu lado para observar pela fresta da tenda. Havia outros no *lávvu* além dos *noaidi*, homens e mulheres do *siida*. Todos repetiam os sons que o *noaidi* fazia, os homens em vozes mais altas e as mulheres em vozes mais baixas. Lá estava Elli, sentada perto do xamã, perto do fogo fumegante, com os olhos fixos nos movimentos do *noaidi,* enquanto ele continuava a tocar o tambor.

Então, de súbito, ele parou. Colocando o tambor no chão, ele juntou as cinzas do fogo e as atirou sobre si mesmo. Na sequência se sentou e bebeu de um copo, ao passo que os outros continuavam a entoar a selvagem e ilimitada canção.

Para surpresa de Ingeborg, o *noaidi* se deitou e fechou os olhos, enquanto Elli se levantou e foi sentar-se ao lado dele. Sua voz era agora a dominante, enquanto ela cantava as notas incontidas e oscilantes.

– O xamã está buscando sabedoria em outro mundo – sussurrou Maren. – Elli deve trazê-lo de volta, senão ele morrerá.

Ingeborg ficou surpresa com o poder que Elli exalava ao chamar o *noaidi.* Mas ela recuou de repente, sentindo-se perversa por espiar um mundo privado do qual ela não deveria ter conhecimento.

Os olhos de Maren brilhavam ao luar, e ela parecia satisfeita, como se o que elas tivessem visto fosse algo bom. Mas estava longe disso. Ingeborg tinha certeza de que o reverendo Jacobsen declararia que suas almas estavam em perigo mortal. Mas, mais do que medo, Ingeborg sentiu sua intromissão.

A cerimônia não pertencia a gente como ela, nem a Maren. Elas não tinham direito de espionar os sámi e seu *noaidi*.

Ela puxou o braço de Maren.

– Precisamos ir.

Maren se sentou de cócoras.

– Eu me pergunto se a cerimônia é para nós, Ingeborg – refletiu ela, ignorando-a. – Eu me pergunto se o *noaidi* está observando o nosso futuro. Eu me pergunto que espírito animal o guia? Acho que é o caribu, ele é o mais poderoso de todos!

Ingeborg bufou em escárnio. Por que um *noaidi* realizaria tal ritual para ela e Maren? Mas o som do tambor ainda estava em seu corpo, como as ondas do oceano quebrando-se na praia de Ekkerøy. Ela se viu inclinando-se e espiando pela pequena fresta na tenda mais uma vez.

Elli ainda estava de guarda acima do xamã caído e cantava a música irregular como antes. Nebuloso por trás da fumaça, Ingeborg avistou os ardentes olhos azuis de Zare e sua feroz concentração.

Ela se afastou. E se ele a tivesse visto?

– Zare está lá dentro – sussurrou ela para Maren.

– Claro – concordou Maren. – O pai dele é o *noaidi*, e um dia ele também será.

– Ah – disse Ingeborg, espantada.

– Zare é muito leal ao seu povo – comentou Maren, com um brilho de algo em seus olhos. Era um desafio? – Eles sempre virão em primeiro lugar para ele, antes de encontrar uma esposa ou ter filhos.

– Não é esse o caso com a maioria dos homens? – respondeu Ingeborg acaloradamente, sentindo as bochechas corarem, para seu aborrecimento. – Dever vem antes do amor.

Maren deu de ombros.

– Os motivos e as razões conjugais dos homens não são do meu interesse.

– Mas um dia você se casará, Maren – retrucou Ingeborg. – Assim como eu.

– Não acredito que eu vá – comentou Maren, com firmeza. – Pois eles nunca poderão me dar o que eu quero.

– Você não deseja ter filhos? – perguntou Ingeborg, surpresa.

– E você deseja, Ingeborg Iversdatter? – Maren sustentou seu olhar. – Do fundo do coração, *você deseja*?

Ingeborg ficou perturbada com a pergunta de Maren. Nunca havia pensado se queria ou não ter sua própria família um dia. Não parecia ser algo que ocorresse por escolha de nenhuma das esposas de pescadores de Ekkerøy. Mas lá no *siida* sámi, a vida determinada para ela em seu vilarejo natal parecia ter sido retirada como a casca velha de uma bétula, como sussurros enrolados e prateados do que poderia ter sido.

Ela estremeceu; sua respiração era como vapor ao luar. Enquanto elas conversavam, o canto parou. O silêncio se espalhou ao redor delas. A tenda estava cheia de corpos e, no entanto, nenhum murmúrio podia ser ouvido lá dentro.

Um galho se partiu atrás delas, e Ingeborg se virou para ver Zare observando-as com as mãos nos quadris. Como ele tinha saído da tenda? No mesmo instante, suas bochechas esquentaram, e ela se levantou.

– O tambor estava tão alto que nos acordou! – declarou Maren em sua defesa, antes mesmo de ele falar com elas. – Queríamos ver.

Zare inclinou a cabeça para um lado.

– E está satisfeita, Maren Olufsdatter?

Maren deu um grande suspiro antes de dar o braço a Ingeborg.

– Não, não estamos, não é mesmo, Ingeborg? Porque gostaríamos de saber o que seu pai estava fazendo. Elli o trouxe de volta?

– O meu pai está bem – afirmou Zare.

– Aonde ele foi? O que ele viu? – pressionou Maren.

Zare balançou a cabeça, mas ele estava olhando para Ingeborg, não para Maren. Ingeborg não tinha certeza se Zare estava irritado com a presença delas ou indiferente. Mas quando ele falou, o tom de sua voz era zombeteiro:

– Voltem para o seu sono, meninas norueguesas – declarou. – Vocês precisam descansar, porque teremos que percorrer uma grande distância até Vardø em nossa corajosa, até mesmo tola, aventura.

Ingeborg se sentiu arrepiar de indignação. Ele achava que a vida da sua mãe era motivo de piada?

– Está longe de ser tola! – retrucou Maren em nome de Ingeborg. – Estamos apenas nos recusando a nos submeter à vontade do governador. Há mais de *nós* do que deles, Zare, se o seu povo resistir. Não entendo por que deixamos que eles nos derrotassem!

– Bem, eles têm mosquetes, Maren – protestou Zare, em tom ainda de zombaria.

– Mas nós temos magia – rebateu Maren, apertando o braço de Ingeborg.

Zare suspirou, como se Maren fosse uma criança com imaginação demais.

– Vão dormir – Zare as enxotou. – Se minha mãe voltar e encontrar vocês duas no frio, ela ficará muito chateada.

*

Ingeborg acordou com a sensação de lambidas quentes e úmidas em sua mão; aquela que o cão preto do mercador Brasche havia mordido. Abriu os olhos e viu um dos cachorros sámi lambendo com devoção sua mão machucada. Só agora ela notou que a pele estava inchada e vermelha de infecção e coçava. Havia pouca luz no *lávvu*, mas ela conseguia ouvir o som do crepitar do fogo e sentir o cheiro da turfa fumegante misturado com o do caldo de carne borbulhando na caldeira acima da chama.

Ela se sentou, ainda permitindo que o cachorro lambesse sua mão. O toque da língua sobre a pele irritada era reconfortante. Quando seus olhos se ajustaram ao interior sombrio, notou que Maren não estava mais dormindo ao seu lado; na verdade, o *lávvu* estava vazio, exceto por Elli, que estava agachada perto do fogo, removendo os feixes finos de peixe seco de uma laje de pedra para empilhá-los sobre outra pedra atrás de si. Em seguida, mexeu a caldeira acima do fogo. O cheiro de ensopado de carne voltou a flutuar na direção de Ingeborg, deixando-a com água na boca. Elli acrescentou mais carne de rena à panela borbulhante, antes de erguer os olhos para Ingeborg.

– Onde está Maren? – perguntou Ingeborg.

– Ela está com Zare e o pai dele. Eles estão reunindo provisões para a sua jornada – Os olhos de Elli baixaram para olhar para a mão ferida de Ingeborg. – Qual o problema com a sua mão? – perguntou.

– O cachorro do mercador Brasche a mordeu.

– É um cachorro bruto, igual ao dono – comentou Elli, deixando de lado sua panela de ensopado e aproximando-se de Ingeborg. – Saia – Ela gentilmente afastou o cachorro e então pegou a mão de Ingeborg.

Ingeborg se viu observando o polegar retorcido e os dedos mutilados de Elli. Perguntou-se como ela conseguia fazer qualquer uma de suas tarefas com tais desfigurações.

– Vou esquentar leite com folhas de azedinha – disse ela. – Não é um corte profundo, e a azedinha vai ajudar a cicatrizar. Você é pequena, mas forte, não é, Ingeborg Iversdatter?

Ingeborg assentiu, um pouco impressionada com a mulher sámi, incapaz de tirar os olhos de suas mãos nodosas.

– O que quer me perguntar, garota? – exigiu Elli.

– Suas mãos – sussurrou Ingeborg. – O que aconteceu com as suas mãos?

Ingeborg logo se arrependeu de sua pergunta, pois não houve resposta. Quando ergueu o olhar, a expressão de Elli estava nublada e seus lábios haviam se estreitado em uma linha tensa.

– É melhor para você se não souber – respondeu ela. – Especialmente pelo lugar para onde está indo – Elli puxou o xale apertado ao seu redor.

– Aconteceu lá… em Vardø?

Em vez de responder à pergunta de Ingeborg, Elli aproximou as mãos retorcidas do rosto e as observou.

– Minha querida amiga, Marette Andersdatter, não recebeu um enterro adequado e pode nunca encontrar o caminho para os *sáivu.*

– Quem são os *sáivu*? – perguntou Ingeborg, em um sussurro.

– São os *huldrefolk*, nossos ancestrais no outro mundo. Eles vivem entre nós, embora não possamos vê-los, mas eles têm seus próprios rebanhos de renas. Eles nunca passam fome ou sofrem como nós. E onde eles moram, o governador nunca será capaz de alcançá-los.

Ingeborg se perguntou se aquele era o lugar onde seu pai e Axell agora residiam, embora a descrição do Céu pelo reverendo Jacobsen fosse bem acima e muito longe. Um reino que uma garota como ela só poderia ter esperança de alcançar.

– Minhas mãos machucadas são minhas lembranças da mãe de Maren, pois eu nunca esqueço. Elas doem, causam sofrimento com frequência. Quando Maren pediu minha ajuda ontem, elas latejaram até que eu concordasse – Elli fez uma pausa, lambeu os lábios e prendeu Ingeborg com um olhar feroz. – Sei que meu filho, Zare, é tão astuto quanto um lobo e pode escapar de qualquer armadilha, mas Maren… – Ela fez uma pausa. – Não deixe que ela seja pega, Ingeborg Iversdatter, porque os sentimentos do governador pela mãe dela são profundos. Ele amou Marette Andersdatter e depois a odiou. Como aquele homem odiou tanto uma mulher! Ele não permitirá que a única filha dela viva, embora ela ainda não seja uma mulher adulta.

CAPÍTULO 19

ANNA

A chave, aninhada entre meus seios, era um metal frio e duro sobre minha pele quente. Mas eu gostava de senti-la. De possuir uma chave que destrancava uma porta! Apenas uma, admito, e para um lugar no qual ninguém gostaria de residir, mas, ainda assim, a confiança que o governador havia depositado em mim ao colocar a chave em minha posse e a tarefa que ele me dera me deixaram cheia de orgulho. Eu era merecedora de ter uma das chaves da cova das bruxas.

Assim que voltei para minha casa-prisão, tirei a chave de entre os seios e a enfiei no bolso sob minhas anáguas. Andei pela câmara, sentindo sua batida agradável em minha coxa. De vez em quando eu parava, puxava-a e a admirava na palma da mão.

Quando Helwig me viu pegar a chave, ela pareceu bastante desconcertada. Isso me agradou, pois ela constantemente me lembrava de que era minha carcereira, e não minha criada.

– Quem lhe deu esta chave? – perguntou ela.

– O próprio governador.

– De onde é? – questionou ela. – Não parece grande o suficiente para os portões do castelo.

– Da cova das bruxas – Enfiei a chave de volta no bolso. – O governador me instruiu a ir e vir quando eu quiser. Devo interrogar a bruxa acusada.

A expressão de Helwig ficou ainda mais consternada.

– Esse é um assunto no qual talvez não queira se envolver, Fru Rhodius.

Aborreci-me com sua presunção e dei as costas para ela. Mas não importava, eu conseguia ver sua expressão abatida e ouvir suas palavras de advertência. Helwig tirara a alegria do meu pequeno triunfo e eu estava furiosa com ela.

– Está vendo como o chão desta casa está imundo? – repreendi. – Lembre-se de cumprir seus deveres e guardar seus pensamentos para si mesma.

Peguei minha Bíblia, molhei meu lenço com mais água de lavanda e me preparei para interrogar a bruxa acusada.

O tempo todo, Helwig balançava a cabeça para mim enquanto varria o chão com pouco entusiasmo.

*

Eu não esperava que fosse tão escuro, mas é claro que não havia janela na cova das bruxas. A menor e mais escura de todas as celas da fortaleza era, na verdade, mais uma choupana do que um buraco. Do lado de fora, eu tinha visto uma pequena abertura sob o telhado de turfa, mas pertencia ao depósito de munição que ficava acima da cova, separado por um teto de vigas apodrecidas. O soldado ao meu lado, o capitão Hans, segurava uma tocha acesa para mim, que tremeluzia nas correntes de ar que vinham de todas as direções. A luz da tocha revelava um espaço sombrio em forma de caixão, quase do mesmo tamanho da minha despensa em Bergen. Não havia itens de conforto doméstico lá dentro: nem velas, nem banquinho, nem fogo, nem mesmo um buraco para fumaça. Eu tinha entrado em uma caixa preta, uma câmara gelada e de piso áspero, cheia do fedor de peixe podre, corpos sujos e fezes.

Peguei meu lenço e o apertei contra o nariz.

– Onde está a bruxa? – sussurrei para o capitão Hans, pois embora pudesse sentir seu cheiro, não conseguia vê-la.

Ele ergueu a tocha diante de si e, no canto mais distante deste pequeno barraco, vi uma figura encolhida, o branco de um rosto erguido, desprovido de traços distintos no escuro.

– Passe-me a tocha – pedi ao capitão Hans quando meus olhos começaram a ajustar-se. – Espere lá fora.

– Eu não deveria ficar com a senhora? – questionou ele. – Ela é uma bruxa.

– Ficarei perfeitamente bem – assegurei ao jovem.

Ele manteve o olhar afastado da mulher acusada. Estava claro que temia ser enfeitiçado, porém, eu também era uma mulher e acreditava piamente que ela não conseguiria lançar seu feitiço sobre mim.

Ao aproximar-me da bruxa acusada, Zigri Sigvaldsdatter, identifiquei grandes olhos no rosto de lua, que emergiram como enormes discos de tristeza. Era difícil distinguir sua forma e tamanho, pois ela estava encolhida sob uma pilha de peles de rena. Fiquei satisfeita ao ver que essas peles haviam sido dadas a ela, embora fosse apenas um pequeno ato de bondade, pois imaginei que o governador não desejasse que ela morresse de frio na cova das bruxas antes que pudesse confessar tudo o que sabia sobre as bruxas do Norte.

– Meu nome é Fru Anna Rhodius – informei a Zigri. – O governador me enviou para cuidar de você.

– Cuidar de mim? – perguntou ela, em uma voz falha.

– Sim – confirmei com delicadeza. – Está com fome? Com sede?

As bruxas devem ser domesticadas, meu rei, pois não adianta pressioná-las à força.

– Estou – sussurrou ela, trêmula.

– Vou providenciar para que tragam comida – declarei, voltando-me para a porta mais uma vez, com minha linda chave o tempo todo em meu bolso secreto, batendo em minha coxa.

– Não me deixe aqui no escuro! – exclamou ela.

– Voltarei com alimento – assegurei-lhe. – Tenha fé.

*

Enquanto Zigri Sigvaldsdatter engolia a cerveja e devorava o *flatbrød* com uma fatia de queijo marrom, tive a oportunidade de examiná-la. Ela era de uma beleza impressionante, o que não parecia possível para alguém de origens tão comuns. Seu cabelo lustroso caía em ondas de cada lado de seu rosto sujo, e uma mecha de fita azul estava enrolada em uma de suas tranças. Fiquei aliviada ao ver que ela estava relativamente livre de hematomas, exceto onde seus pulsos haviam sido algemados.

– Diga-me, querida – falei gentilmente, enquanto me agachava ao seu lado. – Por que está aqui?

Ela engoliu o resto de sua cerveja e pude ver que isso lhe deu algum vigor.

– É um mal-entendido – respondeu ela. – Fui caluniada e falsamente acusada.

– Quem a acusa?

– Fru Brasche – declarou Zigri, com a voz carregada de ódio. – Ela é uma megera!

– Mas com base em que ela a acusa?

Zigri Sigvaldsdatter puxou para a frente a mecha de cabelo enrolada com a fita azul e começou a esfregar seu comprimento.

– É um assunto delicado – falou ela, olhando-me de soslaio. – Ela afirma que me viu no estábulo com o Diabo, mas não é o caso – Ela soltou um longo suspiro. – Eu estava no estábulo com o marido dela. É por isso que ela me ataca!

– Fornicar com um homem casado é um pecado terrível – comentei. Eu precisava dizer estas palavras para ela, embora, como sabe, eu não acredite nisso quando o amor verdadeiro ocorre entre os poucos escolhidos. Ora, nesse caso, o amor desata todas as restrições morais.

Zigri Sigvaldsdatter baixou a cabeça.

– Eu sei, Fru Rhodius – admitiu, com voz mansa. – Mas isso não faz de mim uma bruxa.

Fiz uma pausa, depois lambi os lábios, lembrando-me das instruções do governador de que eu deveria extrair uma confissão, não simpatizar com a acusada.

– Fru Brasche jura sobre a Bíblia Sagrada que viu você com o Diabo, Zigri Sigvaldsdatter, e que o marido dela estava com o pai dele naquele momento.

– Mas o que Heinrich diz? Onde ele está? – Ela parou de esfregar a fita e estendeu a mão, agarrando meu braço com suas mãos sujas. – Onde está Heinrich? Ele me prometeu que nenhum mal me aconteceria.

Com sua proximidade, o fedor de seu corpo sujo se tornou ainda mais forte; e havia outro cheiro por baixo dele, o cheiro do terror: vômito e urina. Apertei o lenço no rosto mais uma vez e inalei fundo seu perfume de lavanda.

– Onde está Heinrich? – repetiu ela.

Baixei o lenço para falar.

– Ele não está em Vardøhus, Zigri Sigvaldsdatter. Isso é tudo o que posso dizer.

Ela apertou a barriga sob as pilhas de peles, e seus olhos se arregalaram em descrença.

– Mas ele me prometeu – disse ela, em um sussurro rouco.

– Vou perguntar por você – ofereci, levantando-me da minha posição agachada. Minhas pernas doíam e sentia-me oprimida pelo cheiro do lugar. Enxuguei o rosto com meu lenço perfumado novamente.

– Enquanto isso, Zigri, precisa refletir. Era de fato Heinrich Brasche no estábulo? Pois o pai dele, o mercador Brasche, afirma que ele estava em outro lugar. O Diabo poderia ter enganado você?

– Não, não – Ela balançou a cabeça. – Não. Era Heinrich, e ele me ama!

Ah, meu rei, não era ela de fato uma mulher muito simples? Pois você sabe muito bem que o amor de um homem não basta para proteger uma mulher caída. A paixão murcha diante do dever, por maior que seja. Heinrich Brasche não viria ao auxílio dela, pois a miserável libertina fora seduzida pelo sonho de uma vida grandiosa à qual ela não pertencia.

Pesava em minha mente a necessidade de questioná-la sobre as alegações feitas pelo mercador Brasche sobre a magia climática que ela e outras bruxas haviam realizado para destruir o navio dele, mas eu não conseguia mais encarar a criatura quebrada.

Segurando a chave, ergui a tocha diante de mim e cambaleei de volta para a entrada da cova das bruxas.

– Por favor – implorou ela. – Por favor, descubra onde Heinrich está. Ele falará em meu favor.

Seus apelos ainda ecoavam em minha mente enquanto eu caminhava apressadamente de volta ao meu casebre. A dor que envolvia aqueles apelos ecoava pelo meu corpo, o desejo profundo que ela tinha por seu amante.

Meu rei, senti o abandono dela tão intensamente quanto o meu.

CAPÍTULO 20
INGEBORG

Eles esquiaram pela floresta esparsa. Zare liderava, enquanto as duas garotas o seguiam. O silêncio de sua solidão era incontestável, exceto pelo ranger dos galhos finos carregados de neve e o farfalhar de seus esquis.

Eles emergiram em outro lago congelado. As espessas nuvens escuras da noite haviam desaparecido e, embora a lua ainda ardesse prateada acima, o céu estava clareando em um profundo azul opalino. Ingeborg avistou um carcaju correndo pelo lago. O animal não os viu, pois eles próprios se moviam como parte da natureza.

O que estavam fazendo era pura loucura: duas meninas e um garoto sámi em uma missão para salvar uma bruxa aprisionada na fortaleza de Vardø. Mas Ingeborg perdera toda a razão. Ela precisava chegar a Vardø antes que fosse tarde demais.

Esquiaram por dois dias, no escuro na maior parte do tempo; breves pausas sombrias para então voltarem à escuridão do inverno. Ingeborg estava exausta pelo esforço. Maren e Zare nunca se cansavam, mas permitiam que ela descansasse um pouco.

O menino sámi encontrava um lugar para fazer uma fogueira. Então ele e Ingeborg saíam em busca de madeira ou desenterravam um pouco de turfa protegida da umidade sob o musgo coberto de neve para alimentá-la. Enquanto isso, Maren desaparecia e voltava com as doces raízes com sabor de nozes da bistorta alpina, os caules de folhas tenras de angélica, entre outras plantas que colhia.

– Por que não pegamos uma lebre? – perguntou Zare a Maren.

– Não precisamos de sua carne – respondeu ela.

– Você é estranha – comentou Zare, tirando do bolso um pouco de carne seca de rena e oferecendo a Ingeborg.

Ingeborg gostava de juntar combustível para o fogo com Zare. Eles trabalhavam em silêncio na maioria das vezes, mas a presença dele era um consolo.

Enquanto se sentavam amontoados ao redor do fogo, compartilhando as mesmas peles para se manterem aquecidos e vivos no ermo congelado, os três repassavam o plano juntos. Ingeborg tinha tantas perguntas, tantos "e se". Mas ela tinha medo de expressá-los. Era impossível considerar o fracasso.

Na segunda noite, faixas de luzes iridescentes e rodopiantes surgiram. Cortinas cintilantes de violeta e verde dançavam no céu noturno. Maren se levantou ao lado do fogo, erguendo a cabeça e os braços para a luminescência, como se recebesse um presente que as cores estavam concedendo a ela.

– Abaixe a cabeça – sibilou Zare para ela. – Devemos sempre mostrar humildade às *Guovssahas*, as luzes do Norte.

O pai de Ingeborg havia contado a ela como os sámi reverenciavam as luzes do Norte, enquanto no mundo cristão a visão delas era algo a ser temido, uma profecia do próprio Inferno e de magia maligna sendo perpetrada. Elas estavam além de todas as cores cinzentas de seu mundo cotidiano.

Maren se virou para encará-los, com os olhos brilhando.

– Minha mãe está lá em cima, dançando entre as luzes. Ela me disse que eu sempre a encontraria lá.

Zare balançou a cabeça e atiçou o fogo com um pedaço de pau.

– A magia dela ainda flui pelo meu corpo, Ingeborg – declarou ela, sentando-se. – Ela vai nos proteger.

– Sua conversa sobre magia vai mandar você para a fogueira – advertiu Zare.

Um lobo uivou, acompanhado pelo resto de sua matilha. Ingeborg olhou, nervosa, para a floresta escura.

– Eles vão ficar longe do fogo – Zare a tranquilizou.

– Estes lobos não vão nos incomodar – acrescentou Maren, confiante.

Mas Ingeborg estava com medo demais para dormir, caso o fogo se apagasse. Ela se deitou como os outros, mas manteve os olhos abertos, ouvindo os uivos dos lobos e perguntando-se se eles estavam se aproximando.

– Vou vigiar o fogo – avisou Zare. – Você precisa dormir, Ingeborg.

Ela encarou seus olhos azuis como as chamas da fogueira, e eles a fizeram se sentir segura. Aos poucos, ela fechou os próprios.

*

Era a terceira manhã de sua jornada. A lua iluminava um caminho prateado sobre a neve espessa, enquanto faixas retorcidas e enevoadas de luz verde e violeta desfilavam acima deles. As luzes do Norte brilharam durante todas as horas de seu descanso ansioso, e agora ela estava no sopé do Domen, o reino do Diabo. Usando mangas de pele de foca para dar-lhes mais aderência, eles cravaram seus esquis nas encostas nevadas da colina e começaram a subir. Não era uma montanha íngreme, mas era larga e a neve, espessa. Ingeborg afundava até os joelhos.

Ela e Maren haviam enfiado as saias sob o cós e a ponta dos bastões de junco de seus corpetes. Por baixo, usavam calças velhas que tinham pertencido ao tio de Maren e que Ingeborg estava usando desde que fora morar com Solve. Ficavam enormes em Ingeborg e a atrapalhavam ainda mais, ficando folgadas, ensopadas e pesadas em suas pernas. Ela estava com inveja de Zare em seu sámi *gákti* com cinto e calças *gálssohat* de pele de rena subindo com facilidade.

Chegaram ao cume. Através da névoa rodopiante, a vasta terra branca se abria em três direções – norte, sul e oeste – até onde podiam ver. Não havia lobos seguindo-os, nem à sua frente. A leste ficava a borda da montanha. As luzes etéreas dos céus do Norte haviam desaparecido, e a escuridão, transformado-se em um breve instante cerúleo tingido de rosa dourado, como amoras silvestres acima da névoa. Ingeborg cambaleou até a beira do penhasco. Abaixo estava o mar de Murman, sibilando às margens da montanha. Se olhasse para a direita, veria a curva da montanha e a abertura escura de uma das cavernas.

– Imagine – começou Maren em voz baixa –, sob nossos pés há um labirinto de cavernas que dizem levar à única entrada para o Inferno!

Ingeborg não queria imaginar isso. Mas as palavras de Maren divertiram Zare. Ele riu dela.

– Superstições cristãs!

– O que é o Domen para você, Zare? – desafiou Maren.

– É um monte. Apenas isso.

– Você não acredita em magia? Que tipo de sámi você é, afinal?

– Magia existe, Maren, mas não do jeito que você fala.

– Você está errado! – retrucou ela, empurrando seus esquis novamente e voando como o próprio vento, atravessando o topo da montanha. Era como uma pequena figura escura no vasto vazio, deslizando sobre as encostas vazias do Domen.

– Deveríamos alcançá-la – sugeriu Ingeborg, ansiosa por Maren estar tão sozinha.

– Ela vai ficar bem – assegurou-lhe Zare. – Maren passou tempo suficiente sozinha na natureza para ser capaz de cuidar de si mesma.

Ele apontou para a borda do penhasco.

– Quer ver o nosso destino?

A névoa começara a dissipar-se do topo da montanha, e ela conseguia discernir sombras de terra no mar.

Vardø. A ilha alada. Um pedaço de rocha com uma costa irregular e uma colina sem árvores. Nenhuma árvore crescia na ilha de aparência selvagem. Ela conseguia ver o pequeno cais, com um aglomerado de chalés ao redor, a igreja e a silhueta da fortaleza branca.

Ela encarou aquela fortaleza. Lá dentro estava sua mãe.

Zare observou Vardøhus e então ergueu o olhar para o céu.

– Uma tempestade se aproxima. Devemos atravessar antes que ela chegue.

Ingeborg não sabia como ele era capaz de dizer isso, porque tudo parecia tão quieto lá na montanha. Tudo o que conseguia ouvir era o murmúrio distante da água e os gritos das gaivotas. Ela estava prestes a continuar atrás de Maren quando Zare colocou a mão em seu braço em advertência.

– Mova-se muito devagar – sussurrou ele.

Ela se arrepiou, alarmada, e sua espinha formigou. Ela o encarou nos olhos para ler nas entrelinhas. O olhar dele era reconfortante, como se dissesse: *Não se preocupe, vou protegê-la*, mas ela também pôde ver a preocupação por trás dele.

Enquanto ambos viraram muito devagar, afastando-se do penhasco, Ingeborg viu o que Zare havia visto.

Um grande lince, rondando perto deles.

CAPÍTULO 21
ANNA

Você me procurou. Lembra, meu rei? Foi você quem veio até mim primeiro.

Era o quinto dia de outubro de 1634, na noite do *Det Store Bilager* – o casamento mais grandioso que Copenhague já vira e o dia do casamento de seu irmão, o príncipe herdeiro, Cristiano, com Madalena Sibila da Saxônia. Ele e a jovem esposa estavam banhados em toda a glória e esplendor da realeza dinamarquesa. Os preparativos duraram semanas, embora, muito provavelmente, você não tivesse ideia do trabalho envolvido; no entanto, meu pai estivera ocupado cuidando de criadas de cozinha que se queimaram com água e de criados que caíram de escadas enquanto penduravam guirlandas no jardim do rei. O clima ainda estava ameno o bastante para permitir que os hóspedes vagassem pelos jardins, aproveitando o último e lânguido suspiro do outono, antes que o longo inverno chegasse.

Eu nunca tinha ouvido falar de tanta carne para uma festa só! Seu pai, o rei Cristiano, parecia determinado a que ninguém passasse fome. Os açougueiros abateram animais por dias antes do casamento, e eu ouvi falar de cerca de cem bois, mil ovelhas, dezenas de perus e galinhas sendo preparados, com morcelas gigantes, enormes presuntos defumados, faisões e rolinhas assadas.

Como médico do rei, meu pai era considerado importante o suficiente para ser convidado para o casamento. Toda a minha família iria comparecer, mas eu não queria ir. Minha mãe teve de convencer-me; eu era uma jovem tímida de dezenove anos e sabia muito bem que minha aparência seria examinada por todos os homens no salão, e meu valor, julgado pelo potencial de casamento; pois já estava na hora de eu casar.

Eu não tinha interesse em desfilar com todas as outras moças enfeitadas e expostas, visto que meu lugar preferido era a biblioteca ou o gabinete de curiosidades de meu pai, ou melhor ainda, o jardim botânico dele. Sentar-me à mesa e jantar em pratos de prata e beber em taças de vidro veneziano com os nobres não apenas de Copenhague, mas de toda a Europa, e seus reis, rainhas, príncipes e princesas, deixava-me tão ansiosa que eu tremia de nervoso.

– Por favor, pai, deixe-me ficar em casa – implorei.

– Não posso aceitar isso, Anna. O rei se interessou pessoalmente em seu casamento – declarou ele.

– Ele não tem filhas suficientes para casar? – protestei.

– Acho que ele nunca se cansa do jogo do casamento – respondeu meu pai, com voz severa.

Como você sabe, seu pai, o rei Cristiano IV – a quem meu pai atendia diariamente, com todas as várias enfermidades que o afligiam naqueles anos finais – foi pai de mais de vinte filhos legítimos, sem contar os ilegítimos. Eu havia crescido em uma casa perto do palácio de Rosenborg e, embora não tivesse permissão para brincar com as crianças reais, observara todas as princesinhas em seus passeios diários com as governantas.

Eu também observara você, um jovem príncipe, com seus cachos grossos de cabelo preto brilhante, ficando cada vez mais alto. A cada ano, seus ombros se alargavam, suas pernas ficavam mais fortes sob os calções e meias, e os pelos se avolumavam em seu queixo. Eu ficava fascinada com a visão de seu distinto bigode e seus grandes olhos castanhos, tão encantadores quanto um cão gentil. Você se portava com elegância e presença, possuindo uma calma resoluta, diferente de seu impetuoso irmão mais velho, que tinha a reputação de ser selvagem.

Eu o observava, mas acreditava não ser observada por você, mesmo depois do dia em que nos conhecemos na biblioteca, tantos anos antes, ou no gabinete de curiosidades de meu pai. Achei que você tinha me esquecido tão depressa quanto um estalar de dedos, pois quem era eu comparada a você?

Ah, mas voltemos às minhas lembranças da noite das festividades do casamento de seu irmão. Ele seria o futuro rei da Dinamarca – ou assim todos acreditávamos na época –, príncipe Cristiano, batizado em homenagem ao pai, vestido com sedas e brocados e estufado com vinho e boa comida, acariciando a barriga bem cheia com um sorriso tão largo quanto uma lua crescente. A esposa não poderia ser mais diferente, pois era uma mulher elegante e reservada e, embora trajada com um resplandecente vestido de brocado dourado, seu cabelo escuro estava trançado e decorado com pequenas pérolas, como estrelas no céu noturno. Havia um ar de austeridade sobre ela. Quanto mais barulhento seu novo marido ficava, mais ela agarrava a cruz ao redor do pescoço, apenas beliscando das travessas de prata empilhadas com iguarias.

Eu sabia que Madalena Sibila era uma jovem muito devota e, de fato, em minha biblioteca em Bergen, possuo uma edição do livro de orações – um volume requintado – que ela escreveu pouco depois que seu irmão falecera. Como esta pura garota luterana deve ter desaprovado toda a extravagância de seu casamento, com pratos intermináveis de comidas suntuosas anunciadas por trompetistas e timbales.

Enquanto estávamos sentados ao redor das mesas, repletas de toda a opulência da mais grandiosa das festas de casamento – carnes, pães, queijos, torres de marzipã e casquinhas de açúcar –, senti seu olhar sobre mim. Eu estava vestida com o melhor que podíamos pagar, mas sabia muito bem quais cores combinavam comigo e havia escolhido um vestido de seda azul-violáceo, com as pérolas de minha mãe enroladas no pescoço. Eu tinha um lindo leque feito de penas de pavão que pertencera à minha avó, atrás do qual escondi a maior parte do meu rosto; não por charme, mas porque minhas bochechas ficaram coradas ao sentir seu olhar sobre mim.

Lancei um olhar furtivo para sua amante, Margrethe Pape. Ela era uma criatura magnífica, altiva e orgulhosa, e me perguntei como seus olhos podiam desviar-se de tamanha beleza.

Que agonia a festa de casamento se tornou, pois depois das primeiras iguarias, meu estômago ficou cheio, mas as horas se passavam e os pratos eram intermináveis, cada um mais opulento que o anterior; sem interrupções, meu espartilho me apertou com firmeza, o vinho azedou em minha boca devido ao excesso de sabores em nossos pratos.

Por fim, a dança real foi anunciada no grande salão do palácio, e todos nós nos reunimos, empanturrados e com calor, tentando não arrotar devido aos excessos, enquanto assistíamos ao casal. Ah, foi de fato adorável, e a graça dos dançarinos vive para sempre em minha memória.

Depois... lembra-se? Seu pai liderou a primeira dança com a nova amante, que havia sido criada de sua segunda esposa.

Enquanto os observava, refleti sobre como as mulheres são dispensáveis no mundo dos reis, ou melhor, dos homens, todas nós apêndices: esposas e amantes, e estas nem mesmo dignas de serem mencionadas. Seu pai mal conseguia se mover, mas a amante dele era ágil. Ninguém na corte gostava dela, e eu senti a hostilidade no ar, afiada e quebradiça, pois uma coisa era uma nobre como a segunda esposa dele ser amante de um rei a princípio, porém uma serva comum elevar-se era impensável. E, no entanto, parecia que o rei estava apaixonado por ela, embora eu não pudesse ver qualquer traço de prazer no rosto dela, e me perguntei se ela desejou ou não o rei como seu amante. Claro, nenhuma mulher recusaria – deveria ser a maior das honras.

As chamas das velas tremeluziam no cristal dos candelabros como se ampliadas em um fogo que queimava acima de nós. O ar estava pesado com a fumaça de seus pavios e os aromas de todas aquelas pessoas nobres – o suor nas sedas e seu hálito cheio de especiarias de nosso banquete –, mas o pior era o ar de malevolência, pois eu conseguia senti-lo até mesmo naquele momento. Aqueles nobres da Dinamarca desfilavam ao redor do rei e do príncipe herdeiro. Todos se curvavam e bajulavam, mas seus olhos eram como os de cobras. Eles gostariam de destruir vocês, todos os nobres.

Bem, isso você aprendeu não muito tempo depois – pois veja o que aconteceu ao rei inglês Charles! Mas eu sempre estive do seu lado, sabe disso, para todo o sempre. Meu desejo é promover a monarquia.

Fui convidada para dançar por um pretendente tão insignificante que agora não lembro quem era, embora ele tivesse falado alemão comigo. Eu conhecia o idioma bem o bastante, apesar de o esforço de traduzi-lo para dinamarquês em minha cabeça me deixasse tonta, enquanto a sensação de estar em exibição, como todas as moças solteiras, mantinha-me rígida em meu corpete apertado e eu lutava para respirar. Era melhor estar na dança, em cuja formalidade pelo menos havia ordem e espaço? Ou esmagada na multidão de curiosos?

Vi meu pai conversando com um grupo de jovens nobres e seus olhares para mim. Minha garganta se apertou de pavor, pois a ideia de ser casada com um nobre e levar uma vida de ociosidade não me atraía, muito menos os perigos do parto. Eu desejava ter um propósito além do papel designado para mim como esposa e mãe. Eu desejava deixar uma marca neste mundo, meu rei, e que meu legado fosse mais do que uma descendência.

Trocamos de parceiros e, para minha surpresa, eu estava segurando sua mão e dando uma volta enquanto encarava seus olhos castanhos.

– Anna Thorsteinsdatter – você disse em voz baixa e nada mais. Apenas o meu nome, mas ouvir você mencioná-lo fez todo o meu corpo estremecer, pois você se lembrava de mim, embora já tivessem se passado quatro anos desde que você visitara o gabinete de curiosidades do meu pai.

Senti o olhar penetrante de Margrethe Pape sobre mim enquanto ela girava na fila de dançarinos ao nosso lado.

– Vossa Alteza. – Inclinei a cabeça para você, sentindo um brilho em minhas bochechas.

Não houve oportunidade de falar mais, visto que você avançou, dando as mãos à sua próxima parceira, e eu fui transferida para outro nobre.

Terminada a dança, esgueirei-me pela multidão, pois não tinha vontade de dançar com qualquer outro homem. Uma janela estava aberta para a varanda, e eu escapei para a noite fria de outubro. Era contra a etiqueta uma jovem desacompanhada vagar pelo jardim do rei, mas eu não suportaria passar nem mais um minuto sequer no brilho e no barulho da festa de casamento. Resolvi tomar um pouco de ar e voltar para o banquete antes que sentissem minha falta.

Vaguei pelas trilhas serenas ladeadas por árvores, ouvindo o som suave das fontes de água e o canto noturno de uma coruja solitária. Fiz uma pausa para olhar para a água, que refletia a luz da lua.

Parei para contemplar a fonte que, apesar de bela, não aliviou o sentimento ruim em meu coração, pois eu estava pensando em qual seria o meu destino.

Em breve, sem dúvida, estaria casada com um homem entediante que talvez nem me deixasse ler.

Meus pensamentos foram interrompidos pelo som de passos atrás de mim, e eu me virei alarmada, preocupada, pensando que fosse meu pai vindo repreender-me. Mas não era ele; na verdade, lá estava você diante de mim.

Fiquei tão sem palavras devido ao choque que quase fiquei boquiaberta.

– Poderíamos muito bem estar na corte francesa, não acha? – você comentou, com um tom familiar em sua voz, como se estivéssemos conversando a noite toda. – Pois esta noite cheira ao Barroco Católico!

– Está bastante suntuosa – concordei, com voz tímida.

– Ninguém pensaria que somos luteranos de forma alguma – você declarou. – Mas meu irmão deve mostrar ao resto da Europa que é o príncipe mais rico de todos!

Você suspirou, e ficou claro que sua desaprovação era grande.

Eu não sabia o que responder, pois seria uma tolice fazer qualquer crítica ao príncipe herdeiro.

– Aonde você está indo, Anna Thorsteinsdatter, filha do médico do rei? – você perguntou, com um tom um pouco zombeteiro. – Está fugindo da maior festa que Copenhague já deu?

– Sinto-me um pouco tonta, alteza – respondi, com a voz nervosa.

– Lamento ouvir isso – você me ofereceu seu braço. – Venha, deixe-me acompanhá-la pelos jardins.

Deslizei meu braço no seu. O prazer explodia em meu coração.

– Conte-me, seu pai acrescentou muito ao gabinete de curiosidades dele desde a última vez em que o vi?

Uma emoção enorme tomou conta de mim por pensar que você se lembrava do dia em que visitara o gabinete com meu pai e eu como guias.

– Ele coletou uma pele de cobra, vinda da África – contei, pensando de novo nos nobres da festa de casamento: cobras sob seus trajes elegantes. – Mas no ano passado, ele esteve preocupado com seu jardim botânico e apotecário.

– Ah, claro, de fato, estou muito interessado nisto – você comentou. – Aprender o valor medicinal de nossas ervas e plantas é uma ocupação maravilhosa.

– Agora temos mais de duzentas espécies diferentes em nosso jardim botânico – contei, orgulhosa.

– Você disse "nós", Anna Thorsteinsdatter. Estou certo em deduzir que você tem um conhecimento pessoal da flora no jardim de seu pai?

Eu corei.

– Ora, sim. É uma paixão minha.

Você me olhou nos olhos, e eu não conseguia ver sua expressão com clareza, pois, embora a lua brilhasse, as sombras os haviam tornado de um tom tão escuro de marrom que pareciam quase pretos.

– Eu gostaria muito de ver esse jardim – você declarou.

– Não é tão bonito quanto o jardim do rei. E há muitas frutas, verduras e ervas aqui mesmo que são benéficas.

– Há algo aqui perto que você possa tomar para melhorar sua condição esta noite?

Enchi-me de orgulho, pois você estava pedindo-me para compartilhar meu conhecimento com você.

– Claro que sim. Creio que aqui há um pouco de hortelã – Abaixei-me e arranquei um raminho.

– Você está sentindo uma fraqueza no estômago?

Fiquei satisfeita por você entender as propriedades da erva. Sorri e assenti, embora, na verdade, fosse porque meu estômago estava revirado de nervos por estar tão perto de você, e sozinha.

Entreguei-lhe uma folha de hortelã e você a pegou. Inalei o aroma refrescante e como ele me fez me sentir mais calma e tranquila! Ah, hortelã sempre me leva de volta àquela noite com você.

– Gostaria de lhe mostrar meu lugar favorito no jardim de meu pai – você me falou.

Hesitei, pois meu comportamento era muito inadequado para uma jovem, mas não podia recusá-lo, pois você era um príncipe, afinal.

Você me conduziu por um portão e entrou em um pomar de pereiras. As últimas peras douradas e pesadas estavam penduradas na noite de outono. Você colheu uma da árvore, tão alto você era, deu uma mordida e depois a entregou para mim.

Nada, em toda a minha vida, tivera o gosto desta pera, tão doce e suculenta de tentação.

– Tenho observado você a noite toda, Anna Thorsteinsdatter – você revelou.

– Mas por quê, meu príncipe? – deixei escapar. Pareceu-me estranho chamar sua atenção entre todas as maravilhosas belezas da nobreza europeia e ao lado de sua encantadora amante, Margrethe Pape.

Para minha total surpresa, você se inclinou e acariciou a lateral do meu rosto.

– Você possui uma qualidade rara na corte hoje em dia.

Que qualidade é esta?, pensei, mas não falei nada. Além de chocada com sua ação, meu estômago se revirou com a sensação de seus dedos tocando minha bochecha.

No entanto, você respondeu, como se estivesse lendo minha mente:

– Inocência – você declarou.

Eu enrubesci. O cheiro da hortelã ainda na palma de minha mão chegava até mim, e o gosto da pera era doce em minha boca. Eu o admirei por tantos anos, pois você havia sido o príncipe dos meus sonhos, mas agora lá estava você, diante de mim, esbanjando elogios. Eu também estava em conflito, porque estava sozinha com um homem que não era meu parente e isso não era apropriado. Mas era tão agradável!

– Diga-me, Anna, ainda possui sua virtude? – você me perguntou.

A pergunta pareceu brutal depois do seu toque gentil e doeu um pouco no meu coração, mas mesmo assim fiquei deslumbrada com você.

– Mas é claro que você é virtuosa, Anna Thorsteinsdatter – você respondeu por mim. – E seu pai já arranjou um casamento para você?

Neguei com a cabeça.

Sua mão passeou por minha bochecha mais uma vez, depois pelo meu pescoço e meu seio espremido no corpete.

– Como eu gostaria que você fosse minha amante.

Arregalei os olhos, espantada com suas palavras.

– Mas Margrethe Pape...! – ofeguei.

Você suspirou.

– Ela é uma mulher bonita, mas não possui a sua inteligência, Anna. Eu gostaria de ter uma amante com quem pudesse discutir as propriedades destas plantas, e uma amante com interesse em livros, como você mostrou na primeira vez em que nos encontramos. Desejo uma companheira em meus aposentos privados que seja minha igual em mente. Você gostaria dessa posição?

Eu fiquei assombrada. Você havia mencionado seus aposentos particulares e, embora reservada, eu também era ousada, e não hesitei em responder:

– Sim – sussurrei.

Você sorriu, e meu coração se contorceu. Ah, sim, seu sorriso sempre fez minhas pernas fraquejarem.

– Sua resposta me agrada muito, Anna Thorsteinsdatter – você respondeu, inclinando-se para beijar-me.

Eu estava perdida em seu beijo demorado, ah, tão perdida, e deixei que você me puxasse para baixo, para deitar-me na grama fria do pomar e, bem debaixo de uma das pereiras carregadas, consumamos nosso acordo pela primeira vez. Você foi gentil, mas ainda assim doeu, e eu deixei escapar um pequeno arquejo de dor, mas ouvir meu grito, acredito, inflamou ainda mais sua paixão. Você se enterrou fundo em minhas saias enquanto afastava seus lábios dos meus e soltava um profundo suspiro de prazer que me encheu de tamanho orgulho.

Nunca esquecerei nossa primeira vez, pois a culpa e o prazer guerreavam dentro de mim. Eu estava pecando, mas o filho do divino rei havia *me escolhido*, a filha de aparência comum de um médico. Você havia me escolhido, não pela minha estatura nem pela minha beleza, mas pela minha mente.

CAPÍTULO 22
INGEBORG

Tal beleza cruel tirou o fôlego de Ingeborg: o pelo branco como uma nuvem, tão macio que ela desejou tocá-lo, mas é claro que isso significaria morte instantânea. Mandíbulas magníficas e dentes afiados, mas não estava rosnando para eles. As patas eram enormes, embainhando garras mortais, Ingeborg sabia. A pelagem branca era salpicada de manchas marrom-escuras, e a magnífica cabeça tinha orelhas pontudas com longas pontas de pelos finos. Seus olhos foram atraídos para os do grande lince, cheios de cores ricas e quentes: ouro, âmbar, lampejos de verde-mar e manchas de marrom-escuro.

O lince circulou ao redor de onde eles estavam, devagar, quase languidamente. Ingeborg percebeu o brilho da faca de Zare na mão dele, mas de que serviria sua pequena lâmina contra um predador tão habilidoso? Eles prenderam a respiração.

De repente, como se não merecesse sua atenção, o gato selvagem deu as costas para eles. Ele se esgueirou pela neve em um silêncio furtivo e, em seguida, começou a correr, voltando pelo caminho de onde viera, rumo ao Oeste.

– Ele está indo para o interior, encontrar alguns bosques – afirmou Zare, voltando a embainhar a faca. – Estou surpreso em vê-lo na montanha, pois encontrará presas pequenas.

– Por que ele não nos matou? – disse Ingeborg, com a voz trêmula.

Zare se virou para ela.

– É muito improvável que um lince nos ataque. É mais provável um lobo ou um urso fazer isso, embora ainda estejam dormindo – explicou, mas sob suas palavras, ela podia ver que ele estava tão abalado quanto ela. – Você está tremendo de frio.

Ele a puxou para si e a abraçou. Sua ação foi tão íntima, tão chocante, que ela não sabia o que dizer. *Ele está apenas me aquecendo, para que eu não morra de frio*, disse a si mesma, mas não pôde deixar de inalar o cheiro dele. Ansiou permanecer no abraço quando ele a soltou.

– É melhor alcançarmos Maren!

Maren. A menção de seu nome por Zare gerou uma agitação inquietante dentro dela. Os olhos do lince, todas aquelas cores dentro deles. O âmbar e o ouro, fragmentos de verde-mar...

Ela se sacudiu. Que ideia tola. Maren lamentaria não ter visto o lince.

Eles atravessaram o cume branco congelado do Domen, impulsionando-se mais rápido, acelerando, descendo o outro lado da montanha. A neve espirrava em torno de Ingeborg e feria seu rosto.

Uma tempestade repentina os obscureceu em meio a uma névoa de neve forte, mas seguiram em frente.

Quando a nevasca diminuiu, estavam no sopé da Montanha do Diabo. As nuvens se dispersaram para revelar o Estreito de Varanger. À beira-mar, um pequeno povoado de sámi costeiros estava em um aglomerado de *goahti* coberto de turfa. Do outro lado da água espumosa, erguia-se a ilha rochosa de Vardø.

Veio uma enorme lufada de neve e Maren derrapou, parando ao seu lado.

– De onde você veio? – perguntou Ingeborg.

– Eu me perdi, mas aqui estou agora.

– Aonde você foi?

– O que isso importa? – Ela tocou com a mão enluvada o braço de Ingeborg. – Não vou sair do seu lado de novo.

Maren estava encarando Ingeborg como se procurasse por algo que havia perdido dentro dela. O ar parecia espesso e quente entre elas, apesar do frio.

Ingeborg olhou para os lábios de amora silvestre de Maren e o brilho de sua pele, aquecida pelo longo tempo esquiando. Conseguia ver o poder de que Maren tinha falado transbordando dela.

Ingeborg não se sentia sua igual.

Maren virou o rosto de repente, mas o sentimento entre elas permaneceu: algo estranho e não dito.

– Vou pedir abrigo na aldeia – informou Zare. – O primo do meu pai é casado com uma das sámi daqui. Faz muitos anos desde que vimos Morten, mas lembro dele como um homem bom.

– Como vamos cruzar a água até Vardø? – perguntou Ingeborg, ciente do vento que aumentava ao redor deles e levantava rajadas de neve solta na escuridão crescente.

– Vamos negociar para usar um *bask* – explicou Zare. – Ninguém vai querer nos remar até os domínios do governador em Vardø, mas Morten talvez me permita usar o dele.

– E o que vamos negociar? – perguntou Maren a Zare. – Não tenho nada comigo além de um bolso cheio de penas, e duvido que Ingeborg tenha algo mais.

– Minha mãe me deu alguns itens para negociar. Os sámi costeiros estão sempre interessados em carne de rena, peles e chifres para fazer ferramentas. E eu tenho fios de tendões para a esposa dele – Ele deu um tapinha na mochila às suas costas. – Em vez de peixe, vamos pedir para usar o barco

– Zare puxou o chapéu sobre a testa quando a neve começou a cair com mais força. – Esperem aqui – ele as instruiu, antes de partir para o assentamento.

As breves horas de luz do crepúsculo se esvaíram para uma escuridão cada vez mais profunda. A Lua e as estrelas ficaram escondidas atrás de aglomerados de nuvens, enquanto a neve rodopiava ao redor de Ingeborg e Maren.

– Zare gosta de você – comentou Maren, despreocupada, mas Ingeborg percebeu a irritação em sua voz.

– Igual a você! – Ingeborg se voltou para Maren.

Maren balançou a cabeça, consciente.

– Não se faça de boba, Ingeborg Iversdatter. Posso ver muito bem o que se passa entre vocês.

– Nada! – declarou Ingeborg, afrontada. – Eu sou uma cristã temente a Deus, e ele é sámi!

– E daí? Os sámi podem agir como cristãos. Sabemos de pescadores em Ekkerøy que tomaram esposas sámi e criaram filhos. Lembra de Einar Robertson e sua esposa Ragnild? Ela não era sámi? Eles tiveram muitos filhos excelentes, todos criados como cristãos tementes a Deus!

Ingeborg encarou Maren, assustada. Que conversa era esta sobre crianças?

– Zare é seu amigo, não meu, Maren.

Na escuridão, escondida pela neve, Ingeborg não conseguia ver o rosto de Maren. Tudo o que ela era capaz de ver era sua silhueta, nebulosa e quase disforme. Teve vontade de segurar as mãos da outra garota e puxá-la para perto. Ansiava por olhar em seus olhos como joias, tirar dela uma pequena parte de força e esfregá-la na própria pele como o óleo de fígado de bacalhau que a mãe fazia quando era uma garotinha.

Mas Elli havia dito a Ingeborg para cuidar de Maren, porque era ela quem estava vulnerável, não Ingeborg.

– Por que me ajuda? – perguntou à outra, enquanto esperavam que Zare voltasse.

– Porque desejo fazer isso – declarou Maren.

– Mas por quê?

Maren não respondeu. A neve caía em cortinas silenciosas e o único som que Ingeborg conseguia ouvir era o do mar começando a se agitar. O vento soprava contra suas costas, e ela sentia seu coração bater cada vez mais rápido. A tempestade estava chegando. Precisava cruzar o Estreito de Varanger logo, pois quantos dias a tempestade levaria para acalmar? Dias e noites em que a mãe ficaria sozinha e assustada, na cova das bruxas.

– Desejo vingança contra o governador de Vardø – revelou Maren suavemente.

– Mas isto é impossível – Ingeborg a advertiu. – Ele é o homem mais poderoso de Finnmark. Ele tem soldados na fortaleza. Como você vai…

– Cale-se – sussurrou Maren. – Gostaria de não ter confessado meu desejo a você agora. Não me assalte com dúvidas. Por enquanto, tudo de que precisa saber é que pretendo resgatar sua mãe.

Maren se aproximou dela, e conforme as nuvens de neve corriam acima, um raio de luar iluminou um lado do rosto da jovem. A pele dela brilhava como cobre e parecia polida. Ingeborg queria tirar a mão da luva e tocá-la com a ponta dos dedos, para ter certeza de que ela era uma garota de verdade, de carne e osso.

*

Zare voltou com a notícia de que seu primo Morten os havia aceitado em seu *goahti* para que pudessem descansar antes da etapa final de sua jornada. A negociação tinha corrido bem e, em troca da carne de rena, peles, chifres e fios que Zare trouxera, Morten permitiria que usassem o barco.

– Não posso ficar mais do que uma manhã na ilha, pois ele só pode liberar seu barco por um dia de pesca.

– É tempo suficiente para encontrar o túnel e chegar até minha mãe? – perguntou Ingeborg, nervosa.

– Terá de ser – declarou Zare.

*

Ao entrarem na cabana coberta de turfa do primo de Zare, Morten, Ingeborg ficou impressionada com como parecia diferente da casa de Zare no *siida* perto de Andersbyvatnet. Não havia Elli para recebê-los com xícaras de leite de rena aquecido e azedinha. Morten e sua esposa estavam desconfiados deles, sem erguer os olhos para olhá-los diretamente, e mantinham os filhos escondidos no canto mais distante do *goahti*.

Mesmo quando Maren falou com eles em sámi, eles viraram a cabeça.

– Por que não querem falar comigo, Zare? – disse Maren em norueguês, enquanto eles se amontoavam na área de convidados do *goahti*. – Gostaria de agradecê-los.

– Eles não estão muito felizes em ter vocês aqui – admitiu Zare. – Foi preciso muita persuasão, pois eles consideram que seu povo roubou os peixes deles. A princípio, disseram-me para levá-las a Svartnes, a vila de pescadores mais adiante.

– Mas não podemos ir para lá. Eles nos entregariam ao governador – retrucou Maren.

– Expliquei isso e transmiti a mensagem de minha mãe para nos ajudar – continuou Zare. – Morten tem um grande respeito por minha mãe e meu pai.

O vento uivava do lado de fora do *goahti*, apesar das sólidas paredes de turfa.

– Precisamos partir agora – disse Ingeborg, ansiosa. – Antes da tempestade.

Zare se virou para ela. A luz do fogo havia suavizado o azul-gelo de seus olhos para os tons suaves dos céus de verão do Norte. Ela ansiava por aqueles dias de luz não muito tempo atrás, e antes da terrível prisão que desfizera sua pequena família.

– Sinto muito, Ingeborg, é tarde demais. Devemos esperar – disse Zare.

O coração de Ingeborg despencou. Ela não ousava contar quantos dias haviam se passado desde a prisão da mãe, pois cada um a colocava em maior perigo.

*

A tempestade soprou selvagem e furiosa por dois dias e duas noites. A maior parte do tempo eles permaneceram escondidos no *goahti* com Morten e sua família. A esposa dele os alimentava com bacalhau seco e *flatbrød*.

Havia três meninas. A mais velha tinha a mesma idade de Kirsten, enquanto as duas mais novas eram pouco mais que bebês. A menina maior tinha um rosto parecido com o de uma raposa do Ártico, com queixo pontudo e olhos brilhantes e curiosos. Com a lembrança de Kirsten, Ingeborg se sentiu culpada mais uma vez por estar tanto tempo longe. Sentia saudade da irmã. Ingeborg sorriu para a menina como se isso pudesse aliviar sua consciência, mas a criança enfiou o rosto na lateral do corpo da mãe carrancuda.

Era uma sensação estranha ser alvo de medo.

Zare e Morten dividiram um cachimbo e conversaram um pouco em sámi. Uma ou duas vezes, Maren falou em sámi, mas sempre que ela o fez, Morten ficou em silêncio e balançou a cabeça para Zare.

– Sobre o que eles estão falando? – perguntou Ingeborg a Maren.

– Morten está avisando Zare para não se envolver na caça às bruxas, porque vai ser ruim para o povo sámi.

– Ele provavelmente está certo – admitiu Ingeborg, com o coração pesado.

– Os sámi já foram acusados antes e serão acusados outra vez – argumentou Maren. – O que fazemos mudará pouca coisa para eles.

*

Ingeborg acordou rígida, mas aquecida, enrodilhada ao lado de Maren. Era o terceiro dia. Assim que inspirou pela primeira vez, escutou. Seu coração se apertou, pois ainda conseguia ouvir o gemido baixo do vento e do mar agitado. Ela fechou os olhos com força e rezou ao Bom Deus. *Por favor, amado Pai do Céu, tenha piedade de minha mãe. Faça o vento diminuir. Conceda-nos uma passagem segura.*

Maren se mexeu ao seu lado, espreguiçando-se como um gato, mas não acordou. Uma semana atrás, a garota era quase uma estranha para ela, mas agora as duas passavam todas as noites agarradas uma à outra para se aquecerem. O cheiro de Maren estava em sua pele, amadeirado e penetrante como a floresta no inverno. Parecia especial estar perto de uma garota tão diferente de todas as outras. Ansiava por perguntar a Maren sobre o pai dela. Era verdade que ele era um pirata berbere? Qual era o nome dele? Como a mãe dela o conhecera? Mas estas perguntas poderiam levar à outra: era verdade, como todas as mulheres de Ekkerøy diziam, que o pai de Maren era o Senhor das Trevas?

Seria o prazer que Ingeborg sentia por estar ao lado de Maren, por ser vista e ajudada por ela, tudo uma tentação que causaria mais danos a Ingeborg e sua mãe e acrescentaria mais evidências às acusações de bruxaria?

A cabeça de Ingeborg doía com essas perguntas. Ela ansiava por sair do *goahti*, mesmo que fosse para ser empurrada de volta para dentro pela tempestade. Olhou para o outro lado da cabana. Podia ver o contorno do chapéu de Zare e seus braços cruzados sobre o peito, bem como distinguiu o grupo do primo do pai dele e sua família. Ainda devia ser noite, para que todos estivessem em sono tão profundo. Quem poderia dizer? Pois a manhã era tão escura quanto a meia-noite.

Ela se arrastou para fora do *goahti*, empurrando com força a porta de madeira para sair. Assim que passou, o vento a atirou para trás contra as paredes sólidas. Preto, tão preto. Ela não conseguia ver nenhuma luz em todas as agitações selvagens da natureza, além dos vertiginosos redemoinhos de neve, com suas pequenas adagas geladas esfaqueando sua pele. O vento poderia destruir qualquer mortal se assim o desejasse.

Ela tentou rezar, mas tudo o que pôde fazer foi ficar de pé.

Ingeborg parou de rezar, parou de tentar respirar. Em sua rendição, parecia que o vento estava respirando por ela. Ela relaxou o corpo e deixou o vento puxá-la para um lado e para o outro. Virou-se para encarar o *goahti* e então abriu bem os braços, caindo para trás contra o vento. Ele a manteve em pé, quase de modo que seus pés deixaram o chão.

Como seria voar?

A porta do *goahti* se abriu. Era difícil ver quem poderia ser na escuridão, mas o instinto lhe disse que era Zare, colocando a cabeça para fora, como se fosse um urso saindo de sua caverna. Ela se pegou rindo ao pensar em Zare, o urso, embora o som se perdesse na fúria do vento. A porta se abriu ainda mais, e um brilho incipiente de luz veio do fogo matinal, iluminando o rosto do jovem.

A porta bateu atrás dele, mas ela conseguiu ver os contornos largos de Zare se movendo em sua direção, resistindo contra o vento através dos rodamoinhos de neve. Ele falou algo, mas ela balançou a cabeça, porque não conseguia ouvi-lo com a fúria do vento e do mar em sua cabeça. Então, ele virou as costas para o vento e abriu os braços também. Eles estavam lado a lado, a apenas um dedo de distância um do outro, sentindo a força do vento abaixo deles e o poder da natureza.

Uma explosão repentina e violenta derrubou Ingeborg de lado e ela caiu na neve espessa, afundando-se. Zare se agachou ao seu lado. Era como se estivessem sob o vento agora, na neve. Um espaço pequeno e baixo de quietude e silêncio.

– Você está machucada? – perguntou ele.

Ela negou com a cabeça.

– Quando a tempestade vai parar?

A alegria de seu voo conduzido pelo vento havia desaparecido. Seu medo pela mãe estava voltando.

– Bieggagállis, o deus do vento, em breve colocará seu vento de volta em suas cavernas, como sempre faz – disse Zare.

– Existe um deus para o vento? – perguntou ela, pensando em suas orações a um deus de todas as coisas.

– Sim – Zare a encarou. – Em nossa tradição, todas as coisas têm uma alma e, portanto, temos reverência por tudo no mundo ao nosso redor. Temos muitos deuses, como o Sol, a Lua, o trovão, a mãe primitiva e suas filhas. Bieggagállis, o deus do vento, é um dos mais poderosos – explicou. – Se ele não parar de soprar hoje, vamos entoar-lhe o *yoik* esta noite – disse Zare. Mas ele lambeu os lábios e, depois, franziu a testa.

– O que foi? – perguntou Ingeborg, sentindo sua inquietação.

– Morten perdeu dois dias de pesca. Não tenho certeza se ele pode nos ceder seu barco agora…

– Ah, não! Então quando?

Zare pegou suas mãos nas dele.

– Eu dei a ele e sua família uma grande quantidade de carne de rena. Se o vento diminuir hoje, ele nos deixará ir.

Ingeborg olhou para as mãos ásperas de Zare ao redor das suas. Nenhum deles usava luvas e suas peles estavam em diferentes tons de azul por causa do frio. A sensação da presença dele era diferente da de Maren, mas Ingeborg também queria estar ao seu lado. Havia algo em Zare que a lembrava de Axell. Ele a fazia sentir-se segura. Ela não sabia como.

Maren a fazia sentir o contrário, como se estivesse brincando com fogo. Mas, ainda assim, ansiava por isso também. Por que ela queria ao mesmo tempo tocá-la e cuidar dela? Será que estivera tão carente do afeto da mãe que desejava recebê-lo de quem quer que a notasse?

Zare apertou sua mão e sussurrou-lhe sob o tumulto do vento acima:

– Vamos nos deitar na neve. Está bem seco, e vou entoar o *yoik* para Bieggagállis agora, embora você não deva contar a ninguém que o fiz e na sua frente.

– Prometo – disse ela, sentindo-se honrada por ele fazer tal coisa.

Eles se deitaram de mãos dadas sob a tempestade. Ingeborg fechou os olhos para ouvir o *yoik* que Zare entoou, semelhante aos sons que ela ouvira quando, com Maren, vira o pai dele, o *noaidi*, entrar em transe. Notas estranhas e etéreas, inigualáveis; tão diferentes dos severos hinos da igreja que só podiam ser de um mundo diferente.

Em sua cama de branco empoado, com a cúpula do mundo abaixo de si, Ingeborg fechou os olhos com força, tentando não se preocupar se estava participando de magia maléfica. Tudo o que queria era estar com a mãe e salvá-la.

Ela escutou Zare, sentindo o toque forte e firme dos dedos dele entrelaçados aos seus. Por quanto tempo ficaram assim, não saberia dizer, pois, apesar do frio intenso, ela não ficou gelada.

Quando abriu os olhos novamente, Zare não estava mais entoando o *yoik* e o vento havia parado. O céu estava azul-escuro para uma manhã de inverno; um breve vislumbre de menos escuridão.

Ela virou o rosto para Zare.

– Precisamos ir – falaram ao mesmo tempo, as mesmas palavras. Os olhos de Zare se arregalaram e Ingeborg se viu sorrindo.

Ali, à meia-luz, ela viu um fio entre eles, prateado e frágil, como uma teia de aranha. Ela piscou, e ele sumiu.

A porta do *goahti* se abriu e ela ouviu Maren bufando pela neve.

– Aí estão vocês! – Maren se elevava acima deles, com as mãos nos quadris, cabelos escuros soltos e olhos semicerrados.

Ingeborg soltou às pressas a mão de Zare.

– O que estão fazendo aqui? Ou preciso perguntar? – zombou ela.

Mas Ingeborg viu a mágoa em seus olhos. Eles a haviam deixado de fora. Queria explicar que não era o que parecia, que não pretendia excluí-la. Maren estava em um sono profundo quando Ingeborg se aventurou na tempestade. Não sabia que Zare a seguiria, e, bem, aquilo foi mágico, o que havia acontecido com ele na neve. Mas Ingeborg não sabia por onde começar.

Maren deu as costas e voltou para o *goahti*, com o cabelo esvoaçando atrás dela.

Ingeborg se pôs de pé, tomada pela culpa. Zare, então, também ficou de pé. Havia uma nova estranheza entre eles.

– Obrigada – sussurrou ela.

Zare assentiu.

– É uma lacuna na tempestade, mas Bieggagállis voltará em breve. Ele pegará sua pá e soprará o vento de novo.

*

Juntos, os três lançaram o pequeno *bask* que Morten havia emprestado no mar agitado. Ingeborg arregaçou as calças e a água gelada bateu em suas pernas nuas enquanto subia no barco. Zare agarrou sua mão e a puxou para dentro, enquanto Maren habilmente subia atrás dela.

Eles remaram além dos limites do assentamento sámi e atravessaram o Estreito. A força do mar balançava perigosamente a pequena embarcação. Ingeborg sentiu o estômago revirar. Seu medo era intenso, mas sua determinação, também. Agora era tarde demais para voltar atrás.

Ao se aproximarem de Vardø, o céu se derramava cinzento sobre os chalés de turfa, e a escuridão se agarrava às suas bordas. A água esparramava pelas laterais do *bask,* enquanto Zare lutava para mantê-los no curso.

Ingeborg olhou para as mãos largas dele enquanto seguravam os remos. A lembrança de um sonho antigo veio a ela. Nele, um par de mãos como estas seguravam seu rosto com tanta ternura! O pensamento a fez corar. Em seus sonhos, Ingeborg havia encontrado o tipo de amor que nunca sentira em sua vida desperta. Ela havia sentido um profundo amor fraterno e confiança por Axell, mas isto era diferente. Estas não eram as mãos do irmão.

O oscilar do pequeno barco fez seu coração bater mais forte. Zare estava olhando para ela de novo com seus olhos penetrantes. Ingeborg se encolheu, empurrando o chapéu sobre a testa. Maren olhou de relance para ela e franziu a testa.

Faixas de névoa prateada criaram uma neblina acima do Estreito conforme o vento começou a se agitar mais uma vez. O gelo rachado rodopiava na superfície como as grossas pinceladas de esmalte sobre a pintura a óleo dos Brasche na igreja de sua aldeia. Abaixo, havia um fragmento de gelo flutuante e seu reflexo: um oval brilhante de pele pálida, um chapéu de pele de rena, uma mecha de cabelo castanho.

O pequeno *bask* saltava sobre a água agitada, e Ingeborg se agarrou às laterais. Zare parou de remar. Ele ergueu os remos, enquanto gotas vítreas de água salpicavam o mar revolto.

– Por que você parou? – perguntou Maren.

– Estou sentindo as correntes – explicou ele –, descobrindo qual caminho seguir até a terra.

O mar estava nos olhos de Zare. Aquele movimento ondular de quebra e arrasto.

Ele parecia prestes a dizer algo a Ingeborg, mas então voltou a pegar os remos e continuou a remar.

O vento estava ficando mais forte agora, e ele precisou remar com toda a força. Maren pegou os outros remos que estavam no fundo da embarcação para ajudá-lo. O mar se agitava ao redor deles como um caldo fervilhante.

*

Por fim, passaram pelas correntes e chegaram a águas mais calmas. Encalharam com um solavanco na costa pedregosa.

– Um de nós deve ficar e garantir que o *bask* não seja perdido ou roubado – declarou Zare. – Ingeborg, você vai ficar?

– Não! É a minha mãe que está aprisionada na cova das bruxas – retrucou ela, cerrando os punhos.

– Seria mais seguro ficar…

– Não! – interrompeu ela, furiosa por ele pensar que ela esperaria no barco.

– Bem, então… Maren? Pois preciso mostrar a Ingeborg onde fica o túnel.

– O espírito de minha mãe está preso em Vardø entre os vivos e os mortos – declarou Maren, com amargura em cada palavra. – Não vou ficar para trás com o barco. Não foi por isso que vim até aqui com vocês.

– Muito bem. Não precisamos perder tempo discutindo – concordou Zare, indicando para as meninas saírem carregando os remos consigo. Assim que elas saíram da água e chegaram até as rochas, Ingeborg se virou e viu Zare erguer o barco acima da cabeça e carregá-lo até uma laje de pedra seca e plana para depositá-lo. O *bask* parecia o casco de uma tartaruga gigante, e era difícil imaginar que uma embarcação tão leve fosse capaz de transportá-los por águas tão agitadas. – Que a sorte esteja do nosso lado e ele ainda esteja aqui quando voltarmos – comentou Zare.

Ingeborg ergueu os olhos para as nuvens de tempestade que se formavam no céu escuro.

– Temos tempo suficiente?

– Vamos acreditar que sim – respondeu Zare. – Não há como voltar atrás agora.

*

Ingeborg escalou as pedras escorregadias, atrás de Maren e Zare. Eles pareciam estar se movendo tão rápido que era difícil acompanhá-los. Zare começou a se dirigir para o interior. Ela levantou o olhar e viu as paredes brancas de Vardøhus erguendo-se acima. Escalaram um penhasco íngreme e, então, se agacharam atrás de um afloramento de rochas.

– É improvável que sejamos vistos, pois minha mãe me contou que os soldados preferem fumar seus cachimbos em sua cabana a ficarem de guarda do lado de fora, mas devemos ter cuidado – explicou Zare.

Continuaram a subir pelas rochas até chegarem às fundações do castelo. Zare tateou o caminho com as mãos, e então se virou para olhar para trás, avaliando o caminho de onde vieram.

– O túnel é mais ou menos aqui. Estou certo disso.

Ele puxou as pedras ao redor da base da fortaleza e, depois de algum tempo, uma se moveu sob suas mãos para revelar um pequeno buraco.

Zare entrou primeiro, depois Maren e, finalmente, Ingeborg. Eles se contorceram de bruços, e o peito de Ingeborg estava tão contraído pelo medo que sua respiração era curta e ofegante. Estavam em completa escuridão. Ela não conseguia ver Zare nem Maren, apenas ouvir suas respirações pesadas e arrastadas à sua frente.

De repente, ouviu Zare exclamar em sámi, antes de bater nas costas de Maren:

– O que houve? – sussurrou ela.

– Eles selaram o túnel – explicou ele, e então xingou baixinho novamente. – Mas é claro, como fomos tolos. Claro que fariam isso!

– Podemos atravessar? Ou cavar um túnel ao redor? – perguntou Maren.

– Não, é rocha sólida – disse Zare. – Demorou dias para meu pai e eu fazermos isso antes, e não temos tempo.

– Mas temos de conseguir – implorou Ingeborg. Do outro lado estava a mãe, desesperada e sozinha, na cova das bruxas. Eles estavam tão perto.

– É impossível – retorquiu Zare.

Ingeborg bateu com as mãos na pedra dura de cada lado. Suas palmas foram picadas pela rocha gelada.

– Não! Não!

– Encontraremos outro jeito – sibilou Maren para ela.

*

De volta ao lado de fora, nuvens escuras ondulavam no céu preto e o vento gemia em alerta.

– Precisamos ir, a tempestade está voltando – alertou Zare. – Morten precisa de seu barco. Além disso, não podemos ficar presos na ilha. Ou congelaremos, ou seremos pegos.

Ingeborg olhou para a fortaleza de Vardøhus, para as rachaduras e recantos da velha muralha. Pressionou as mãos nela, procurando com os dedos. Ali, bem à sua frente, havia um ponto de apoio. Ela olhou para cima para ver mais pequenas saliências ao longo das paredes da fortaleza.

As palavras de Axell de verões passados surgiram em sua mente. *Imagine que você é um gato.*

– Posso escalar a parede – declarou ela, virando-se para Zare.

Ele a encarou, horrorizado.

– Você vai cair e morrer – disse ele, ríspido. – Você não é forte o suficiente, Ingeborg.

Mas Maren estava ao seu lado e apertou sua mão.

– Sim, ela é, e eu vou escalar também. Nós cuidaremos disso.

Ele olhou para as meninas, incrédulo.

– Volte e cuide do barco – disse Maren, com um tom de comando.

Zare balançou a cabeça.

– Isto é loucura.

– Já escalei lugares piores – afirmou Ingeborg, pensando nos penhascos de pássaros em Ekkerøy. – Se não voltarmos a tempo, volte para Morten e sua família do outro lado.

Ele estendeu a mão e a colocou em seu braço.

– Não faça isso, Ingeborg.

– Eu preciso.

Ele olhou em seus olhos, e ela pôde ver que ele entendia. Sua expressão suavizava-se em compreensão.

– Está certo, eu faria o mesmo por minha mãe. Mas não posso esperar por muito tempo. A tempestade está chegando e não vou deixar que me atirem em suas celas imundas!

Ingeborg voltou a encarar as muralhas da fortaleza, com Maren ao seu lado. Ela relaxou os membros do corpo antes de reuni-los, respirando fundo, inalando sua força. Com uma onda de energia, ela se ergueu, cravando os dedos e agarrando-se à parede áspera. Então, encontrou seu equilíbrio e se içou mais uma vez. *Nunca olhe para baixo.*

Maren estava logo abaixo dela. Conseguia ouvir a respiração de seu esforço.

Ingeborg tateou seu caminho com os sentidos. Ela escalou as paredes da fortaleza com uma sensação de algo além de si em seu âmago. Suas unhas pareciam garras conforme cravavam as paredes; ela estava tão bem presa à muralha. Sabia, por instinto, que não cairia.

O vento a puxava, mas ela continuou subindo. Por fim, alcançou o topo e deslizou para o outro lado. Espiou por cima das ameias para ver onde Maren estava, porém não viu nada. Seu estômago se revirou, mas então uma voz sussurrou ao seu lado.

– Chegamos, minha amiga felina – declarou Maren, sorrindo para ela.

Ingeborg deu uma última olhada para o lugar de onde vieram. Viu a pequena figura de Zare, esperando ao lado do barco, enquanto o sol poente do inverno, escondido sob o horizonte, queimava reflexos magenta sobre a neve; uma linha carmesim se elevava em direção ao céu, empoçando-se em malva sobre o mar, antes de sucumbir à escuridão total.

*

As duas garotas se agacharam ao lado de um dos canhões para se protegerem do vento crescente. Estava tão enferrujado e congelado que Ingeborg duvidou que já tivesse sido usado.

– O que faremos agora? – perguntou Maren. Seus olhos verdes cintilavam de ansiedade, e ela não parecia estar com medo.

Ingeborg olhou para baixo. Ainda não era uma escuridão completa, e havia tochas acesas em braseiros ao redor das paredes internas da fortaleza, projetando sombras e luz. Lá estava a cabana de turfa dos soldados. Conseguia ouvir o murmúrio baixo de vozes, sentir o cheiro do fogo de turfa. De um lado da cabana, ficava o próprio castelo. Ela espiou o quadrado iluminado de uma pequena janela, mas o resto do prédio estava às escuras. Virou a cabeça e viu a guarita e os portões da fortaleza. Seria por ali que teriam de sair, a menos que encontrassem uma corda e a amarrassem no topo das ameias. Por que não pensaram em trazer uma corda?

– Olha, aquela é a cova das bruxas? – sussurrou Maren, apontando para além da guarita e de uma casa longa e baixa, para uma pequena choupana sem janelas.

– Parece desesperadora – observou Ingeborg.

Maren puxou Ingeborg para olhar para o outro lado da ilha.

– Está vendo a protuberância de terra, além de onde Zare espera por nós?

Ingeborg assentiu.

– Bem, aquele é Stegelsnes, o local da execução. Foi onde minha mãe foi queimada.

O peito de Ingeborg se apertou de novo. Não podia imaginar o mesmo fim para a própria mãe.

– Uma de nós precisa ir até a guarita e tentar pegar a chave para abrir os portões do castelo – disse ela a Maren. – E a outra precisa, de alguma forma, entrar na cova das bruxas.

– Duas tarefas bem impossíveis – comentou Maren, erguendo as sobrancelhas, mas sem parecer desanimada. – Vou pegar a chave da guarita.

Enquanto sussurravam, houve uma movimentação no pátio abaixo. A porta da cova das bruxas se abriu. Para surpresa de Ingeborg, não foi um soldado quem saiu, e sim uma mulher, alta e de costas eretas. A mulher a trancou e enfiou a chave em um bolso sob a capa. As garotas a observaram enquanto ela cuidadosamente escolhia o caminho pela neve e entrava na cabana baixa.

– Bem, este é o caminho para a cova das bruxas – disse Maren.

– Vou pegar a chave com ela – afirmou Ingeborg. Não sabia como faria isso, ou quem mais estava na casa, mas parecia uma proposta mais fácil do que enfrentar os soldados.

Desceram os degraus até o pátio. O vento gelado as atingiu, mas Ingeborg ficou satisfeita, porque isso significava que era improvável que os soldados se aventurassem lá fora.

Ela se virou para Maren, para dizer-lhe para ter cuidado, mas a outra havia desaparecido. O pátio estava vazio, exceto por um grande rato correndo por ele.

Ingeborg se esgueirou pelo chão gelado até o casebre baixo. Uma fina espiral de fumaça subia do teto tombado. Ela pôs a mão na porta e a abriu.

CAPÍTULO 23

ANNA

Eu era sua amante secreta. Tínhamos encontros clandestinos nos lugares que amávamos: na biblioteca real, nos jardins botânicos, no pomar de pereiras, no gabinete de curiosidades de meu pai – com o olhar levantado para o rosnado do bebê urso polar, enquanto seus longos cabelos escuros caíam em cascata sobre meus seios nus.

Durante quatro anos esperei pelo convite para comparecer à corte do palácio como sua amante oficial, mas ele nunca veio.

Quatro anos é muito tempo para alguém tão jovem, mas agora é apenas um piscar de olhos. Ah, como eu era ingênua e escravizada pelo seu poder, pois com certeza, caso você tivesse me instruído a encontrá-lo no galinheiro, eu teria ido!

Você devorou cada pedacinho de mim, dos dedos dos pés ao topo da cabeça, minhas entranhas, meu coração e cada canto da minha mente. Eu vivia e respirava por meu príncipe, esperando a chegada diária de um pequeno quadrado de pergaminho e seu selo real. Ao abrir suas cartas de amor, suas palavras de carinho me embriagavam, e eu corria sem fôlego até o nosso ponto de encontro, tendo tempo apenas para salpicar meu seio com óleo de rosas. Como eu ficava tonta em nossos abraços, enquanto você arrancava meu vestido, minhas anáguas e se enterrava em minha carne jovem.

Não se aproveitou de mim: eu queria você. É chocante para mim reconhecer a verdade disso, mas conheço bem a lascívia a que uma mulher pode entregar-se. Eu estava possuída pelo desejo de união, pois assim que voltava para casa, ansiava por nosso próximo encontro.

Meu rei, eu me pergunto, suas memórias são tão claras quanto as minhas?

Acho que não, pois você me dizia palavras tão doces e amorosas e me segurava com tanto carinho quando eu era jovem. E esteve tão diferente na última vez em que nos vimos, quando havia se tornado outra pessoa. Posso parecer diferente, pois minha pele está mais opaca, minha cintura, mais grossa, e meus cabelos pretos com mechas grisalhas, mas por dentro nunca deixei de ser a moça apaixonada por seu príncipe. Eu havia separado os pecados da carne do amor puro gravado em meu coração.

Aqui, sozinha, com pouco para distrair-me, penso demais naqueles primeiros anos. Pergunto-me, se acaso nossas circunstâncias fossem diferentes, eu poderia ter me tornado, como Margrethe Pape, sua amante oficial e mãe de seu filho ilegítimo? Mas, no fim, até mesmo Margrethe Pape foi abandonada em prol de seu casamento com Sofia Amália de Brunswick-Luneberg, uma mulher que não se deveria contrariar, como sua irmã Leonora Christina bem sabia.

Acaso a rainha Sofia Amália também está por trás do meu exílio injusto? Pergunto, pois ela olhou para mim com muito desdém quando a conheci anos mais tarde. Contudo, isso foi quando eu já estava afastada de Copenhague há muito tempo e também casada.

CAPÍTULO 24
INGEBORG

No casebre, Ingeborg sentiu o cheiro da mulher primeiro – o cheiro enjoativo de óleo de rosas misturado com fumaça de turfa encheu suas narinas –, mas ela não conseguiu ver ninguém. A fumaça saía do fogo crepitante, enchendo as vigas até escapar para fora pelo buraco a ela destinado. Havia uma mesa torta com uma lanterna em cima dela, dois banquinhos frágeis e uma cadeira de espaldar reta com uma almofada de tapeçaria puída. Todos estavam posicionados perto de uma janelinha, que estava bem fechada com uma cobertura, como se estivessem buscando a pouca luz que poderia entrar na sala.

Onde estava a mulher com a chave? Do outro lado da câmara, havia uma porta entreaberta. Ingeborg se esgueirou pelas tábuas irregulares do piso e as empurrou de leve para abri-lo.

A mulher estava de costas para ela, ajoelhada perto de um baú aberto. Ela retirou um pequeno livro de capa dura e o colocou no chão, antes de levantar-se devagar. Foi quando ela se virou que viu Ingeborg e deu um pulo de susto.

Ingeborg imaginou que devia parecer realmente muito estranha aos olhos desta mulher – meio menina, meio menino em suas calças e saia afivelada, com seu grande chapéu e cabelos castanhos molhados e desgrenhados emoldurando o rosto. Em contraste, Ingeborg percebeu que aquela não era uma mulher comum, mas uma de origem nobre. Embora provavelmente não fosse muito mais jovem que a viúva Krog, ela tinha a postura tão ereta quanto a de uma jovem, e Ingeborg podia ver um lampejo de cabelo preto como um corvo sob a touca branca. Seu corpo esguio estava envolto em um suntuoso vestido azul, e a pele de suas bochechas era pálida e lisa. Mas um leve ninho de vincos no canto de cada um de seus olhos denunciava sua idade.

– Quem é você? – perguntou ela com uma voz imperiosa. – E o que está fazendo em meus aposentos?

– Nenhum mal vai acontecer a você. Apenas me dê a chave – declarou Ingeborg, soando mais corajosa do que se sentia. Seu coração latejava no peito, e suas mãos estavam úmidas, mas ela estava determinada a não demonstrar medo a esta grande dama. Precisava pegar a chave.

A mulher arqueou as sobrancelhas.

– Que chave? – desafiou ela.

– A que está no seu bolso, debaixo da saia.

– E por que eu faria uma coisa dessas? – questionou ela. – Diga-me quem você é.

Ingeborg tirou do cinto a pequena faca de caça de Axell e a brandiu à sua frente enquanto dava um passo adiante, mas a mulher não pareceu temer.

– Isso não é da sua conta. Pela última vez, entregue-me a chave.

Ingeborg levou a ponta da faca à garganta suave e pulsante da dama.

– Está bem – murmurou a mulher.

Ingeborg baixou a faca enquanto a mulher tirava a chave do bolso. Ela a dedilhou como se quisesse incitar Ingeborg.

– Entregue-me – Ingeborg estava perto o suficiente da mulher para ver que seus olhos eram gélidos como as geleiras. Recolocou a faca de caça na garganta esbelta da mulher, rezando para que não tivesse de usá-la.

– Não vai acabar bem – observou a mulher, entregando-a. – Como acha que vai escapar?

Enquanto ela falava, Ingeborg ouviu um movimento na outra câmara. Recuou pela porta e ficou aliviada ao ver Maren balançando a grande chave do portão da fortaleza na mão.

– Fácil. O velho beleguim dorminhoco estava num sono profundo! – Maren suspirou. – Fiquei tentada a cortar a garganta dele, mas achei que levaria tempo demais – Ela parecia muito satisfeita consigo mesma enquanto balançava a grande chave ao seu lado.

– Você! – A nobre havia seguido Ingeborg e agora estava parada, apontando para Maren. – Eu vi você! – declarou ela. – Com o lince!

Maren sorriu para a mulher.

– De fato, era eu!

Ingeborg não fazia ideia de como Maren poderia conhecer aquela mulher, mas não teve tempo de descobrir.

– Amarre-a na cadeira – disse ela a Maren.

– Você tentou me matar – A mulher continuou a dirigir-se a Maren.

– Você não, senhora! – retrucou Maren, retirando o cinto e amarrando a mulher na velha cadeira bamba.

Naquele momento, a porta do casebre tornou a abrir-se e uma criada, carregando uma pilha de turfa, parou à soleira. Ela soltou um gritinho, largou a turfa e saiu do casebre correndo e gritando.

– Fujam, meninas – sussurrou a senhora.

Ingeborg e Maren saíram do casebre, mas os soldados já estavam saindo de sua cabana com mosquetes nas mãos. Lockhert veio correndo da guarita, com o rosto roxo de fúria.

– Ainda podemos escapar, Ingeborg – sussurrou Maren para ela.

Ingeborg não conseguia imaginar como. Elas estavam cercadas.

– Não vou deixar minha mãe.

– Muito bem, ficaremos – declarou Maren, como se tivessem escolha.

Ingeborg deixou cair sua pequena faca. De que lhe serviria contra um mosquete apontado direto para o seu coração?

Um soldado a agarrou e puxou seus braços bem apertados atrás das costas. Seus ombros foram torcidos e Ingeborg gritou de dor.

O beleguim Lockhert agarrou Maren pelos longos cabelos pretos, enquanto arrancava a chave do portão da mão dela. Ele a esbofeteou com tanta força que ela foi atirada no chão gelado.

A criada fugiu de volta para o casebre.

– O que vocês, duas ladras vadias, estão aprontando? – rosnou Lockhert para elas.

Então ele olhou para o rosto de Ingeborg.

– Eu reconheço você! Você é a filha da bruxa Sigvaldsdatter.

Ingeborg balançou a cabeça, recusando-se a responder.

A nobre saiu do casebre depois de ter sido liberada por sua criada. Ela se aproximou deles. A chave ainda estava na palma da mão de Ingeborg, às suas costas. A mulher deu a volta ao seu redor e, então, Ingeborg sentiu os dedos da mulher em seus punhos cerrados, arrancando a chave. Ela a circulou mais uma vez assim que tomou a chave, deslizando-a de volta sob a saia para seu bolso escondido.

– Então, você é a filha da bruxa? – perguntou ela.

Ingeborg encarou os olhos frios. Eles não tinham expressão. Nem ódio, nem compaixão, nem emoção alguma. Quem era ela? E por que ela tinha a chave da cova das bruxas?

Um oval de luz dourada de repente brilhou sobre o grupo, quando a figura de um homem alto e vestido de preto atravessou o pátio vindo da porta aberta do castelo.

– Prendemos estas duas garotas tentando libertar a bruxa Zigri Sigvaldsdatter, excelência – Lockhert se dirigiu à figura escura.

– Minha mãe não é bruxa, juro – falou Ingeborg.

– Silêncio! – gritou Lockhert para ela.

O homem alto se aproximou da luz da lanterna de Lockhert. Em uma de suas bochechas havia uma longa cicatriz de batalha, desde a borda de sua sobrancelha espessa até o queixo.

– Então, esta garota é a filha mais velha da bruxa Zigri Sigvaldsdatter? – questionou ele, apontando para Ingeborg. – E quem é a outra estranha criatura?

– Minha mãe era Marette Andersdatter! – disse Maren com orgulho, levantando-se de onde havia caído.

O governador estremeceu.

– Sim, você se lembra dela? – desafiou Maren, caminhando em direção ao governador, mas foi parada por um dos soldados, que a puxou para o lado. – Ela também era conhecida como Liren Sand.

– Na verdade, nunca fomos atacados por uma bruxa tão maligna nestas regiões – declarou o governador, acenando com a mão para ela. – E agora aqui está você, garota, claramente também entregue ao Diabo por sua mãe.

O governador se virou para a nobre, que esperava muito quieta, observando Maren, que lutava contra o soldado.

– É como eu lhe disse, Fru Rhodius. As bruxas sacrificam as filhas ao Diabo.

– Não tenho tanta certeza disto, governador – respondeu a nobre, chamada Fru Rhodius, em tom calmo. – Nunca vi com meus próprios olhos. São garotas ousadas, com certeza...

– Elas com certeza são bruxas – declarou Lockhert. – Vi isso na Escócia. Minha terra natal foi sitiada por bruxas e suas filhas.

O governador se aproximou de Ingeborg. Ele era muito mais alto que ela.

– As bruxas em Vardø ameaçam todo o reino da Noruega e Dinamarca, o próprio rei, com o terror e a peste. As bruxas, aliadas ao Diabo, correm soltas – Ele se abaixou e sussurrou ao seu ouvido. – E consigo ver que você *está* em um pacto com o Senhor das Trevas, garota.

Ingeborg tentou não demonstrar medo.

– Minha mãe não me colocou em um pacto, excelência. Ela é inocente... – declarou, com voz trêmula.

– Silêncio! Não lhe dei permissão para falar – bradou, e ela sentiu pingos de sua saliva caírem em suas bochechas enregeladas. – Haverá tempo suficiente para falar no julgamento – O governador se afastou da luz da lanterna. Agora sua expressão estava escondida pelas sombras. – Coloque-as na cova das bruxas, Lockhert – ordenou.

– Não seria melhor alojá-las comigo, excelência? – interveio Fru Rhodius. – Elas são tão jovens...

– ...Mas com idade para serem bruxas – retrucou o governador. – É o lugar delas.

Os soldados empurraram Ingeborg e Maren pelo pátio. Ingeborg pensou em Zare. Quanto tempo ele esperaria por elas? Rezou para que ele não fosse pego também. O vento já uivava pela fortaleza e as nuvens corriam lá em cima. Pedaços duros de granizo começaram a cair. A tempestade havia voltado, o deus sámi do vento, Bieggagállis, soprava forte. Zare estaria remando de volta, empurrado adiante em direção ao continente por sua força.

Lockhert destrancou a cova das bruxas com sua chave, e os soldados jogaram Maren e Ingeborg lá dentro. Ao fazê-lo, Ingeborg viu de relance a nobre Fru Rhodius balançando a cabeça, como se elas fossem duas meninas travessas que tivessem esquecido suas orações. Mas a situação delas estava muito além de qualquer delito infantil.

Ela e Maren caíram juntas no chão áspero. Ela estendeu a mão no breu e sentiu uma parede viscosa de sujeira. Era impossível ver o tamanho do buraco, ou o que havia nele. O que era certo era que não havia luz, fogo e nem qualquer conforto. Mas não pensou nisto, quando se levantou e gritou:

– Mãe!

Um arquejo agudo na escuridão disforme.

– Mãe, sou eu!

– Ingeborg? – A voz da mãe chegou até ela, fraca e falha. – Ah, meu Deus, Ingeborg, o que aconteceu?

Ela sentiu Maren mover-se ao seu lado e então ouviu um som. Viu uma faísca entre duas pedras. Em seguida, uma luz.

Maren tinha um pequeno pedaço de vela na palma da mão. Sua pequena chama tremeluzia, mas foi suficiente para ver a forma encolhida do outro lado da pequena cela, que não tinha mais do que dois metros para cada lado. As paredes de madeira estavam rachadas e sujas, e o chão de terra era duro, com rochas salientes e pedaços de turfa seca, sem nenhum sinal do túnel que outrora existira. Havia um fedor terrível de excremento e o cheiro metálico de sangue velho. A cela estava tão fria que sua garganta ficou apertada. Nada disso importava, porque ali estava sua mãe, e ela estava viva.

– Viemos para salvá-la – disse ela à mãe.

– Ah, Ingeborg – lamentou sua mãe. – Que tolice da sua parte.

Ingeborg se aproximou dela, buscando suas mãos sob a pilha de peles que a cobriam. Com a luz da vela de Maren, conseguiu ver o rosto da mãe.

Seus olhos estavam ardendo de raiva.

– Sua garota estúpida – Ela se levantou, atacando e dando um tapa na bochecha de Ingeborg.

Lágrimas brotaram dos olhos de Ingeborg devido ao choque pela raiva da mãe.

– Você tornou tudo pior! – disse sua mãe. – Eu disse para você chamar Heinrich. Ele falará por mim.

– Heinrich Brasche está em Bergen, mãe – retrucou Ingeborg, com a voz rouca de mágoa. – O pai dele o mandou para lá para fazer negócios.

A mãe pareceu horrorizada.

– Ele foi mandado embora um dia depois que você foi presa.

– Não, não! – disse a mãe de Ingeborg. Sua raiva se dissolvia, enquanto ela desabava. – Ele me prometeu.

O toco de vela de Maren estava quase acabando.

– Podemos salvá-la, Zigri Sigvaldsdatter – afirmou Maren, com os olhos cor de âmbar por causa da chama da vela.

– Como? – perguntou Ingeborg a Maren.

– Você viu como o governador ficou com medo quando eu mencionei minha mãe para ele? – perguntou Maren, com sua voz alta de entusiasmo. – Vamos fazer com que ele tenha medo de nós. Ameaçaremos com maldições sobre ele e a esposa.

A mãe de Ingeborg não estava mais ouvindo, soluçava em desespero em sua pilha de peles.

– Ele é o governador de Vardø, Maren! Ele tem soldados armados e mais poder do que jamais poderíamos imaginar! – argumentou Ingeborg. – Nossa única esperança é a misericórdia dele.

– Bem, ele não tem nenhuma – declarou Maren, agachando-se do outro lado da mãe de Ingeborg. – Mas vamos encontrar um jeito.

A desesperança corroía o coração de Ingeborg. Ela afundou ao lado da mãe e pegou a mão dela.

– A verdade será revelada, mãe – tentou tranqüilizá-la. – Você é inocente, e será provado no tribunal.

Mas a mãe continuou a chorar, enroscada com a cabeça no colo estreito de Ingeborg.

– E Kirsten está segura, mãe. Ela está com Solve.

A mãe parou de chorar, enxugou as lágrimas e encarou Ingeborg. Seu olhar estava duro.

– Há algo de errado com Kirsten – sussurrou ela. – É culpa dela que Axell tenha se afogado.

Ingeborg olhou espantada para a mãe.

– Não, mãe!

– A cordeira a que ela chama de Zacharias é um diabinho – sussurrou a mãe.

– Kirsten só tem doze anos…

Mas a mãe a interrompeu:

– Kirsten é uma garota má. – Ela fungou. – Maligna.

CAPÍTULO 25

ANNA

As tempestades do Norte atingiram a ilha de Vardø, e o vento uivava como se uma horda de criaturas diabólicas estivesse sobrevoando minha casa-prisão. Encolhi-me sob as cobertas da cama, fechando as cortinas para proteger-me do frio. Havia fantasmas ao meu redor, e não apenas das pobres almas que morreram como prisioneiras aqui, como o velho padre que havia expirado na própria cama que eu ocupava.

Havia outros fantasmas, do meu passado. Os rostos daqueles que tentei curar durante a Grande Peste, dos quais não me lembrava dos nomes. Mas jamais esqueceria o número de almas que partiram: foram 304 almas moribundas de quem cuidei durante aquela terrível temporada de doença, e, meu rei, eu não tive medo de segurá-las. O sofrimento do povo comum era imenso. A dor e o medo dos moribundos era como uma ardência em meus olhos, de forma que eu estava além das lágrimas. Mas, de vez em quando, havia um fragmento puro, à beira do último suspiro, quando a alma se desalojava do corpo. Eu via o éter elevando-se, embaçando minha visão, e tudo o que eu podia fazer era sentir a passagem com os pelos eriçando-se em minha pele e o suave sussurro da partida em meus ouvidos. O peso de quem acabava de falecer ficava, de repente, leve em meus braços, como a casca de um ovo, e uma serenidade profunda me preenchia, espessa como a gema.

Honestamente, este cruzamento entre a vida e a morte se tornou uma força à qual eu me acostumei. Fazia com que eu me sentisse embriagada; era inebriante ver o embate cessar, a paz inundar os olhos que se fechavam e a graça de Deus por fim repousar sobre eles.

Estes fantasmas rodopiavam ao meu redor no meu quarto-prisão solitário, na casa na fortaleza de Vardø, e eles não me desejavam mal. Os mortos perdidos do meu ano de peste vieram confortar-me de uma forma que nenhum mortal havia feito.

E, no entanto, eu não conseguia alcançar meus próprios bebês, todos perdidos em minha busca pela maternidade.

*

Retornemos a julho de 1638, aos meus 23 anos e à minha primeira gravidez.

Sim, meu rei, o bebê era seu, mas você nunca soube, não, nunca.

Você estivera na França, visitando a corte de Luís XIII, enquanto eu estive doente pelas manhãs durante os nove dias inteiros de sua ausência. Na minha tola inocência, julguei-me terrivelmente doente e pedi a meu pai que me examinasse.

– Você não está doente, Anna – deduziu ele, com expressão muito taciturna, enquanto mergulhava as mãos em uma bacia de água para limpá-las. – Está grávida.

Ofeguei, chocada, embora uma pequena parte de mim estivesse contente, pois, agora, pensei que meu príncipe iria reivindicar-me como sua amante oficial e trazer-me para a luz, exibir-me para todos na corte. Decerto o rei Cristiano IV ficaria satisfeito que a filha de seu médico favorito havia se tornado a favorita de seu filho.

– Anna, conte-me como isto aconteceu – pediu meu pai. A cor estava subindo em suas bochechas, e a raiva se acumulava como nuvens de tempestade, pois agora ele sabia por que eu tinha recusado todos os pretendentes apresentados a mim para casamento.

– Estou esperando o filho do príncipe Frederico, pai.

A reação dele não foi a que eu esperava. Pela primeira vez na vida, meu pai exibiu força, agarrando-me pelos dois braços e sacudindo-me.

– Pare de falar bobagem, menina, e diga-me a verdade.

– Mas é verdade, pai. Eu sou a amante do príncipe! – anunciei.

– A amante do príncipe é Margrethe Pape, e ela é uma baronesa – Meu pai parecia bastante desesperado. – Diga-me, foi meu aluno Ambrosius quem se aproveitou de você? Eu vi a maneira como ele olha para você.

– Ah, não! – eu disse, quase rindo da sugestão.

Ambrosius Rhodius era um jovem alemão, estudante de Medicina, que estivera hospedado conosco pelos três meses anteriores. Eu mal tinha prestado atenção nele, tão absorta estava em meu envolvimento com você. Agora parecia que aquele jovem alemão esguio estava interessado em mim, pois estava sempre tropeçando e derrubando sua tigela do jantar em minha presença. Achei que ele era apenas desajeitado, pois mal me dirigira uma palavra desde que fomos apresentados.

– Não seria a pior coisa, Anna – continuou meu pai, ignorando minha negação. – Ambrosius tem boas perspectivas. Sua família é da antiga nobreza alemã, embora tenham perdido todas as suas propriedades.

– Ele nem sequer beijou minha mão, pai!

Meu pai fez uma pausa, seu rosto escureceu.

– Mas quem então, Anna? Diga-me agora, não minta para mim.

– Já disse. Este bebê – coloquei a mão sobre a barriga com orgulho – pertence ao príncipe Frederico. Com certeza ele vai me levar para a corte assim que descobrir...

– Meu Deus – Meu pai enterrou o rosto nas mãos.

– Nunca pensou nisso, pai? Todas as cartas que vinham do palácio real, endereçadas a mim? Fui amante dele pelos últimos quatro anos.

Meu pai ergueu a cabeça com uma expressão de absoluto horror.

– Achei que fossem da princesa Leonora, pois sei como ela gosta de passear com você... – Sua voz diminuiu. – Não era com Leonora que você andava?

– Não, pai.

– Você não deve contar à sua mãe – instruiu ele, com os olhos estreitados em uma linha fina. – Tem alguma noção da posição em que nos colocou?

– Mas falarei com o príncipe quando ele voltar da França – Estendi a mão e segurei as mãos frias de meu pai. – Ele me ama, pai! Alivie seus medos. Ele é o príncipe e cuidará de mim.

– Ah, Anna – A voz de meu pai falhou, e ele afastou as mãos.

Ele sabia, é claro – meu pai tinha a sabedoria que eu não tinha para saber que minhas palavras eram apenas uma ilusão, mas eu era jovem, e estava apaixonada, e, acredito, você também.

*

Quando você voltou da França, esperei por uma semana antes de receber uma carta sua. Àquela altura, meu pai era uma constante perturbação ao meu lado, assegurando-me que um casamento poderia ser arranjado com Ambrosius Rhodius. Ainda era tão cedo que não havia sinal da minha condição, mas eu me recusava a dar-lhe ouvidos.

Por fim, recebi algumas linhas em sua bela caligrafia, que eu tanto amava, convidando-me para um encontro no jardim do rei, tão cedo pela manhã que nenhum dos servos do palácio estaria acordado. Você me disse para seguir pelos canteiros de lavanda e esperar ao lado da amoreira, com seus frutos pálidos e ainda não maduros.

Como eu amava o mês de julho, a estação do verão no Norte, com o sol eterno ainda alto no céu azul suave. Meu coração batia forte no peito de ansiedade, enquanto eu saía da casa de meu pai. Uma capa com capuz escondia tudo, exceto meus olhos. Abri caminho por nosso beco fétido, com meus sapatos de pelica enfiados em tamancos de madeira, até que, por fim, entrei no jardim do rei e inspirei o ar floral. Agora eu corria como se estivesse flutuando no ar, mais que animada por estar à beira de uma nova aventura com você ao meu lado.

Você não estava na amoreira quando cheguei, e esperei com impaciência. As abelhas zumbiam ao meu redor, e o ar se tornou mais espesso com o calor da manhã. Por fim, você chegou, caminhando devagar, sem correr para os meus braços como eu esperava. Senti uma pequena perda de confiança, pois percebi que nem tudo estava como antes. O brinco de ouro havia desaparecido, as meias escarlates e o gibão de brocado dourado haviam desaparecido. Você estava vestido todo de preto absoluto, usando um chapéu preto de copa alta, e parecia que uma nuvem escura havia encoberto o sol no céu.

– Meu amor! – exclamei, mas você deu um passo para trás antes de interromper-me.

– Cara Anna Thorsteinsdatter, obrigado por se encontrar comigo nesta manhã. – Seu tom era tão formal que me confundiu, e sua cabeça estava virada para longe de mim, como se você não suportasse olhar em meus olhos. – Tenho o dever de lhe informar que nosso acordo deve cessar a partir de agora. Apreciei imensamente sua companhia, mas Margrethe está grávida. É dela que devo cuidar. Prometi a ela.

Suas palavras feriram profundamente meu coração.

– Mas ela não é sua esposa – protestei. – Você é solteiro, meu príncipe, e é livre para escolher...

– Ah, não, cara menina, não tenho liberdade para fazer tais escolhas – Você balançou a cabeça. – Devo estabelecer um padrão. E ambos sabemos que nunca poderia aparecer ao meu lado na corte, porque você não é da alta nobreza.

Fiquei em estado de choque, tremendo e com frio, embora o sol estivesse quente em minha pele.

– Você tem toda a sua vida pela frente, doce Anna – você disse, finalmente olhando para mim. – Um marido adequado à sua classe e uma família. Vai me agradecer por libertá-la. Mas sou um pássaro engaiolado e sempre serei.

– Mas, meu príncipe, eu amo você...

Você levantou a mão para impedir-me de falar mais.

– Você é jovem demais para entender o tipo de amor que compartilho com Margrethe. O que dei a você foi uma educação dos sentidos; o que você me deu foi uma apreciação do meu aprendizado.

Dei um passo para trás, cambaleando de mágoa.

– Trouxe um presente para você – você revelou, tirando do bolso uma fina corrente de ouro. Na ponta pendia uma minúscula cruz preta. – É de ônix. Encontrei-a em Roma.

Você me entregou a cruz e eu a recebi com dedos rígidos.

– Preta como o seu cabelo – você comentou, balançando a cabeça e parecendo triste, como se fosse eu quem estivesse terminando com você. – Use-a e ore por perdão.

Ela ficou pendurada entre meus dedos, pois você nem se preocupou em colocá-la ao redor do meu pescoço.

Em seguida, você se afastou de mim através da vibrante névoa verde do jardim do rei. Borboletas esvoaçavam acima da lavanda e o aroma do nosso amor me impregnava.

Eu queria atirar a cruz de volta em você, mas, em vez disso, caí na grama e vomitei ao lado das raízes da amoreira.

O que devo fazer? O pânico cresceu dentro de mim, como uma daquelas borboletas presas dentro do meu peito.

Com as mãos trêmulas, levantei a cruz negra. Ela brilhou na luz, e o ônix brilhou como a carapaça de um besouro. Fui sua por quatro anos, e minha recompensa foi uma pequena cruz. Não pude deixar de pensar em todas as joias que vi adornando o pescoço de Margrethe Pape, mas nem sequer um rubi ou safira para mim.

Ah, mas *havia mais*. Pois você colocou uma vida dentro de mim, e você jamais saberia.

CAPÍTULO 26

INGEBORG

O dia e a noite haviam se tornado uma longa e gélida escuridão. O frio penetrava cada parte de Ingeborg, enquanto ela se encolhia sob as peles de rena entre a mãe e Maren. Sem fogo naquele buraco, o ar estava tão pungente quanto ferro congelado. Elas se afundaram uma na outra, uma criatura sofredora com três corações feridos. A fome as consumia. Uma vez por dia, os guardas traziam um balde de água do poço da fortaleza coberto de lodo, bem diferente da fonte pura do poço de sua aldeia. Mas era água mesmo assim, e elas a engoliam, com moscas e tudo. Em um segundo balde, jogavam seus resíduos. Mas ainda não houvera oportunidade de esvaziá-lo, e na pequena cela o fedor era desagradável. A única comida que recebiam era um caldo aguado de espinhas de peixe, tão salgado que Ingeborg sentia como se estivesse engolindo o mar e a fazia querer vomitar.

Até Maren ficou irritadiça, confidenciando a Ingeborg que seu fluxo mensal estava prestes a chegar. E o que ela faria sem retalhos?

A mãe de Ingeborg chorava constantemente, angustiada por causa de Heinrich Brasche. Ingeborg nunca a vira derramar uma lágrima pelo pai. No entanto, por este homem, que ela deveria ter sabido que nunca poderia ser dela, ela retorcia as mãos e chorava como uma garota apaixonada. Cabia a Ingeborg segurar a mãe e acalmá-la.

Havia algo mais também. Algo no rosto de sua mãe: um peso em sua mandíbula, e a maneira como ela se movia – desajeitada e desequilibrada, quando se mexia para levantar-se e espreguiçar-se em seu pequeno buraco. Elas ficaram separadas por menos de um ciclo da lua, mas a mãe havia abandonado sua casca exterior. Agora ela se agarrava a Ingeborg, perguntando em um sussurro entrecortado se havia alguma esperança para elas.

Ingeborg pensou em Zare, o garoto sámi. Mas mesmo que ele tivesse voltado para seu assentamento e para sua mãe Elli, não havia nada que pudessem fazer por elas. Ela havia procurado a entrada do túnel na cova das bruxas, e esta havia sido encoberta por rochas pesadas que ela não era capaz de mover.

*

Talvez tivessem se passado três dias – ou quatro, era difícil dizer – quando a chave girou na porta da prisão. Desta vez, não foi um soldado com caldo ou água, pois a luz do lampião iluminou o beleguim Lockhert.

Na pequena cela, quando se abaixou para caber sob as vigas baixas, ele pareceu ainda mais monstruoso. Atrás dele estava a nobre Fru Rhodius, abrindo caminho em meio à sujeira, com um lenço no nariz.

Ver o desdém dela deixou Ingeborg com raiva. *Ela* gostaria de dormir ao lado de um balde com os próprios excrementos?

– Aqui cheira como os porcos do meu pai – comentou Lockhert, parecendo satisfeito com isso.

– O balde com os excrementos delas foi esvaziado? – perguntou-lhe Fru Rhodius.

– Os soldados não vão tocá-lo. Eles têm medo da bruxa.

Fru Rhodius perguntou com desaprovação:

– A culpa dela ainda não foi provada, Lockhert. As duas garotas não podem carregá-lo e esvaziá-lo por cima dos muros da fortaleza?

Lockhert gritou instruções para seus soldados, e Ingeborg e Maren receberam ordens de carregar o pesado balde de excrementos entre elas.

Ingeborg estava com ânsia de vômito quando o carregaram para fora da cova das bruxas. Mas o ar doce e limpo e a neve fresca rodopiante foram uma bênção em suas bochechas.

Elas carregaram o balde escada acima ao longo dos muros da fortaleza e o jogaram para o lado. Ela viu sua imundície marrom cair no branco puro. Logo a neve que caía a cobriria com uma camada grossa.

– Ah, sinta o gosto da neve limpa em sua língua, Ingeborg – murmurou Maren, enquanto ambas inclinavam o queixo para trás e abriam a boca. A neve que caía em sua pele suja, tão suave e macia, fez seu coração doer.

O guarda ficou impaciente, bateu os pés frios no chão e empurrou as meninas de volta para a cela.

– Olhe, Ingeborg – comentou Maren, apontando para o turbilhão de neve. Um corvo preto sobrevoava a fortaleza, grasnando alto. – O que você acha? É uma de nós, chamando nossas irmãs?

– Quieta – sibilou Ingeborg. A conversa de Maren as enviaria direto para a fogueira. E, no entanto, uma parte sua desejava tanto que ela estivesse certa!

Quando voltaram para a cela, o ar estava carregado de ameaça.

Fru Rhodius ficou entre Lockhert e a mãe, que estava encostada na parede imunda. A nobre tinha a Bíblia estendida à sua frente e a empurrava na cara de Lockhert.

– Lembre-se da palavra de Deus, Lockhert – declarou Fru Rhodius com veemência. – E das leis deste reino.

– O governador depositou a confiança dele em você para extrair uma confissão da bruxa, mas você não teve sucesso. Agora é hora de outros métodos – rosnou Lockhert.

Ingeborg viu algo brilhando na mão de Lockhert, o que fez seu coração bater lento, lento, lento de terror e pavor.

– É contra a lei torturar uma mulher acusada de bruxaria no reino da Dinamarca! Ela deve confessar livremente – disse Fru Rhodius.

Lockhert agitou seu instrumento de tortura na frente de Fru Rhodius.

– Pare de se intrometer, senão eu precisarei usar meus anjinhos em você – ameaçou Lockhert, enquanto Fru Rhodius se encolhia ao ver sangue enferrujado no metal. – Temos nossas próprias leis aqui em Vardø.

Ingeborg observou com atenção. A imagem das mãos quebradas de Elli veio à tona em sua mente.

Fru Rhodius respirou fundo.

– Foi o governador que me pediu para "interferir".

– O que tem sido improdutivo! A bruxa não nos disse nada de valor. Saia do meu caminho, mulher! – gritou Lockhert para Fru Rhodius.

Mas ela não se mexeu. E então falou tão baixinho que Ingeborg mal a ouviu.

– Não pode tocá-la – declarou ela. – A mulher está grávida.

Ingeborg deu um passo para trás, chocada, esbarrando em Maren, que estava atrás dela.

– Como sabe disso? – perguntou Lockhert, mal-humorado.

– Apenas olhe para ela!

Enquanto isso, a mãe de Ingeborg choramingava perto da parede, coberta com as peles de rena, mas Fru Rhodius se virou e gentilmente as removeu de seus ombros.

Ingeborg ofegou. Lá estava, fácil de ver. O corpete esticava sobre a pequena protuberância.

– Quaisquer que sejam suas leis aqui no Norte, elas não podem permitir atormentar uma mulher grávida.

Lockhert parecia furioso.

– E ela também não pode ser condenada à fogueira em tal estado – continuou Fru Rhodius, contornando o beleguim.

– Mas a bruxa é uma viúva! – Lockhert se enfureceu. – Ela deve ter fodido com o Diabo...

– Não! Não é verdade! – A voz de Ingeborg explodiu dentro dela. – Não pode ser. Diga a eles, mãe.

Mas a mãe de Ingeborg estava deslizando pela parede em desespero, com o rosto molhado de lágrimas.

Lockhert se virou, olhando para Ingeborg e Maren, como se tivesse esquecido que elas tinham sido mandadas para esvaziar o balde de dejetos.

– Bem, se a mãe não pode ser interrogada, então vou questionar a filha – declarou ele, sacudindo o punho com os anjinhos na direção dela.

– De jeito nenhum, beleguim! – declarou Fru Rhodius com um tom tão imperioso que Lockhert baixou os punhos. – Elas são jovens demais, como bem sabe.

– Elas parecem mulheres para mim.

Fru Rhodius se aproximou de Ingeborg e Maren. Olhou para Ingeborg e depois pousou os olhos no rosto de Maren.

– Quantos anos vocês *têm*, meninas? – perguntou Fru Rhodius, e o beleguim as encarava atrás dela.

– Dezesseis verões – disse Ingeborg, olhando além de Fru Rhodius para a forma armafanhada da mãe.

– E você? – Ela se virou para Maren, e Ingeborg pôde vê-la olhando para a pele da garota e seus cabelos pretos, desgrenhados e rebeldes.

– O mesmo. Sou alta para a minha idade – Ingeborg pôde ouvir a ironia no tom de Maren. – Puxei de meu pai.

– E quem seria ele? – perguntou Fru Rhodius, baixinho.

– Pode muito bem perguntar – falou Maren, sorrindo como um gato prestes a atacar. – Embora alguns digam que ele era um pirata berbere e o Senhor Tenebroso dos mares orientais.

O que ela estava *fazendo*?

Lockhert deu um passo em direção a Maren e olhou para ela.

– Negra por dentro e por fora – comentou ele, antes de escarrar uma grande bola de saliva aos pés dela.

Estavam todos tão próximos um do outro que Ingeborg prendeu a respiração, grudada ao lado de Maren, mas toda a sua atenção se voltava para a mãe. Grávida do filho de Heinrich Brasche. Era um grande desastre? Fru Rhodius tinha razão. Isso poderia salvar a vida dela. Ingeborg, porém, sentiu a raiva crescer dentro de si. A mãe dera tudo a Heinrich Brasche e, ao fazê-lo, negligenciara ela e Kirsten.

Lockhert saiu pisando duro da cova das bruxas, deixando Fru Rhodius e o lampião.

Ingeborg foi até a mãe, agarrando-a pelos braços.

– Mãe, mãe, por que não me contou? – Ela não pôde evitar a indignação em sua voz.

– Eu tinha esperança – sussurrou a mãe. – Eu tinha esperança que Heinrich viesse...

– Ninguém vai acreditar em você – afirmou Fru Rhodius, parecendo triste. – Vão dizer que seu filho é do Diabo. Isso contará como prova contra você, Zigri Sigvaldsdatter.

– Mas não é verdade! – declarou Ingeborg com veemência, embora a mãe permanecesse em silêncio.

– Aqui, trouxe-lhes um pouco de *flatbrød* e arenques salgados de minhas rações – Fru Rhodius tirou de sua capa alguns pães e um pequeno pote de arenques. – Algumas amêndoas caramelizadas também – Ela tirou um punhado de amêndoas do bolso e as ofereceu a Maren com cautela, como se estivesse alimentando um animal selvagem.

Maren as arrancou da mão dela.

– Experimente, Ingeborg – ofereceu ela, mastigando as amêndoas.

Enquanto comiam as provisões, as amêndoas caramelizadas com um sabor sem igual, Fru Rhodius circulou pela cela suja.

– Eu vim esta noite para ler algumas orações com vocês – informou ela.

Maren se agachou no chão imundo, lambendo o açúcar de sua última amêndoa antes de atirá-la na boca.

– Não vejo a batina de pregador em você, Fru Rhodius – comentou ela. – Esqueça as orações. Não gostaria de ouvir uma de minhas histórias?

Fru Rhodius hesitou. Ela usava um par de brincos de pérola, que reluziam à luz do lampião como duas gotas de luar. Ingeborg pensou que ela iria repreender Maren e forçar todas a se ajoelharem. Mas, em vez disso, ela soltou um grande suspiro.

– Bem, como quiser, Maren Olufsdatter.

Ingeborg se agachou ao lado de Maren. Por que Fru Rhodius permitiria as histórias de Maren? Dentro da cabeça de Maren viviam trasgos, feiticeiros, bandidos e o próprio Diabo. Mas era um mundo de faz de conta.

A mãe enfim parou de chorar e mastigava com tristeza um arenque.

– Perdoe-me, Ingeborg – sussurrou ela, com a voz embargada, para a filha.

Mas Ingeborg virou o rosto. A mãe havia traído ela e Kirsten, e o que elas haviam sido. Uma família. Ingeborg cerrou os dentes, as lembranças de seu pai ressurgiram.

Elli havia dito que os espíritos dos mortos viviam entre eles em seu próprio mundo especial, onde a comida era abundante e eles nunca sofriam. Ingeborg desejou acreditar, mas por mais que tentasse, era impossível imaginar o pai e Axell entre os *huldrefolk*. Ali, na cova das bruxas, não havia ar, nem luz e nem espaço para outro reino espiritual. Elas estavam presas no espaço esquálido das mulheres condenadas.

Ela piscou para conter as lágrimas de vergonha do que o pai pensaria da mãe. Talvez seu pai não tivesse se afogado. Talvez ele tivesse navegado para um lugar além da dor da esposa e agora não pudesse voltar?

Maren estendeu a mão, segurou a de Ingeborg e lhe deu um aperto reconfortante.

– Esta é uma história que ouvi os sámis contarem – disse ela a Ingeborg, aquecendo-a com um olhar de empatia. Ingeborg ainda podia ouvir os soluços da mãe e o farfalhar das saias de Fru Rhodius conforme a mulher se aproximava para escutar, mas todos esses sons desapareceram quando Maren começou a falar. A história criou uma pequena bolha de conforto ao redor delas, alguns momentos em que poderiam estar em outro lugar.

– Minha história se passa no *vidda* durante a primavera, quando a neve está mais espessa e o céu diurno está cheio de rosas delicados e laranjas brilhantes – começou Maren. – Certa vez, um grupo de bandidos encontrou uma viúva rica, seu rebanho de renas e suas duas filhas. Os bandidos amarraram a viúva, mas deixaram as duas meninas livres para cuidarem do rebanho de renas. Quando foi levada, a mãe colocou um saco de penas na mão da filha mais velha e sussurrou algo para a filha mais nova. A rica viúva era, na verdade, uma feiticeira, e estava passando um feitiço para as filhas.

"Esses homens eram grandes e cruéis. Amarraram a viúva a uma rocha, onde ela tremia a noite toda, e fizeram as meninas sámi ficarem do lado de fora para cuidarem do rebanho de renas enquanto eles permaneciam dentro do *lávvu*, comendo toda a carne de rena e desenterrando todo o leite de rena dos estoques sob a terra para beber. Eles também tinham cerveja, que tomavam até se fartar. Cada vez que um deles saía para mijar, zombava das duas meninas. Os bandidos acharam divertido trançar o cabelo delas e amarrar suas tranças em volta de seus próprios braços para que não pudessem se afastar uma da outra. Mas, na verdade, isso deu às meninas mais força, porque elas puderam se mover como uma só, estando juntas em harmonia."

Maren pegou a longa mecha de cabelo de Ingeborg e começou a alisá-la com as mãos. Ingeborg fechou os olhos enquanto continuava a ouvir a história.

– Quando os bandidos se acomodaram para dormir, as garotas disseram que chamariam se os lobos viessem atrás das renas, pois, desarmadas e fracas como estavam, seriam incapazes de lutar contra as feras sozinhas.

Maren repartiu o cabelo de Ingeborg com as mãos e começou a trançá-lo enquanto falava.

– Uma vez fora com o rebanho de renas, as meninas apelaram para o caribu, que era seu guardião. Com seus grandes chifres, ele cortou as cordas que prendiam a mãe à pedra para que ela pudesse voar livre. A mãe delas se transformou em uma águia e alçou voo na noite escura. Em seguida, as meninas gritaram, fingindo que os lobos tinham vindo, enquanto abriam o saco de penas, entoando as palavras mágicas que a mãe lhes ensinara. Imediatamente as penas se transformaram em flocos de neve e, quando os bandidos saíram correndo do *lávvu*, foram cercados por uma terrível nevasca, incapazes de ver ou ouvir onde estavam as meninas ou as renas.

As mãos hábeis de Maren terminaram de trançar o cabelo de Ingeborg e ela o deixou cair suavemente em suas costas.

– O caribu se curvou para as duas meninas sámi, que subiram em suas costas, juntas, com as tranças as uniu por toda a eternidade. Elas seguiram rumo ao Oeste, enquanto sua mãe águia circulava acima delas. E os bandidos morreram congelados.

Maren bateu palmas de alegria ao terminar a história.

– Quem lhe contou esta história? – perguntou Fru Rhodius, com a expressão afiada, enquanto examinava as duas garotas.

– É uma história bem conhecida entre as pessoas do Norte – respondeu Maren à dinamarquesa.

Mas Ingeborg nunca tinha ouvido a história antes. Ela gostou da ideia de duas irmãs unidas em força, mas não conseguia imaginar ela e Kirsten como uma coisa só, nunca. Onde estava sua irmãzinha agora? Rezou para que estivesse sã e salva, mas havia um verme de dúvida contorcendo-se dentro dela, fazendo-a se sentir mal do estômago. Não deveria ter deixado Kirsten para trás.

CAPÍTULO 27
ANNA

Minha transformação de amante do rei para respeitável esposa de um médico ocorreu em uma semana. Após nosso encontro no jardim real, voltei para a casa de meu pai e me recolhi na cama. Os cheiros do esgoto abaixo da nossa rua flutuavam até minha janela aberta, mas eu não me dei ao trabalho de fechá-la. Minha mãe não tinha ideia de por que eu me recusava a deixar meu casulo de miséria, enquanto meu pai adivinhara tudo e agira depressa. Ele não sentiu necessidade de perguntar-me o que eu queria, porque, em sua opinião, meu comportamento impossibilitara qualquer tipo de escolha. Eu deveria casar, e rápido, para que meu marido não tivesse nenhuma pista sobre a identidade do verdadeiro pai do meu bebê.

Eu ia ter um filho. Eu deveria ter ficado aterrorizada ante o pensamento, envergonhada, pelo menos, mas fiquei grata pelo bebê dentro de mim, pois sempre teria uma pequena parte de você. Foi apenas este pensamento que acalmou a dor no meu coração por seu abandono.

Qualquer transação ocorrida entre meu pai e Ambrosius Rhodius, eu nunca tomei conhecimento. Tudo o que sei é que, em uma semana, Ambrosius e eu nos casamos na igreja de Sankt Petri, a apenas algumas ruas da universidade de meu pai. Meu pai era muito bem relacionado nos círculos acadêmicos, o que provavelmente foi a razão pela qual Ambrosius também recebeu um novo cargo na Latin Skole em Bergen. Deveríamos embarcar para a Noruega em alguns dias e viajar a uma grande distância de Copenhague, até os limites ocidentais de seu reino.

Lembro-me de estar nos degraus da igreja de Sankt Petri, no dia do meu casamento no final de julho de 1638, agora como esposa, olhando para o horizonte de Copenhague. Eu podia ver as torres com telhados verdes do seu palácio Rosenborg e não pude deixar de perguntar-me se você alguma vez olhou pela janela e sentiu saudade. Era mais provável que eu tivesse pertencido a uma curta era de sua vida, pois você passou para outra era com Margrethe Pape e seu futuro filho.

Ao longo dos anos, fiz o melhor que pude para amar meu marido. Havia muito do que gostar em Ambrosius Rhodius, pois ele era apaixonado por seus estudos e tinha muitas ideias bastante incomuns e interessantes. Ele era, e imagino que ainda seja, obcecado pelos ensinamentos de Paracelso, o alquimista. Ambrosius acreditava no valor preditivo dos sonhos e em sua capacidade de profetizar. Atrevo-me a dizer que se eu tivesse proferido tais opiniões, como mulher, seria tachada de herege ou bruxa, mas meu marido, como nobre e médico menos talentoso do que eu, nunca correu nenhum risco. O melhor de tudo é que Ambrosius me permitiu ler e colecionar livros. Fui eu quem o apresentou a diferentes teólogos e ensinamentos de toda a doutrina protestante. Acredito que você talvez desaprovasse alguns dos textos que coletei, mas meu marido e eu sempre fomos leais à nossa fé luterana, prometo.

Minha vida em Bergen foi boa. Meu marido me consultava todos os dias e fiz contribuições valiosas para seu trabalho como médico e acadêmico.

Com seu novo cargo dele, veio uma casa no distrito de Sandviken, em Bergen, com um terreno. Quando propus criarmos um jardim botânico, ele ficou entusiasmado com a ideia e, dessa forma, fiquei encarregada do seu desenho e das plantas que iríamos colocar ali. Este foi o maior presente que meu marido me deu em todos os nossos anos juntos; é verdade, nenhuma joia se igualou à minha alegria com nosso jardim. Como dói meu coração pensar nele agora. Ambrosius conseguiu cuidar dele? Tínhamos dois jardineiros, mas será que ele os orientaria tão bem quanto eu?

E por que ele não me escreve?

Dói muito pensar em meu marido, porque, no fim, ele me traiu.

Em vez disso, deixe-me lembrar as primeiras semanas de minha nova vida como uma jovem esposa em Bergen, no outono de 1638. Eu era senhora de minha própria casa e, embora tivesse 23 anos, assumi o papel com facilidade. Empreguei três boas mulheres como minhas criadas. Sidsel tinha o dom da arte de cuidar da casa e, com Kjersti, cozinhava para nós, limpava as janelas, encerava o chão e organizava a visita semanal à lavanderia. Minha terceira criada, Hege, era uma costureira muito talentosa, uma habilidade com a qual minha mãe sempre se irritou por eu não ter. Tínhamos um grande tear no andar superior da casa, e era ali que Hege passava a maior parte de seus dias, fiando lã ou remendando, costurando e tricotando. Ela tinha um talento até para bordados finos.

Minhas três serviçais me davam tempo para aprender sobre minhas plantas. Eu já havia estudado muito com meu pai e lido tratados médicos de doutores eruditos, como os Bartholins. Em Bergen, conversei com as feirantes sobre o uso de ervas e plantas, além de consultar o boticário, e assim comecei a aprender sobre cada planta e suas propriedades de acordo com o Zodíaco. Isso deixou Ambrosius imensamente interessado, pois ele era um grande crente e seguidor dos movimentos planetários. Li tudo o que pude encontrar sobre botânica e, ao fazê-lo, me vi questionando alguns dos ensinamentos médicos que meu pai havia me transmitido.

Do meu ponto de vista, sempre senti que a sangria enfraquecia os pacientes e, quando vi como Sidsel usava ervas em nossa comida, entendi que o uso dessas ervas e plantas nutria os pacientes, em vez de prejudicá-los. Decerto era assim que o equilíbrio poderia ser recuperado. Mas quem era eu para contradizer os ensinamentos de tantos grandes homens? Mesmo assim, deixei meus livros de lado por um tempo e me sentei à cozinha para questionar Sidsel sobre seus conhecimentos sobre ervas. Ora, foi enciclopédico, e lhe perguntei como aprendera tanto sendo alguém que não sabia ler nem escrever.

– De minha mãe, senhora – informou ela. – E a mãe dela antes dela.

A linhagem matriarcal de cura foi uma revelação para mim e me deu confiança: não apenas homens eruditos como meu pai eram capazes de curar. Apeguei-me às palavras de Sidsel, fazendo anotações copiosas e experimentando remédios.

Ah, meu rei, tenho divagado e permitido que lembranças mais felizes do passado me preencham com imagens de ervas e plantas e dos anos que passei estudando e cultivando o mais magnífico jardim botânico de toda a Noruega.

Eu não o abandonei em meus primeiros meses em Bergen; como poderia, com a crescente consciência de seu filho dentro de mim? O que me ocorre agora é uma cena feliz de Hege bordando meu corpete vermelho com linha verde e eu girando em um círculo lento e cuidadoso para ela, com minhas mãos na minha cintura crescente e a ansiedade borbulhando dentro de mim.

Acredito que agora a confusão deve tê-lo dominado – *o que aconteceu com esse bebê?* Sim, de fato, pois você me conhece como uma mulher sem filhos, então onde está sua descendência?

Eu ainda não havia compartilhado com Ambrosius a notícia de que estava grávida. Estivera ocupada todas as noites no quarto para garantir que não houvesse dúvidas na mente dele, e quando a criança chegasse cedo, eu diria que estava ansiosa para fazer sua entrada no mundo e distrairia meu marido com o que os planetas teriam previsto.

Mas minhas mentiras nunca foram necessárias.

Era setembro. O ar frio e a luz nebulosa entravam por nossa janela de treliça aberta, e acordei com o rosto frio, tremendo sob as cobertas, sabendo quase de imediato que nem tudo estava bem. Ambrosius já havia se levantado e partido para a Latin Skole, o que fora uma graça salvadora.

Cólicas estavam atacando-me, profundas e urgentes. Respirando fundo, abaixei as mãos. Quando as levantei em direção ao meu rosto, as pontas dos dedos estavam manchada com meu sangue.

Como me senti naquele momento?

Um enorme conflito de emoções, pois não queria desistir da criança, porém isso não tornaria minha vida muito mais simples? Eu era jovem e haveria muitos anos para ter filhos com meu marido. Mas foi este pensamento que me levou às lágrimas, pois agora eu tinha um marido, e tudo foi em vão. Gentil como ele era, eu não amava Ambrosius.

Apenas minhas mulheres sabiam a verdade sobre minha menstruação no terceiro mês de meu casamento. Foram elas que viram o quão intenso foi o sangramento e o que meu corpo expurgou de mim. Sidsel me preparou um chá de raiz de confrei, adoçado com mel, enquanto Hege me aconchegou na cama.

Ambrosius permaneceu indiferente, sem desejar saber sobre a menstruação da esposa.

E assim aconteceu, entre o toque de dez e onze sinos, eu já não carregava seu filho. Enquanto o sangue jorrava de entre minhas pernas, enquanto as lágrimas pingavam de meu queixo, enquanto minha barriga doía em agonia, e a vida que criamos dentro de mim perecia, minha esperança por nós também morria.

Acreditei que nunca mais sentiria seu toque.

CAPÍTULO 28

INGEBORG

Quando os outros chegaram, a fortaleza estava nas profundezas do *mørketiden*, o tempo sombrio. O sol havia desaparecido e não retornaria por semanas. Ingeborg havia sido enviada até o poço sozinha. Quantos dias tinha ficado confinada no escuro? Não fazia ideia, mas durante o tempo de seu cativeiro, tanta neve caiu sobre a cova das bruxas que os soldados tiveram de cavar a porta para ela.

Ingeborg passou por um túnel de neve; a luz, de um verde aguado, por um momento fez sentir-me como se estivesse debaixo d'água. Fora do túnel, ela estava no alto de bancos brancos empilhados ao redor da fortaleza, até o telhado da velha casa onde Fru Anna morava.

A neve caiu reta, e depois de lado, provocando a pele de Ingeborg com minúsculos flocos de gelo, entrelaçando-se em seus cílios e cobrindo suas peles de rena de branco. Como ela queria atirar-se à bondade de seu esquecimento e desaparecer.

O céu sempre escuro. Ingeborg só sabia que era noite pelo toque do sino da igreja e pela luz da Estrela do Norte acima. Ela foi até o poço, afundada até as coxas na neve, e pegou a vara de madeira para romper a camada de gelo.

Enquanto enchia seu balde com a água gelada, os portões da fortaleza se abriram com um barulho alto. Um trenó entrou, atravessando as pilhas de neve, seguido por mais dois. Ao som dos sinos das renas, os soldados da fortaleza saíram de sua cabana de turfa em uma reunião desconjuntada.

O primeiro trenó era conduzido pela figura corpulenta de Lockhert. Atrás dele, havia uma figuraescondida em um amontoado de peles e correntes. Lockhert ordenou aos soldados que a puxassem para fora do trenó, assim como a outra figura que estava no segundo veículo.

O governador Orning desceu do terceiro trenó, junto de uma moça pequena e pálida, que Ingeborg imaginou ser a esposa dele. Ele parecia um urso, coberto de tantas peles, enquanto ela, um ratinho.

Havia duas outras figuras atrás deles e, quando a neve parou por um momento e Ingeborg se aproximou um pouco mais, ficou surpresa ao ver a figura corpulenta do reverendo Jacobsen e, ao lado dele, Kirsten. Ela congelou, deixando cair o balde, com o coração na garganta.

Sua irmãzinha estava espremida ao lado do reverendo gordo, e o rosto contraído de frio e medo. Cada parte de Ingeborg ansiava por chamar a irmã, mas se o fizesse, o governador a veria e a espancaria por nenhum outro motivo além de ela ter falado. Tinha de esperar. Esperar e ver o que aconteceria.

Enquanto as figuras enroladas eram arrastadas para fora dos trenós, Lockhert ergueu um lampião para lançar luz sobre as duas acorrentadas: Solve, pálida e cega pela lanterna, e a viúva Krog, de pé, o mais ereta que podia ficar sem sua bengala.

A respiração de Ingeborg acelerou, saindo de sua boca em baforadas curtas e apavoradas. Nem Solve, nem a viúva Krog a tinham visto.

Lockhert atravessou o pátio para bater à porta da cabana. Fru Rhodius saiu como se estivesse esperando por aquilo, pela batida. Ela estava enrolada em uma capa forrada de pele, com as mãos enfiadas entre as pernas. Aproximou-se do governador, atravessando a neve espessa, enquanto ele puxava a ponta de sua barba grisalha, com um sorriso cruel no rosto, e a esposa entrava apressada no castelo.

Ingeborg chegou ainda mais perto, com os olhos ainda fixos na irmã. Kirsten estava agarrada às laterais do trenó, olhando ao redor, mas sem ver a própria irmã. Ingeborg se esforçou para ouvir o que estava sendo dito.

– Fru Rhodius, acompanhe estas novas prisioneiras até a cova das bruxas e inculque nelas a necessidade de se confessarem – dizia o governador à dinamarquesa.

– Sim, excelência – Ela acenou com a cabeça, em conformidade.

– Lembre-se do que está em jogo se falhar comigo – completou ele, em voz baixa.

Ingeborg percebeu o efeito das palavras em Anna Rhodius quando ela se enrijeceu: uma mistura de medo e do que Ingeborg pensou que poderia ser desagrado.

O governador se virou para o reverendo Jacobsen, que estava bufando e batendo os pés ao lado dele.

– Reverendo Jacobsen, ajude Fru Rhodius e cuide das malditas almas destas mulheres.

– E a menina? – perguntou Jacobsen.

– Vou colocá-la na cova das bruxas com as outras – respondeu Lockhert.

Ingeborg sentiu o coração disparar. Ela queria tanto abraçar Kirsten. Estariam todas juntas, mas, ao mesmo tempo, não queria que a irmã mais nova vivesse o horror da fétida e escura cova das bruxas, com ratos correndo de um lado para o outro dia e noite. Ela ficaria tão assustada.

– Com certeza não é um lugar adequado para uma menina tão jovem – discordou Fru Rhodius.

O governador a considerou por um momento.

– Ela pode muito bem ser intimidada pela mãe bruxa a não nos contar a verdade. Pode levar a garota para sua casa-prisão, Fru Rhodius.

Anna Rhodius chamou Helwig, que apareceu, tremendo, em um xale fino de lã.

– As histórias que esta garota de Iversdatter conta me interessam – disse o governador a Fru Rhodius. – Certifique-se de repassar tudo o que ela disser a mim.

Suas palavras encheram Ingeborg de alerta. O que Kirsten andara dizendo? Ela se lembrou das palavras de Kirsten: *Eu vi a mamãe com o Diabo, Ingeborg. Exatamente como Fru Brasche disse.*

O pavor se espalhou pelo seu peito. Precisava alertá-la.

– Kirsten! – Correu pela neve, escorregando e deslizando, estendendo a mão. – Kirsten, segure sua língua, irmã!

Ingeborg foi puxada por trás e jogada no chão por um dos soldados.

Kirsten a viu agora.

– Inge! Inge! Eles me disseram que a mamãe é uma bruxa!

– Não, ela não é...

A mão áspera de Lockhert tapou sua boca e ela foi arrastada para longe, enquanto Helwig pegou Kirsten pela mão e a puxou em direção ao casebre de Anna Rhodius.

– Ingeborg! – A voz da irmã estava estridente de medo. – Eles mataram Zacharias! Disseram que ela era minha familiar. Mas ela me amava!

Ingeborg lutou para livrar-se de Lockhert, mas ele a atirou de joelhos.

– Pegue seu balde, cria de bruxa, encha-o e volte para a cova, atrás destas outras bruxas.

Estas palavras pareceram uma marca. *Cria de bruxa.* Sua mãe não era uma bruxa e nem ela. Mas era inútil enfrentar o bruto. Ela avistou os olhos vidrados e chocados de Solve e o rosto abatido da viúva Krog observando-a.

Pegando seu balde vazio, Ingeborg o encheu com as mãos trêmulas. Lágrimas faziam seus olhos arderem, enquanto observava Helwig levar sua irmãzinha para o casebre de Fru Rhodius. Um soldado permaneceu vigiando a jovem, enquanto o outro, com Lockhert, empurrou Solve e a manca viúva Krog pelo arco de neve até a minúscula cova das bruxas. Atrás deles seguiu o robusto reverendo Jacobsen, e Fru Rhodius entrou por último, com uma postura altiva.

Agora haveria cinco delas, da aldeia de Ekkerøy, amontoadas na pequena cela. A respiração de Ingeborg voltou a ficar curta e tensa de pânico. Tinha visto a ânsia nos olhos do governador quando ele ordenou que Fru Rhodius obtivesse suas confissões.

Mas ela era Ingeborg Iversdatter, a filha engenhosa, e sempre encontrava um jeito. O pai costumava dizer isso quando ela consertava as velhas redes de pesca para mais um ano, coletava grandes pilhas de algas marinhas para alimentá-los, ou encontrava o melhor pedaço de pântano com a turfa mais seca. Ingeborg sempre seguia em frente e descobria o melhor que podia ser encontrado quando faltava ao pai, à mãe ou ao irmão e à irmã. Ingeborg nunca desistia, nunca. Não como seu pai.

Mas agora ela estava perdida. Elas estavam em um poço profundo, e não tinha ideia de como escapariam.

CAPÍTULO 29

ANNA

O governador e o beleguim Lockhert voltaram com duas bruxas capturadas da península de Varanger, junto de um pastor da aldeia, o reverendo Jacobsen. Não obtive sucesso em extrair uma confissão de Zigri Sigvaldsdatter, e o governador Orning não gostou de saber disso, nem do fato de ela estar grávida, pois sua condição a protegia de qualquer tratamento severo, bem como da fogueira.

– Ela declara que o filho é de Heinrich Brasche, mas o pai dele o enviou a Bergen – informei ao governador, na primeira noite de seu retorno. – Podemos esperar que ele volte e confirme a verdade dessa informação?

Fui enviada à casa do governador quando estávamos prestes a tomar nosso caldo, deixando Helwig para alimentar a criança Kirsten Iversdatter. Escorregando e deslizando pelo pátio gelado em meus tamancos, meu estômago se revirava de fome e pavor. Eu não queria encarar o descontentamento do governador.

*

Meu interrogatório inicial das bruxas de Varanger não foi bom. Não consegui obter nenhuma informação útil, muito menos uma confissão de qualquer uma delas. A velha encurvada, de cabelos grisalhos e com uma verruga no queixo, tinha a aparência exata de uma bruxa. Eu vivia com pavor de cabelos grisalhos e todas as noites inspeciono meu cabelo preto como azeviche em busca de fios ofensivos, arrancando-os. A velha bruxa, chamada viúva Krog, recusou-se a dirigir-me uma palavra.

A outra, Solve Nilsdatter, era prima de Zigri Sigvaldsdatter, bem como tia da garota escura, Maren.

Assim que Solve Nilsdatter pôs os olhos na prima e na sobrinha, começou a falar com dureza contra elas por denunciá-la.

– Não confessei nada – declarou Zigri a Solve, em prantos.

Mas quando Solve viu a barriga protuberante da prima, começou outra onda de maldições.

– Veja o que você fez, Zigri! – exclamou ela. – Eu avisei, e agora estamos todas presas. Você fez isso com suas próprias filhas.

– Kirsten também? – perguntou Zigri, estreitando os olhos.

A filha mais velha de Zigri, Ingeborg, apareceu atrás de mim, carregando seu balde de água.

– Ela vai ficar com Fru Rhodius em seu casebre – informou ela, colocando o balde no chão.

– Ela será cuidada como se fosse minha – declarei.

Houve um silêncio estarrecedor, enquanto a mãe absorvia a informação de que sua filhinha também estava dentro dos limites das muralhas da fortaleza. Mas sua reação não foi a que eu esperava.

– A maldita coisinha com certeza vai enchê-la de mentiras! – gritou Zigri, com a voz estridente.

Suas palavras endureceram meu coração contra a mulher, pois que tipo de mãe diz tais coisas sobre a própria filha?

– Isto é tudo culpa sua – Zigri se voltou para Maren. – Enchendo a cabeça boba de Kirsten com seus delírios e contos sobre trasgos.

– Não são delírios... – respondeu Maren, mas, nesse momento, o reverendo Jacobsen interveio e disse às mulheres para ficarem em silêncio.

– De joelhos – mandou ele, com a voz severa. – Devemos rezar ao Bom Deus para orientá-las a falar a verdade a Fru Rhodius.

O reverendo me lançou um olhar frio e hostil ao dizer isso, pois claramente desaprovava meu envolvimento, mas eu o avaliei pelas poucas palavras que já havíamos trocado. Ele tinha um intelecto limitado. Era um daqueles obstinados servos de Deus que não têm meios para inspirar seus irmãos. Pois não foi responsabilidade sua que algumas ovelhas de seu rebanho tenham se perdido?

Depois das orações, as mulheres ficaram ainda menos inclinadas a falarem comigo, pois o reverendo Jacobsen as havia enchido com a ideia de condenação iminente. Elas estavam exaustas de sua longa e brutal jornada nos trenós pela península de Varanger. Eu não tinha coragem de pressioná-las.

*

Agora eu estava no grande aposento do governador, observando-o consumir uma travessa de carne de foca assada, com os lábios besuntados de óleo e a barba gordurosa. O cheiro da carne pairava sobre mim e me dava água na boca, mas não fui convidada para acompanhá-lo no jantar, nem mesmo para sentar-me e descansar ao lado do fogo. É claro que a gratidão do governador por eu ter salvado a vida de sua esposa havia se esgotado.

Enquanto eu falava, todos os olhos estavam sobre mim: a expressão pálida do governador, o olhar cruel de Lockhert, os olhos frios do reverendo Jacobsen e os olhos oscilantes da nervosa esposa do governador.

– Isso está totalmente fora de questão – O governador arrotou ao responder à minha sugestão de que esperássemos o retorno de Heinrich Brasche de Bergen. – Fru Brasche está certa de que viu a acusada com o Diabo e enviou um testemunho por escrito, bem como o relato do mercador Brasche sobre o naufrágio de seu navio. Além disso – O governador fez uma pausa para servir-se de uma codorna assada –, teremos o testemunho da criança, Kirsten Iversdatter – declarou, enquanto mastigava pequenos ossos de pássaro entre os dentes. – Ela me contou que viu a mãe com o Diabo, como Fru Brasche disse. É sua tarefa garantir que ela não mude a história.

O governador me encarou.

– A condenação da mãe terá de esperar o nascimento do...

O governador acenou com a mão.

– Cria do demônio – bradou Lockhert, com um olhar de puro ódio em seu rosto.

Eu podia ouvir a respiração pesada do beleguim, seu arfar ofegante como um cachorro raivoso preso por uma coleira, esperando para ser solto.

– Precisamos de confissões das outras duas mulheres, Solve Nilsdatter e a viúva Krog.

– Por que elas foram acusadas de bruxaria, governador? – arrisquei perguntar.

– Solve Nilsdatter bebe cerveja demais para uma mulher – explicou o reverendo Jacobsen. – Não só isso, mas ela dá bebida a outras mulheres, até mesmo meninas, e as encoraja a dançar.

Ele fez uma pausa de efeito, mas eu me recusei a mostrar qualquer reação.

– E? – perguntei, com uma voz fria.

O reverendo parecia um pouco animado.

– Ela foi vista subindo a montanha sozinha para encontrar o Diabo.

– Acredito que ela seja uma das bruxas que se juntou ao diabólico coven com Zigri Sigvaldsdatter para afundar o navio do mercador Brasche – interveio o governador.

– E quanto à mulher mais velha? – perguntei.

– A viúva Krog encorajou a dança na véspera do solstício de verão e recebeu da sámi Elli o ofício da bruxaria – declarou o reverendo Jacobsen. – Fru Brasche viu a viúva receber um peixe da bruxa sámi que deixou doente. Esta é a evidência de que a bruxa foi infectada com bruxaria.

– Estou convencido de que a sámi Elli e a viúva Krog foram as outras duas bruxas envolvidas na magia climática e na destruição da carga do mercador Brasche e de todas as almas a bordo – concluiu o governador Orning.

– Preciso encontrar a sámi Elli de novo – Lockhert cerrou as sobrancelhas. – Ela está por trás de todos os atos perversos na península de Varanger.

– Então, como vê, Fru Rhodius, temos nossos crimes, mas preciso de confissões e nomes de outras bruxas da península – declarou o governador, servindo-se de outra codorna. – Lembre essas duas mulheres das consequências, caso não o façam.

Fez uma pausa para cuspir alguns dos ossos do pássaro.

– Elas serão enviadas para Lockhert e ele deseja familiarizá-las com todos os nossos métodos de interrogatório.

– Ah, Christopher, não!

Ela estivera tão quieta que quase esqueci que Fru Orning também estava jantando, mas agora a jovem olhava para os homens com os olhos arregalados de horror. As cicatrizes de varíola em seu rosto pálido estavam inchadas e vermelhas.

O governador Orning pôs sua mão sobre a da esposa.

– São bruxas malignas, Elisa. Lembre-se, elas amaldiçoaram nosso filho.

Os olhos de Elisa se encheram de lágrimas, mas ela não disse mais nada, apenas afastou sua mão da do marido e inclinou a cabeça para o prato de comida intocado.

Eu também fiquei horrorizada com a sugestão de tortura, porém minha situação era precária e senti que precisava ter cuidado ao expressar meus protestos.

– E as duas garotas, Ingeborg e Maren? – perguntei. – Elas não deveriam ser separadas das mulheres mais velhas? Não há espaço para todas permanecerem na cova das bruxas.

Pensei naqueles cinco corpos enfiados dentro dos confins úmidos da cova das bruxas, onde mal havia espaço para uma alma, muito menos para as cinco. Eu queria afastar as meninas dos casos sem esperança de Zigri, Solve e da viúva Krog e trazê-las de volta ao nosso Bom Deus.

– A sobrinha, Maren Olufsdatter, com certeza é uma garota perdida – declarou o governador. – Vamos seguir o método escocês de Lockhert de acordar as bruxas por seis dias. Se nenhuma confessar, as duas garotas vão ficar com você, Fru Rhodius, e com a mais nova, então Lockhert poderá trabalhar com outras maneiras de fazer as mulheres mais velhas se confessarem.

Ele limpou o rosto engordurado com o guardanapo e sorriu para mim.

– O julgamento será antes do fim do inverno, e espero que você descubra a verdade dessas garotas sobre toda a bruxaria na península de Varanger.

– Sim, governador.

Fiz uma reverência, mas meu coração ficou apertado. As três meninas, Maren, Ingeborg e Kirsten, estavam em perigo mortal. Cabia a mim salvá-las antes do julgamento.

CAPÍTULO 30

INGEBORG

Fru Rhodius alisou sua saia de seda azul, ergueu os olhos e falou com elas.

– Estou aqui sob as ordens diretas do ilustre governador Orning e, portanto, sob comando real. Encorajo vocês a confessarem tudo para mim – Ela fez uma pausa, lambeu os lábios finos. – Vocês, mulheres de Varanger, estão nesta cela por um motivo, sabem muito bem disso. Não adianta tentarem esconder sua culpa por mais tempo, pois ela será exposta.

A viúva Krog ergueu o queixo em desafio. Olhando nos olhos de Anna Rhodius, ela falou:

– Que vergonha, Fru Rhodius, condenar outras mulheres com tanta facilidade.

– Pense em sua danação eterna – respondeu Anna Rhodius, com o rosto corado. – Se não se confessar, sua alma será condenada ao Inferno.

– Pior que os homens são as mulheres que caçam umas às outras – A voz da viúva Krog estava rouca de fúria.

Fru Rhodius deu as costas à viúva Krog e voltou sua atenção para a trêmula Solve.

– Você foi seduzida pelo Diabo e suas promessas vazias de uma vida melhor – disse para ela.

Solve ergueu os olhos para ela, suplicante.

– Por favor, meus meninos estão sozinhos – implorou ela. – Eu não fiz nada de errado. Eu imploro…

Ingeborg observou Fru Rhodius enquanto ela ignorava as palavras de Solve.

– Você foi tentada pela ganância, em vez de se submeter à vontade de Deus e aceitar esta vida terrena e suas dificuldades – pregou ela. – Agora deve enfrentar as consequências de abandonar o Bom Deus.

– Não fiz promessas ao Diabo – declarou Solve. – Não sou uma bruxa.

À luz da lanterna, Ingeborg pôde ver gotículas de suor na testa de Fru Rhodius. Apesar de sua respiração formar plumas de vapor na cela gelada, suas bochechas estavam vermelhas de calor. *Ela não quer fazer isso*, pensou a jovem. Apesar de sua pregação, ela suspeitava que a dinamarquesa era contra forçá-las a confessar-se.

– Ouçam-me – sussurrou Fru Rhodius. – Eles não vão deixar vocês irem para casa.

– Mas você prometeu que esperaríamos o retorno de Heinrich – retrucou a mãe de Ingeborg.

– Não cabe a mim fazer promessas – esquivou-se Fru Rhodius. – Vamos rezar para que ele volte antes do julgamento.

Ingeborg sentiu um nó na garganta ao ouvir a palavra *julgamento*.

Solve gritou de horror.

– Não, não, não posso ser julgada! Não tive nenhum relacionamento com o Diabo.

Fru Rhodius balançou a cabeça. Seus brincos, como pingos de lua, refletiram a luz da lanterna.

– Há outras bruxas lá fora. Elas devem ser capturadas – afirmou, seca.

– Quem? – perguntou Solve, descontrolada, enquanto Ingeborg notou Maren encarando fixamente a mulher dinamarquesa, ouvindo e parada, como um gato prestes a atacar.

– Sámi Elli – declarou Fru Rhodius. – Alguma de vocês sabe onde ela está?

As mulheres negaram com a cabeça.

– Se não me disserem nada, serão enviadas ao beleguim Lockhert – Fru Rhodius molhou os lábios mais uma vez, agora nervosa. – E ele tem outros métodos de interrogatório, métodos terríveis e dolorosos, como tortura. Desejo poupá-las de todo esse sofrimento.

O corpo de Ingeborg enrijeceu. Havia coisas piores, muito piores, do que os parafusos de dedo que Lockhert chamava de anjinhos.

Solve estremeceu, com um olhar aterrorizado no rosto, e a mãe parecia atordoada, mas a viúva Krog balançou a cabeça. Sua grossa coroa de cabelos brancos era como uma crista de penas de coruja enquanto ela falava muito devagar, mas com clareza.

– Não vou mentir sobre mim ou qualquer outra mulher – declarou ela. – Não somos bruxas.

*

Depois que Fru Rhodius saiu, um soldado foi colocado com elas e não as deixou dormir. Sete lampiões foram pendurados em ganchos nas paredes de seu barraco e mantidos acesos dia e noite. Se uma delas adormecia, o soldado a agredia com um pedaço de pau. O tapa da madeira dura contra a pele doía bastante, mas o choque no coração das mulheres exaustas, a ciência de que ainda estavam presas juntas na cova das bruxas, era pior.

Com o passar dos dias, as acusações da mãe sobre Kirsten aumentaram.

– Ela é uma criança astuta e rebelde. Veja como escapou para contar todo tipo de histórias ao governador!

– Não é verdade, mãe! Ela também é uma cativa.

Ingeborg defendeu Kirsten, embora se preocupasse com o desejo da irmã de colorir sua vida sombria na aldeia com faz de conta.

Solve, por outro lado, nunca deixou de repreender Maren por sua própria mãe bruxa, lembrando-a como isso lhe trouxe infortúnio desde o dia em que chegou à sua casa. Ou, então, repreendia a prima por ter sido uma vadia; Zigri respondia que pelo menos o marido nunca a havia espancado ou estuprado, o que levava a mais praguejos de Solve.

Foram necessárias palavras severas da viúva Krog para silenciar as duas primas.

– Estamos nesta cela não por culpa de qualquer menina ou mulher – advertiu ela.

– Mas onde estão as bruxas de Varanger? – perguntou Ingeborg à viúva Krog, em voz baixa.

A viúva Krog pôs a mão fria na de Ingeborg.

– Não há bruxas em nossa aldeia, Ingeborg, mas o Diabo existe. Olhe nos olhos de nossos acusadores e ali você o verá.

Apesar de suas palavras, Ingeborg se perguntou se a viúva Krog era a verdadeira bruxa entre elas, pois demonstrava pouco medo. Maren e ela se aconchegavam, trocando histórias. *Elas* eram as duas bruxas entre elas então? A cabeça de Ingeborg latejava de preocupação e medo, enquanto seu estômago se apertava de fome e seu corpo doía de frio.

Tudo o que queria era voltar no tempo, quando Axell estava ao seu lado. A perda dele se abateu sobre ela como a mais selvagem das tempestades, atravessando-a, fazendo-a se encolher de dor.

Quando ergueu a cabeça novamente, os lampiões ainda lançavam sombras nas paredes da cova das bruxas. Ingeborg podia ver o Diabo em suas formas. Um chapéu de copa alta na cabeça, chifres saindo dele, garras no lugar das mãos e cascos no lugar dos pés. Ela se beliscou com tanta fúria que tirou sangue.

*

A única maneira de manterem os olhos abertos e evitarem as surras do soldado era contando histórias umas para as outras. Maren falou de trasgos mal-humorados, mas gentis, e de garotas sámi inteligentes e corajosas, enquanto os contos da viúva Krog vinham da velha religião.

Ao contar histórias, as mulheres pararam de brigar e se uniram.

– São histórias que minha avó me contou – sussurrou a viúva Krog. – E a avó dela antes dela.

Ela coçou o queixo peludo. Sua expressão era pensativa, seus olhos tinham as pálpebras pesadas de nostalgia.

– Todos os meus filhos estão espalhados aos quatro ventos, e fico feliz em dizer que minhas duas filhas estão muito longe de Varanger – Ela suspirou. – Mas temo que elas não se lembrem dessas histórias tão bem.

– Não vamos esquecê-las – prometeu Maren.

A viúva acenou com a cabela diante da compreensão da moça.

– Antes que o Bom Deus viesse para nossa terra da Noruega e antes que Jesus Cristo nascesse – sussurrou ela, embora o soldado fosse ouvi-la de qualquer forma – ,havia deuses e deusas que dominavam. No centro, estava o enorme freixo, Yggdrasil, a grande árvore da vida. Era tão grandiosa que se estendia até o Céu e todo o caminho até o Inferno. Dentro de seus ramos habitavam deuses e deusas, elfos, e anões, e trasgos. Em sua base havia três raízes retorcidas: uma que passava para Aesir, onde residiam os principais deuses, uma que passava para a terra dos gigantes do gelo e outra que passava para o reino dos mortos.

Zigri descansou a cabeça nos ombros de Ingeborg, e a jovem acariciou seus cabelos como se a mãe fosse sua filha. Era impossível ficar com raiva dela; apesar da coisa vergonhosa que a mãe havia feito, ainda a amava. Ingeborg fechou os olhos. Imaginou a árvore da vida rachando o chão duro e rochoso da cova das bruxas, e seus galhos invadindo entre as vigas baixas, passando também pelo depósito de munição e saindo pelo telhado de turfa.

A viúva Krog não era uma contadora de histórias tão animada quanto Maren, mas Ingeborg achava seus relatos sobre a velha religião sedutoras. Havia bem e mal nelas, mas não havia menção ao Diabo. Na história das três mães da viúva Krog, a jovem encontrou uma maneira de ver seu mundo sob uma luz diferente. Lembrou-se da conversa com Zare sobre os deuses de todos os lugares em sua fé sámi, os deuses que eles reverenciavam, mas também podiam tocar.

E se o governante de todos não fosse o Deus Todo-Poderoso no Céu?

Pensar em tal heresia fazia suas mãos tremerem. Ela apertou a palma das mãos e tentou rezar por misericórdia, mas, em vez disso, viu as três mães em sua mente, Urth, Verthandi e Skuld, tecendo seu destino na base da grande árvore da vida, Yggdrasil.

Levem-me através de Bifrost, a ponte de arco-íris flamejante nas histórias da viúva Krog, levem-me desta terra para Asgard, o reino dos Deuses, seu coração suplicava. Quando apertava os olhos e pensava com muito fervor, às vezes ela via um lampejo da ponte de arco-íris flamejante da velha religião. Esperando por ela, do outro lado, não estava a própria família, nem mesmo os antigos deuses nórdicos, para seu espanto, mas Elli entoando o *yoik* e Zare batendo em um *runebomme*.

Em meio aos gemidos, tosses e soluços das mulheres aprisionadas, Ingeborg se agarrou ao fio do *yoik* e à batida do tambor. Isso levou um pouco de esperança para dentro de si, uma teimosa recusa em acreditar que tudo estava perdido.

CAPÍTULO 31
ANNA

Viajei por 25 anos de casamento, e foi uma guerra tão cheia de dificuldades físicas para mim quanto para qualquer soldado. Minha batalha não foi contra meu marido Ambrosius, pois ele nunca tinha sido violento nem ergueu a mão contra mim uma vez sequer. Não, meu rei, minha luta era com minha própria carne e meu sangue, pois meu corpo não se rendia à minha vontade.

Meu corpo, que sangrava, rasgava e dilacerava, assaltou-me com tais sofrimentos; e, ainda assim, não fui vitoriosa. Tudo o que eu queria era ter um filho, mas foi a vontade de Deus que meu desejo de um menino nos fosse negado para sempre.

De tempos em tempos, eu ouvia sobre o sucesso do filho que sua amante Margrethe Pape gerou para você. Em seu próprio nome, Ulrico Frederico Gyldeløve, você proclamou a todos que ele era o filho ilegítimo do rei da Dinamarca – *Gyldenløve. Ah*, que honra você concedeu à baronesa Pape! Ouvi falar da ascensão de seu filho entre a nobreza de Copenhague e sua habilidade como soldado, pois sua glória na Batalha de Nyborg é lendária. De alguma forma, eu sentia que possuía sua história, pois uma voz dentro da minha cabeça com frequência sussurrava: *Ulrico Frederico Gyldeløve poderia ter sido seu filho, Anna, e você tornada uma baronesa como a mãe dele foi.*

Mas minha vida, embora privilegiada, residia em círculos mais humildes, e estou feliz por isso agora; é verdade, pois minhas experiências entre o povo comum de Bergen me aproximaram da compreensão das injustiças de nosso mundo. Outrora você se interessou pelo bem-estar de seus súditos; entretanto, acredito, meu rei, que há muito esqueceu seus deveres, envolto como está em seu escudo protetor de monarca absoluto, sem se limitar nem se restringir às leis que governam seu povo. Ah, mas por quanto tempo conseguirá afastar aqueles que buscam a verdade e a justiça? Pois todos os dissidentes não podem ser exilados em Vardø.

Eu era a esposa de um médico e caminhava entre pessoas comuns nas ruas de paralelepípedos de Bergen. Ouvi o conhecimento sobre ervas das mulheres locais e colhi com minhas próprias mãos as raízes e sementes encontradas nas colinas arborizadas que cercam a cidade. Eu as trouxe de volta até nosso jardim e as plantei eu mesma.

Em minhas viagens, vi como as pessoas lutavam para sobreviver, vulneráveis a todas as doenças. Mendigos que outrora haviam sido soldados, sentados no cais ou na peixaria, com membros amputados e almas derrotadas. Apesar de suas dificuldades, nenhuma vez ouvi qualquer pescador, comerciante, padeiro ou criada falar de qualquer coisa além de amor e devoção por seu rei. Não, as palavras que ouvi contra você vieram de dentro dos círculos mais elevados, e como fazia meu sangue ferver testemunhar esses aristocratas, com o governador Trolle no comando, aumentando impostos e roubando centenas de *riksdaler* do povo e de *você*, meu rei. Mas você sabe disso, porque muitas vezes lhe escrevi sobre o assunto ao longo dos anos, mesmo que não tenha me respondido nem uma vez sequer.

*

Minha paixão por dar à luz uma criança viva nunca diminuiu, embora depois de perder nosso sexto filho, Ambrosius tenha implorado para que eu parasse.

– Você não vai sobreviver a outra gravidez, Anna – alertou ele.

–Viu isso nos planetas? – desafiei. – Irei morrer no parto?

– Não – Ele fez uma pausa, com a voz embargada. – Mas já enterramos tantos. Todos eles nascem imóveis e roxos. Nenhum deu um sopro de vida.

Uma lágrima escorreu de seu olho, e isso me enfureceu.

Como ele ousava chorar, quando eu persegui corajosamente meu destino na maternidade. Pois não devem todos os homens ter um filho?

– Teremos nosso filho, Ambrosius, mesmo que ele seja dado à luz com meu último suspiro.

Eu disse estas palavras com todo o meu coração, acredite em mim.

O quanto sofri durante todos aqueles anos de bebês natimortos ou breves gestações interrompidas, em uma onda de sangue pesado e cólicas lancinantes, e meu coração se partindo de novo e de novo. Meu pecado com você foi tão grande que nunca me seria permitido ter uma criança viva? Houve momentos, em minha febre de dar à luz, sabendo que era cedo demais, cerrando os dentes em desesperada agonia, em que vi o Senhor das Trevas observando-me. Ele aparecia no canto do meu quarto e olhava com olhos lascivos para a parte mais privada de mim aberta. O bebê morto saía, sem ser batizado, e ele o pegava nos braços e o tomava para si.

Ah, a agonia de todas aquelas almas perdidas!

*

Mas então, ah, então, meu rei, veio a estação mais doce da minha vida.

Em abril de 1646, dois anos antes de você ascender ao trono da Dinamarca, engravidei mais uma vez. O mundo estava em convulsão, pois nobres e reis combatiam uns aos outros por toda a Europa, mas no meu mundo finalmente houve tranquilidade, pois o bebê se agarrava dentro de mim, e na noite em que soubemos da morte de seu irmão, o príncipe herdeiro, dei à luz a uma menina viva. Nós a chamamos de Christina, em homenagem ao seu irmão.

Christina. Se eu fechar os olhos, prender a respiração e pensar muito, consigo sentir o cheiro da minha filhinha e não estou mais na umidade fechada de meu casebre-prisão, mas na minha casa em Bergen, embalando minha nova bebê nos braços. Consigo sentir o cheiro de sua pele na minha, sentir meus dedos enrolando seus finos cabelos ruivos e lembrar-me de meu coração quase explodindo de alegria.

– Temos uma filha! – exultei de alegria.

Ambrosius sorriu para mim.

– Você é magnífica, Anna.

Nunca me senti tão feliz quanto nos braços de meu marido, segurando nossa bebê.

Christina. Ela era uma bebê tão agradável, sempre sorrindo e encantando a todos que a viam. Minhas criadas discutiam sobre quem conhecia a melhor ama-de-leite, mas eu recusei todos os seus conselhos, porque eu mesma a amamentei. Não sofri oito anos de esterilidade para deixar minha bebê mamar do seio de outra mulher. Minha decisão chocou toda a casa, incluindo Ambrosius, mas fui inflexível.

Ainda lembro da sensação de sua sucção, o puxão em meu mamilo e em minha barriga, como se ainda estivesse amarrada à minha filha dentro do ventre. Hege se sentava ao meu lado e tricotava mantas para a bebê, tantas mantas, com os olhos cintilando de alegria por mim. Como minhas mulheres amavam a mim e à minha filhinha! Sidsel assava pãezinhos de canela com açúcar, pois dizia que eu havia emagrecido demais, e Kjersti preparava tônicos para curar meu útero e dar-me forças.

O primeiro ano da vida de Christina foi dentro de um abrigo sob os cuidados dessas três mulheres, e Ambrosius se tornou uma sombra. Ele vinha sentar-se junto a mim e Christina, mas quando chegava a noite, preferia dormir em paz, longe do choro e da alimentação dela.

Aos três anos, Christina era ainda mais adorável; agarrando-se a saias com seus pequenos punhos, enquanto subia e descia nossas escadas. Se não as minhas saias, então as de Hege, Sidsel ou Kjersti. Ela tinha pele clara como leite, olhos azuis de verão e cabelos ruivos encaracolados, pouco parecida com os meus traços. Ambrosius afirmava que ela tinha a aparência da irmã dele com suas sardas salpicadas no nariz. Contei todas aquelas sardas e eram vinte e cinco, como uma bênção de estrelinhas sobre seu rosto. Todas as noites, eu contava à minha filhinha histórias sobre o Menino Jesus enquanto ela adormecia em meus braços e, quando dormia, eu dava graças ao Bom Deus.

Aos oito anos, Christina era rápida como um andorinhão, mas silenciosa como fumaça, subindo e descendo as escadas correndo. Ao contrário dos pais, Christina era uma criança quieta, mas ouvia, absorvendo cada pequeno acontecimento com seus grandes olhos azuis. Ela observava Sidsel e Kjersti na cozinha e aprendeu a fazer nossas tinturas e decocções, pois quando eu pedia que trouxesse qualquer erva ou folha do jardim, sabia o que encontrar e para que serviam.

Eu tinha tanto orgulho de minha linda e inteligente garota, e agora me pergunto se o orgulho foi minha ruína.

Christina estava crescendo e precisava de um vestido novo; além disso, era meu desejo ter um retrato em miniatura de minha garota, com o qual, embora caro, A mbrosius concordou, pois ele adorava Christina tanto quanto eu.

Chovia no dia em que o pacote foi entregue do porto em nossa casa em Bergen. Sidsel desembrulhou o papel molhado e tirou a extensão de brocado do mesmo tom das esmeraldas. Como eu bati palmas de alegria, imaginando que minha ruiva Christina em tal vestido pareceria uma princesa.

Quando Hege viu o material elegante, começou a trabalhar após bater palmas também. Juntas, ela e Sidsel o penduraram para secar em frente ao fogo da cozinha. O vapor subia do material úmido e enchia nossa pequena cozinha com o cheiro almiscarado de terras estrangeiras, pois eu havia encomendado o brocado direto de Amsterdã, e haviam me contado que ele viera da cidade de Argel, no norte da África.

Quando voltei do mercado de peixes com Christina, Hege me disse que era hora de tirar as medidas para seu novo vestido. Tanta emoção, meu rei, quando o tecido seco foi medido no corpo de minha filha; Christina pulava de alegria de um pé para o outro, e Hege a repreendia para que ficasse quieta, caso contrário seria espetada pelos alfinetes.

Estes são os momentos que reviro em minha mente, em meus pensamentos mais sombrios e solitários. Acredito que o que aconteceu a seguir teve a ver com o pacote de Amsterdã que tanto me esforcei para comprar, por amor a Christina.

CAPÍTULO 32
INGEBORG

O beleguim Lockhert balançava o lampião para frente e para trás enquanto a cabeça de Ingeborg girava. Seus olhos estavam secos e irritados, como se estivessem cheios de minúsculos grãos de areia. Sua garganta estava seca, não importava quanta água gelada do balde enfiasse na boca. Por quantos dias foram mantidas acordadas? Mesmo para as mulheres do Norte, acostumadas à luz implacável das noites de verão, a situação estava tornando-se insuportável.

Os olhos de Solve vagavam sem parar, e seu corpo inteiro tremia de exaustão. Nada restava da mãe alegre e dançante de Andersby.

Como se detectasse que ela era a mais fraca de todas, Lockhert lhe dirigiu sua atenção.

– Conte-me a verdade, moça, sobre todos os seus atos hediondos que aterrorizam o povo cristão de Varanger. – Ele continuou balançando a lanterna de um lado para o outro.

– Eu sou inocente – A voz de Solve tremeu. – Por favor, meus meninos. Preciso voltar para os meus meninos.

Lockhert soltou uma risada cruel.

– Primeiro confesse sua parte na magia climática, Solve Nilsdatter – Ele cutucou Solve com o bastão, enquanto a cabeça dela oscilava para a frente. – Vocês todas foram vistas na forma de pássaros pelo mercador Brasche – apontou para a mãe de Ingeborg. – Ela era uma pomba branca e a velha, um cisne branco; sámi Elli, uma gaivota de cabeça preta e você, uma tarambola, Solve Nilsdatter. Vocês quatro lançaram um feitiço sobre o navio do mercador Brasche e fizeram com que ele afundasse, levando todos a bordo junto – Os olhos dele se estreitaram.

A cabeça de Ingeborg estava confusa. Como o mercador Brasche foi capaz de dizer a Lockhert que os pássaros que ele vira eram mulheres, ainda mais bruxas?

Mas o beleguim tinha certeza daquilo, e estava tão zangado e indignado que começou a bater na pobre Solve com seu bastão, enquanto ela alegava sua ignorância.

– *Crá, crá, crá!* – Maren estava de pé, circulando a pequena cela, com os braços estendidos como asas. – Você também gostaria de ser um pássaro, beleguim Lockhert! – declarou Maren, enquanto Ingeborg a encarava com um espanto nebuloso. – Somos livres de verdade somente quando estamos lá no alto, acima de toda a imundície e pecado dos homens. Quando estamos voando alto no céu.

Lockhert deu um passo ameaçador em direção a Maren, mas ela não parou de incitá-lo.

– Nós damos a volta na Lua, tocamos as estrelas, mergulhamos no mar para ver os reinos do submundo – contou para ele. – Sim, a glória da independência é o que minha forma de pássaro é para mim.

– Está me dizendo, garota, que pode se transformar em um pássaro? – disse ele, em voz baixa, e seus olhos escuros.

– Ora, sim – confirmou Maren. – Mas não estas outras.

Ela fez um gesto amplo com a mão.

– Pois não se pode *escolher* mudar de forma. Não, *seu* pássaro escolhe você – Ela parou de girar e levou as mãos ao coração. – Aí está, o brilho de corvo em meus olhos quando olho para o gelo no topo do poço. E do topo da fortaleza, vejo tudo com olhos de corvo – Ela riu. – Coloco minha mão no rosto e há um bico no lugar do meu nariz, com a casca dura e fria ao toque. Levanto minha cabeça para procurar minhas irmãs corvos lá em cima, e eu as chamo. *Crá, crá, crá!*

Ela andou em direção ao beleguim Lockhert, batendo os braços, e foi então que Ingeborg entendeu o que Maren estava fazendo. No rosto do enorme homem havia surgido uma expressão de medo. Não importava o quanto suplicassem, implorassem ou orassem pedindo misericórdia, nada pararia seu tormento, porém Maren ser um pássaro, agitando suas penas, em preparação para amaldiçoá-lo, o fez parar. Ele ficou boquiaberto e encarou a garota como se ela de fato tivesse se transformado em um grande corvo preto.

– O corvo pousa no meu coração e transforma meu corpo em pássaro – declarou Maren a Lockhert –, abre meus braços, meus dedos, e assiste às penas pretas crescerem – continuou. – Sim, dói, beleguim Lockhert. Cada pena rompe minha pele, tensa e ardente, tudo se apertando dentro de mim. Menor, menor eu me torno. Meus sentidos ficam aguçados, minha visão, ampla e eterna, e posso ser livre quando quiser.

Os olhos de Maren cintilavam. Ingeborg sentiu tanto terror por ela! Queria puxá-la para baixo, fazê-la ficar em silêncio. Quanto mais ela falava, mais se condenava. Contudo, Maren parecia não ter medo de quaisquer consequências. Aproximou-se do beleguim estupefato, e talvez ele tenha visto um grande pássaro preto enquanto ela inclinava a cabeça para ele.

– Sou eu, beleguim Lockhert, sentada no parapeito da janela de sua guarita, olhando para dentro para alcançar *você* – declarou ela. – E era eu pousada no mastro do barco que o trouxe à nossa ilha. O Senhor das Trevas me enviou e está atrás de *você* – Maren soltou uma gargalhada selvagem e começou a circular novamente. – *Crá, crá, crá!*

Por fim, o beleguim se recuperou e gritou:

– Basta! – Mas ele não bateu em Maren, nem recomeçou seu interrogatório. Em vez disso, ordenou ao soldado que apagasse os lampiões. – Deixe as bruxas nas trevas às quais elas pertencem.

A escuridão abençoada. As cinco caíram como pedras, incapazes de falar de exaustão. Desabaram uma sobre a outra no feliz esquecimento do sono.

CAPÍTULO 33

ANNA

Lembra-se, meu rei, do ano de 1654, quando a Grande Peste atingiu a Noruega e lançou pânico e terror sobre todas as almas vivas, nobres ou humildes. A "Peste do Diabo" era indiscriminada e brutal, e nenhum de nós estava a salvo de seu apetite voraz pela morte.

Em nossa casa em Bergen, foi Sidsel quem primeiro adoeceu, com uma febre forte e rápida que a fez pedir por neve. Kjersti e eu cuidamos dela o melhor que pudemos. Dei a ela um pouco do nosso melaço de Jenes feito das flores de pulmonária enquanto Kjersti esfriava seu corpo com panos úmidos. Quando Ambrosius voltou da Latin Skole, não precisamos contar a ele o que a afligia. Kjersti e eu nos entreolhamos, horrorizadas, quando vimos a pústula preta crescendo em seu pescoço, depois outra sob sua axila e mais outra. Assei um pouco de raiz de lírio branco, misturei com banha de porco e apliquei nas feridas para drená-las, mas tudo foi em vão.

Pobre Sidsel. Ela gritou por sua mãe, com os olhos arregalados de medo, mas dentro de um dia ela falecera.

– Devemos envolvê-la bem em uma mortalha, pedir que a recolham – instruí Kjersti, enquanto ela permanecia parada, segurando os cotovelos. A expressão em seu rosto era de puro terror. – Em seguida, precisamos fumigar a casa toda com alecrim.

– Mas vão nos confinar? – questionou Kjersti, com a voz trêmula. – Trancar as portas? Estamos condenados?

– Não, não vamos contar a eles. Ambrosius confirmará que ela morreu de febre – afirmei, com o coração batendo rápido, enquanto eu subia as escadas correndo para garantir que tudo estava bem com Christina.

Minha filha estava com Hege, aprendendo a usar o tear. Fiquei observando da porta, maravilhada com como seus dedinhos eram muito mais hábeis do que os meus. Ambas pareciam bem, embora Hege tenha ficado chocada quando contei a ela que Sidsel havia morrido.

– Mas Sidsel estava muito bem esta manhã – disse Hege, fazendo o sinal da cruz.

Não mencionei do que ela havia morrido, embora tenha apanhado o tecido de brocado verde que encomendamos em Amsterdã.

Quando voltei para a cozinha, joguei o material no fogo enquanto Kjersti me olhava, confusa. Eu não sabia como explicar a ela que havia algo nas origens distantes do brocado que me perturbava.

*

Quando Ambrosius voltou à noite, ficou muito alarmado, embora eu não tenha visto surpresa em seu rosto.

– Ouvi dizer que três morreram de peste hoje. Vai se espalhar rápido. Devemos deixar a cidade com Christina imediatamente – declarou ele. – Consegui quartos para nós na fazenda Rosenkrantzes Hatteberg, em uma das ilhas. Estaremos longe da pestilência lá.

– Mas e quanto a Hege e Kjersti?

– Elas devem permanecer em Bergen – afirmou Ambrosius com firmeza. – Não podemos trazê-las conosco, Anna. Há criados na fazenda Hatteberg. Será um risco menor.

– Ambrosius, não podemos abandoná-las, são mulheres sob nossos cuidados!

– A praga vai se espalhar por Bergen como fogo, Anna. Nosso dever é para com Christina, e devemos tirá-la da cidade o mais rápido possível.

Por minha filha, eu estava preparada para trair Hege e Kjersti, duas almas queridas que haviam atravessado comigo meus anos de esterilidade e me deram muito consolo.

O corpo de Sidsel foi levado para ser enterrado, e Ambrosius confirmou que ela havia morrido de febre – nós a envolvemos tão bem que ninguém a examinou em busca de sinais de peste. Enquanto observávamos seu corpo ser colocado na carroça, lembrei-me dos meus bebês perdidos e enfaixados e fiquei com um nó na garganta.

Ambrosius e eu passamos a noite toda arrumando as malas.

Se não tivéssemos nos preocupado com posses, mas sim fugido correndo com as roupas do corpo da cidade pestilenta, nossa história teria sido diferente?

*

Na manhã seguinte, enquanto eu fechava nossos baús e preparava nossas roupas de viagem, Christina apareceu em meu quarto de camisola e pés descalços.

– Venha, minha filha, precisamos nos preparar para partir.

Quando olhei para ela, vi o rubor em suas bochechas e o brilho em seus olhos. Na verdade, meu coração pareceu ter sido espremido por um punho.

O grito em minha garganta foi estrangulado pela necessidade de ficar calma por ela, por minha querida menina.

– Mamãe – sussurrou ela –, minha cabeça dói.

*

Minha mão está tremendo, e verá que este papel está marcado por minhas lágrimas, pois esta carta foi a mais difícil de escrever até agora. *Eu perdi minha filha* – quatro palavras tão amargas e ácidas em minha boca quanto as lembranças que voltam para mim.

A praga varreu nossa Bergen e destruiu aqueles que eu amava. Kjersti, Hege e eu consolamos e cuidamos de nossa garotinha com toda a cura que possuíamos. Colocamos colheradas do melaço de Jenes em sua boquinha de botão de rosa, enquanto rejeitávamos os avisos de Ambrosius, que entrava na câmara com o rosto coberto, dizendo-nos para ficarmos longe, longe, mas nós não ficaríamos. Como eu poderia deixar minha Christina morrer sozinha? Seguramos suas mãos quentes e contamos histórias sobre o doce Menino Jesus. Quando chegou a hora dela, as pústulas escuras estavam monstruosamente inchadas em seu corpinho, apesar dos cataplasmas de banha de lírio branco que eu havia aplicado, mas seus olhos eram os miosótis mais azuis do mundo.

Ela podia ver muito, muito mais longe do que qualquer alma mortal.

– O Menino Jesus está aqui, mamãe – sussurrou, com os lábios rachados. – Ele está comigo.

*

Depois que o corpinho de Christina foi arrancado de meus braços, enfaixado por meu marido em prantos e levado embora, Hege adoeceu. Kjersti fez o possível para aliviar o seu sofrimento, mas a querida Hege não demorou muito tempo depois de minha filha a entrar nas sombras. Eu não sentia pelo mundo. Derramei lágrimas por Hege? Não consigo lembrar direito, embora o que sei é que toco em sua costura todos os dias e faço uma oração por sua doce alma.

Kjersti, sempre a mais prática e estoica das mulheres serviçais, fez mais melaço de Jenes com as flores de pulmonária e de louro de nosso jardim. Ela me instruiu a administrá-lo a Ambrosius e a mim depois que ela partisse. Em seguida, deitou-se na cama e nunca mais se levantou.

Esperei minha vez. Mas eu não adoeci, nem Ambrosius. Nosso lar, outrora cheio de alegria e riso, tornou-se uma casa de morte.

Depois que os corpos de Kjersti e Hege foram levados, Ambrosius insistiu comigo para que fôssemos embora para o campo. Todos os nobres tinham partido, e as pessoas estavam morrendo nas ruas; as autoridades fechavam com tábuas as casas dos infectados e ficaríamos presos. Mas eu não queria ir embora. Eu não tinha vontade de viver, pois tudo o que eu desejava era estar com Christina.

No entanto, era a vontade de Deus, um castigo cruel para que eu suportasse, e Ambrosius também. Após refletir, creio que nosso sofrimento foi o desígnio de Deus para que Ambrosius e eu entendêssemos que devíamos ajudar os que sofrem.

Durante aqueles dias sombrios em nossa casa em Bergen, terminamos o pote de melaço de Jenes que Kjersti nos havia deixado, tomando colheradas e enchendo-nos com sua amargura. Talvez tenha sido isso que tenha salvado nossas vidas; mas por que a nossa, e não a das outras?

Tudo o que sei é que fiz mais melaço com nossas flores de pulmonária e de louro. Enchi todos os recipientes que pude encontrar com ele, e o aroma floral e herbáceo penetrou em minha pele e ossos.

– O que está fazendo, Anna? – perguntou Ambrosius, com seus olhos vermelhos de tristeza por nossa filha. – Por favor.

Ele estendeu a mão para mim.

– Devemos partir imediatamente. Por favor, esposa.

– Não – respondi, a primeira palavra que me lembro de ter dito a meu marido desde a morte de Christina. – Vamos ficar e ajudar.

Ele me encarou, incrédulo.

– Somos médicos, e nosso trabalho é cuidar dos doentes, marido – eu disse a ele.

– Mas vamos morrer – argumentou, com um sussurro rouco, e o terror passou por seus olhos.

– E se o fizermos, mais cedo estaremos com nossa querida filha.

Ele entendeu então, e seus olhos se arregalaram enquanto ele me encarava.

– Todos dizem que Christina se parecia comigo, mas não é verdade, Anna. Ela está em você – A voz dele falhou, e ele enxugou uma lágrima solitária. – Está bem. Vou ficar. Está bem, esposa – assentiu ele, com a voz suave e resignada.

*

Durante o verão úmido e o outono sombrio de 1654, meu marido e eu trabalhamos com pouco descanso, cuidando dos doentes e moribundos de Bergen. Implacavelmente, colocamos melaço de Jenes na boca das crianças. Para quem já estava com febre, pouco podia ser feito, mas comecei a perceber que para alguns ainda não infectados, protegia-os. Esfreguei o chão dos pobres com água fervida e lixívia de bétula, pois também concluí que a pestilência não gostava de limpeza: quanto mais eu limpava e esfregava, mais os pobres de Bergen viviam. Eles nos chamavam de santos – o médico e sua esposa – por ficarmos para curar os necessitados, os cidadãos abandonados de sua grande cidade ocidental na Noruega, enquanto pessoas como o governador Trolle fugiram para longe. Mas, na verdade, minhas intenções não eram tão honrosas, pois eu esperava o dia em que acordaria com a cabeça quente e inchaços na pele. Estava esperando para encontrar Christina no outro mundo com todos os outros anjos, mas esse dia nunca chegou.

CAPÍTULO 34
INGEBORG

Do fundo da rendição do sono, Ingeborg ouviu uma batida na parede atrás de si. *Toc. Toc. Toc.* Uma voz chamando seu nome.

– Ingeborg! Ingeborg Iversdatter, onde você está?

Sua sombra se separou do peso de seu corpo e mente exaustos. Emergiu forte e flexível, puxando um pedaço de madeira. Suas unhas se quebraram, farpas perfuraram a ponta dos dedos, até que arrancou uma das tábuas. Curvando-se, ela olhou para fora.

Quem ela estava vendo senão Maren Olufsdatter! Como ela conseguira escapar da cela? Mas lá estava ela, dançando na neve do Natal com o Senhor das Trevas. Não tão repugnante quanto o reverendo Jacobsen o descrevera, mas alto, com o cabelo preto reluzente, a pele polida como cobre e os olhos azuis como conchas de mexilhão.

Maren o deixou girá-la antes de pular no ar. Em vez de pousar na neve, ela voou. Ingeborg sentiu uma onda de admiração quando seus braços se abriram em duas magníficas asas de penas pretas. Como estava linda!

– Venha, voe! – chamou Maren.

Ingeborg queria compartilhar a magia com as outras. Assim, acordou todas e mostrou-lhes o buraco na parede.

– Vamos, vamos – insistiu, e todas passaram, espremendo-se.

Lá fora a neve caía, mas elas não sentiam frio. As mulheres deram as mãos. Por fim, todas estavam unidas. Elas olharam para Maren; o corvo voava alto no céu. Ela pousou do lado de fora da casa de Fru Anna Rhodius e bateu à porta com o bico. Como se por mágica, ela se abriu, e lá estava a irmã de Ingeborg parada na soleira.

– Kirsten! – chamou Ingeborg.

Kirsten acenou antes de atravessar o pátio coberto de neve e juntar-se às mulheres, enquanto elas subiam os degraus das muralhas internas da fortaleza.

– Mamãe, estou aqui – disse Kirsten à mãe, e pela primeira vez Zigri não lhe deu as costas, mas pegou a mão da filha mais nova.

Enfileiradas, elas se equilibraram no topo das muralhas da fortaleza: a velha viúva Krog, Solve, com seus cachos de cabelo acobreado, e Zigri, com o bebê ainda não nascido dentro dela, segurando as mãos de Kirsten e da própria Ingeborg. Elas conseguiam ver toda a Vardø diante de si: a ilha coberta de branco e o céu, uma cúpula de cores estonteantes: verde em todo o seu poder, vermelho com sua fúria e violeta da escuridão profunda. Faixas das luzes cambiantes chamavam por elas, e a brilhante Estrela do Norte acenou para Ingeborg.

Ingeborg observou enquanto Maren, o corvo, pegava o vento e mergulhava em um círculo espetacular. Agora era a hora de segui-la. Ingeborg, Kirsten e a mãe saltaram ao mesmo tempo, mergulhando em direção ao chão, batendo no vento, até abrirem os braços e começarem a planar.

A mãe estava rindo.

– Vejam, meninas! – exclamou ela. – Eles não podem nos tocar agora.

O governador e seus homens as observavam, atônitos. O reverendo Jacobsen estava boquiaberto de choque, e o beleguim Lockhert, balançando o punho, embora seu rosto estivesse marcado pelo terror.

Solve e a viúva Krog as seguiram, saltando da muralha, caindo no ar e circulando a cidadezinha de Vardø. O sacristão tocou os sinos da igreja, e todo o povo estava apontando e olhando para as seis mulheres enquanto elas navegavam pelo céu. Ingeborg estava embriagada pelas rajadas de vento através de suas penas, por sua velocidade e poder enquanto planava nas alturas.

Por que nunca tinha voado antes? Ingeborg era leve como uma pena, equilibrada como uma flecha. Todas se transformaram em pássaros. Zigri, a pomba; a viúva Krog, o cisne; Solve, a tarambola; Maren, o corvo; e Kirsten , um pardal de olhos brilhantes. E que pássaro Ingeborg havia se tornado?

Elas pairaram acima do fino espelho do fiorde, alternando entre gelo e ondulações. Sua sombra sob ela era a de uma águia. Ingeborg sentiu o poder do pássaro dentro de si: sua majestade, sua sabedoria e sua força.

Elas voaram para o topo do Domen e, quando chegaram, o Senhor das Trevas as saudou com um grande banquete: fatias de pão de gengibre quente para devorarem e jarra após jarra de leite cremoso com canela. Elas dançaram em círculo e o Diabo tocou uma música em sua rabeca vermelha. Como ele poderia ser mau quando as fazia tão felizes?

*

Ingeborg acordou na escuridão fétida, agarrada à mãe grávida. Tinha sido tudo um sonho. Elas não eram mais pássaros do que as pulgas que rastejavam sobre sua pele suja. Além disso, Kirsten não estava com elas, e a mãe não havia demonstrado amor pela filha mais nova. Ela sufocou um soluço e fechou os olhos novamente. *Leve-me de volta, leve-me de volta para o grande céu com minha irmã e minha mãe. Nós três em harmonia e livres.* Mas não conseguiu voltar. Havia perdido seu eu de pássaro, sua família e sua liberdade.

CAPÍTULO 35

ANNA

É um ditado comum, não é, que mesmo durante a noite mais escura, há um vislumbre de luz, uma estrela perdida, uma lasca de lua, uma vela acesa?

Minha estrela perdida era Kirsten Iversdatter.

Lembro-me da noite em que ela chegou. Eu havia retornado do interrogatório das novas prisioneiras e, quando entrei no casebre, Kirsten estava sentada no banquinho perto da mesa, devorando o caldo de peixe que Helwig lhe dera.

A criada observava do outro lado do aposento, de braços cruzados e olhar crítico.

– Há algo de errado com ela – disse-me Helwig, em um sussurro alto.

Kirsten interrompeu sua refeição, tendo ouvido claramente Helwig. Sua colher estava erguida a meio caminho da boca, e o caldo pingava dela. Ela olhou diretamente para mim, como se Helwig não estivesse na sala.

Foi nesse momento que notei a aparência da garota; a semelhança me atingiu como um raio. Cambaleei para trás e agarrei o braço de Helwig.

– Veja, ela tem uma aparência estranha, aqueles olhos – sussurrou a criada, entendendo erroneamente a minha reação.

Soltei o braço de Helwig, envergonhada por minha súbita perda de compostura.

– Que absurdo.

Helwig me examinou.

– Eu avisei que é um assunto ruim, Fru Anna. Melhor não se envolver nessas coisas.

– Não tenho escolha, Helwig – declarei, irritada, com os olhos ainda fixos em Kirsten, que continuou comendo seu caldo.

Aproximei-me da menina e falei com ela gentilmente:

– Não há nada a temer, Kirsten – afirmei. – Vou cuidar de você.

Ela ergueu o olhar novamente, e sua imagem atingiu meu coração como uma lança. Como esta garota podia *existir*?

Kirsten tinha os mesmos grandes olhos azuis, com tão familiares cílios pretos, como se tivessem sido pintados em sua pele de porcelana. Havia salpicos de sardas na ponta do nariz, e me perguntei se seriam 25. Seu cabelo era do mesmo tom de vermelho vibrante em uma confusão de cachos, e seus dentes tinham uma leve protuberância sobre o lábio inferior, assim como Christina tinha.

Esta filha de pescador, Kirsten Iversdatter, era a imagem da minha filha morta. A única diferença era a idade: Christina morreu aos oito anos; haviam me dito que Kirsten tinha doze, e ela era de fato mais alta, embora seu rosto fosse infantil.

– Eles mataram minha cordeira – comentou ela, com os olhos cheios de lágrimas. – Eles mataram Zacharias.

– Cordeiros foram feitos para serem mortos – eu disse a ela. – É o propósito deles.

Minhas palavras a surpreenderam. Ela parou de comer, com a boca aberta.

– *Agnus Dei* – falei para ela, sentando-me ao seu lado.

– O que isso quer dizer?

– Quer dizer "Cordeiro de Deus" em latim, a língua de nossa Igreja, e é como, às vezes, chamamos o Cristo. *Agnus Dei, qui tollis peccata mundi, miserere nobis. Cordeiro de Deus, que tirais o pecado do mundo, tende piedade de nós.* Ele sacrificou Sua vida por nós.

Ela largou a colher e limpou a boca com a manga.

Eu teria de ensiná-la a usar um guardanapo.

– Zacharias sacrificou sua vida por mim? – perguntou ela, franzindo a testa. – Ela estava balindo muito. Acho que ela não queria morrer.

– Bem, Jesus Cristo também não quis morrer, mas o fez para nos salvar – argumentei, querendo tanto tocá-la e garantir que essa evocação viva de minha Christina fosse de fato de coração pulsante, de carne e osso.

*

Em sua primeira noite em meu casebre, Kirsten foi colocada para dormir com Helwig no catre. Mas, no meio da noite, a criada me acordou.

– Ela está andando em círculos e seus olhos estão abertos, mas me ignora quando eu digo para voltar para a cama – protestou ela. – Não aguento isso, Fru Anna.

Quando voltamos para a câmara principal, Kirsten estava se arrastando ao redor do fogo, de camisola, com os pés descalços e pretos de sujeira. Ah, foi como uma lança em meu coração, pois me lembrou da última manhã em que Christina entrou em meu quarto. Suas últimas palavras antes que a febre surgisse vieram à tona em minha mente. *Mamãe, minha cabeça está doendo.*

Soube de imediato o que estava acontecendo, pois estava claro para mim que Kirsten sofria de sonambulismo. Eu já tinha visto isso antes em meus dias como esposa de médico em Bergen.

– Ela é sonâmbula – declarei.

Helwig me encarou.

– Eu não sei o que é isso, mas me parece que o próprio Diabo a está controlando!

– De modo algum. É uma condição médica – expliquei. – Não é tão incomum. Ela está apenas andando enquanto dorme.

– Mas os olhos dela estão abertos, Fru Anna! E olhe para eles!

Os olhos de Kirsten eram redondos e olhavam para muito longe, ou para o fundo, como olhos abertos debaixo d'água.

– Vou acordá-la. Não há nada de estranho acontecendo – falei.

Helwig balançou a cabeça.

– A garota não é boa, Fru Anna, ela é um problema...

– Basta! – exclamei. – Peço-lhe que não mencione isso a ninguém na fortaleza.

Helwig pareceu muito zangada, mas se deitou em seu catre, enquanto eu guiava Kirsten para meu quarto e a acordava com delicadeza.

Ela olhou para mim, aturdida.

– Onde estou?

– Está aqui, comigo, em meu quarto, Kirsten. Você estava andando enquanto ainda dormia.

Ela pareceu confusa.

– Não me lembro.

– Deite-se na minha cama e volte a dormir.

A garota obedeceu e voltou a adormecer.

Acendi uma vela, uni as mãos e rezei ao Bom Deus para que Ele protegesse Kirsten. Fiquei perturbada com o comportamento da garota, e o aviso de Helwig ficou gravado em minha mente. Eu não deixaria o Diabo levar minha garota.

Raciocinei comigo mesma que Kirsten estava muito abalada por seu cordeiro, e que era esta a provável causa de seu sonambulismo. Mas de fato era estranho que ela estivesse extraordinariamente perturbada por causa do animal e, no entanto, não tivesse dito nem uma palavra sequer sobre a irmã Ingeborg ou a mãe, sabendo que ambas estavam presas e sofrendo na cova das bruxas.

*

Depois desta primeira noite, informei a Helwig que Kirsten sempre dormiria em meu quarto. Eu a instruí a armar uma cama aos pés da minha, com galhos de bétula e peles de rena, mas na maioria das noites, sem que Helwig soubesse, eu permitia que Kirsten ficasse comigo.

Percebi que era a lua minguante e, nos dias seguintes, Kirsten sonambulou todas as noites, mas assim que chegou a lua escura, ela parou. No entanto, acordava no meio do sono, chorando por seu cordeiro perdido. Eu permitia que ela entrasse na cama ao meu lado, com os dedos dos pés frios do chão, e que os esquentasse entre os meus, pois eu nunca estava fria. Durante o tempo de vigília, entre o primeiro e o segundo sono, eu lia para ela histórias sobre o Menino Jesus da Bíblia; outras vezes, eu lhe dava chá de flores de borragem e água de rosas adocicada para ajudá-la a dormir. Ela adormecia, enquanto eu acariciava seus cabelos, maravilhada com a textura macia e sedosa e com o brilho de seu vermelho.

Como eu ansiava, meu rei, por amar outra alma.

No entanto, os terrores noturnos de Kirsten podiam ser terríveis, e eu acordava para ver seu rosto acima do meu, com os olhos selvagens de medo. Quando eu perguntava qual era o problema, ela me dizia que havia sonhado que estava no mar e afogando-se, como acontecera com o pai e o irmão.

– Está segura aqui comigo – consolei-a.

– Sinto saudade do meu pai – disse ela. – Ele me amava mais.

– Meu pai também está morto – contei a ela. – Mas gosto de pensar em lembranças felizes dele. Consegue pensar em alguma de seu pai?

– Sim – respondeu Kirsten. – Ele me pegava no colo e me fazia cócegas no queixo.

Ambrosius nunca colocara Christina no colo, e tentei imaginar o pai perdido de Kirsten Iversdatter como um forte pescador de mãos gentis.

– Papai me contava histórias sobre a grande baleia azul e seu reino no fundo do mar, onde vivem todos os pescadores perdidos. Você já viu uma baleia?

– Não, mas meu pai tinha o chifre de um narval.

Contei a Kirsten sobre o gabinete de curiosidades de meu pai e ela ficou cativada. Todas as noites ela me pedia para descrever mais um item e de onde tinha vindo.

– Mas como você sabe que não era o chifre de um unicórnio? – perguntou ela sobre o chifre de narval mais uma vez. – Como você sabe que os unicórnios não habitam uma terra onde nunca estivemos?

– Porque nenhuma alma de qualquer domínio na terra de nosso Deus Todo-Poderoso jamais viu um unicórnio, mas meu pai viu um esqueleto de narval de verdade.

Kirsten balançou a cabeça.

– Só porque você não pode ver algo, não significa que não exista, pois eu nunca vi Deus.

Ela era uma criança esperta, embora Helwig afirmasse que era tola, pois passava horas sentada observando o fogo, deixando a sopa queimar bem na frente dela. Mas eu sabia que Kirsten Iversdatter não via o que estava próximo, pois possuía o longo olhar para lugares muito distantes, ou através das chamas para o vale do Inferno, ou para o alto onde Deus, os anjos e minha Christina habitam.

Eu acreditava que Kirsten Iversdatter podia ver por trás do véu.

E, no entanto, em outras ocasiões, ela era apenas uma garotinha que desejava tornar a vida mais leve. Aumentando ainda mais a antipatia de Helwig por ela, Kirsten nomeou todos os ratos, embora eu não saiba como ela era capaz de saber a diferença entre nossos inquilinos rastejantes. Deu a eles nomes de histórias que o pai lhe contara: Grande Per e Pequeno Per (ainda que ambos fossem do mesmo tamanho), Garoto Cinza, Ganske, Kari Stave Skirt, Lillekort e Haaken Barbap intada. Ela tentou pegá-los e cantar para eles, como imagino que já fizesse com seu cordeiro, mas, é claro, os ratos fugiram.

– Veja, pelo menos é uma maneira de se livrar deles – falei à desaprovadora Helwig.

*

Certa manhã, acordei sentindo os dedos de Kirsten em meu rosto, cutucando minha bochecha e olhando-me fixamente. – O que é isso na sua cara, Fru Anna?

Tentei manter a voz calma. Estaria eu com a varíola? Ou pior.

– Pegue meu espelho no baú, Kirsten – pedi a ela.

Muitas vezes me perguntei por que você colocou um precioso espelho de mão em meu baú. Foi um presente para mostrar sua estima por mim? Ou, como sei, em meu coração, que é verdade, queria que eu fosse torturada pelo meu envelhecimento refletido ano após ano?

O que vi no espelho me encheu de tanto horror quanto a varíola, pois havia uma grande verruga marrom em minha bochecha, maior do que qualquer outra que a viúva Krog possuísse.

– Vai sair se lavar? – perguntou Kirsten.

Balancei a cabeça, chorando ao imaginar a reação de Lockhert: "Fru Anna Rhodius tem a marca do Diabo no rosto!"

Kirsten olhou para mim com olhos curiosos.

– Abra meu baú de remédios, Kirsten – ordenei a ela, enquanto saía da cama e me envolvia com a capa.

Kirsten adora mexer no báu de remédios. Como já escrevi, ela é esperta, pois em apenas duas semanas foi capaz de lembrar todos os nomes das ervas e poções e para que poderiam ser usadas.

– Consegue se livrar dela? – perguntou.

– Não, mas posso esconder – expliquei. Peguei meu pequeno frasco de arsênico em pó.

– O que é isto? – perguntei a ela, testando seu conhecimento.

– É arsênico, e eu nunca, jamais, devo tocá-lo ou prová-lo porque vou morrer.

– Muito bem. Mas posso usar um pouco dele, misturado com um pouco de vinagre neste frasquinho, e um pouco de giz branco, e passar na pele. Uma pequena quantidade é segura e vale o risco.

Kirsten me observou, fascinada, enquanto eu preparava a mistura que havia feito tantas vezes para outras senhoras em Bergen, aquelas que acordavam com verrugas como estas ou eram apenas vaidosas e queriam uma pele mais pálida. Eu as considerava criaturas bastante tristes, mas agora estava juntando-me a elas.

Quando terminei meu trabalho no rosto, a verruga havia sumido.

Kirsten bateu palmas de alegria.

– Magia! – exclamou ela, animada.

– Não, Kirsten, isto é ciência.

*

Ontem observei da janela da minha prisão a prisioneira Solve Nilsdatter sendo levada à casa do governador para interrogatório. Eu não queria pensar nos horrores a que ela seria submetida e rezei para que fosse uma bruxa, porque então as torturas seriam justificadas, mas temia que Lockhert estivesse cometendo um grande pecado ao quebrar suas leis.

Uma hora se passou, depois outra, enquanto eu esperava à janela. Kirsten ficou ao meu lado e segurou minha mão, e observamos juntas em silêncio.

A lua de janeiro estava cheia, e a neve brilhava branca sob ela quando finalmente Solve Nilsdatter foi devolvida à cova das bruxas. Eu a vi e disse a Kirsten para olhar para o outro lado.

Ah, meu rei, o que foi feito com a bela jovem mãe? Um braço pendia ao lado dela como uma asa quebrada, e sangue escorria dos dedos quebrados, mas o pior eram as queimaduras. Vi que seu corpete havia sido arrancado e que ela estava quase nua em sua túnica sob o luar do Ártico. A pele de seu peito estava vermelha e em carne viva, e eu conseguia sentir o cheiro de enxofre entrando no casebre. O odioso beleguim Lockhert o tinha jogado sobre seus seios.

A cabeça de Solve estava abaixada, de modo que eu não pude ver seu rosto, e as suas costas estavam curvadas, como se tivesse envelhecido cem anos. Ela arrastava o corpo pelo pátio, empurrada por um soldado de volta à cova das bruxas.

Observei o beleguim Lockhert marchar para sua guarita com um ar de satisfação, e senti meu estômago revirar-se de ódio.

– Pegue minha caixa de remédios, Kirsten.

Ela obedeceu sem dizer uma palavra e observou enquanto eu procurava minha garrafinha de água destilada de tussilagem e sabugueiro, que eu tinha a intenção de aplicar nas queimaduras de Solve com panos.

Apesar do meu fracasso em fazer qualquer uma das mulheres confessar, eu ainda tinha a chave da cova das bruxas em minha posse. Coloquei a capa e o chapéu.

– Posso ir com você, Fru Anna? – Os olhos azuis de Kirsten amoleciam meu coração.

– Não, criança. – Eu não queria que ela visse a mãe ou a irmã em tal lugar, muito menos o estado das outras prisioneiras. – Está tarde. Veja, Helwig já está dormindo. Vá para a minha cama e aqueça-a para mim.

– Você vai trazer Ingeborg?

– Não tenho permissão esta noite, mas logo... o governador me prometeu que ela e Maren serão retiradas da cova das bruxas.

Era a primeira vez que Kirsten mencionava a família desde que começou a morar comigo. Sua pergunta sobre Ingeborg me perturbou um pouco, pois eu estava começando a acreditar que Kirsten pertencia a mim e a mais ninguém, e que ela desejava estar ao meu lado.

*

Esgueirei-me para a escuridão da cova das bruxas. O leve cheiro de enxofre que senti no vento antes quase me sobrepujou. Levei o lenço ao nariz e inalei fundo. Pendurei meu lampião no gancho da parede e apertei minha caixa de remédios junto a mim.

As três mulheres e as duas meninas estavam amontoadas.

– Veja o que o beleguim fez com ela – a viúva Krog falou, com seus olhos acusadores, como se fosse minha culpa.

– Não há nada que eu possa fazer sobre os métodos dele – retruquei bruscamente. – Estou aqui para ajudar a aliviar a dor dela.

Examinei a pobre mulher Solve, mas havia pouco que eu pudesse fazer para aliviar os danos causados à sua pele. Apliquei panos umedecidos com água de tussilagem nas áreas afetadas e dei a ela um copo de vinho com algumas gotas de óleo de lavanda para acalmá-la. Ela estava com a cabeça no colo da prima; ficou claro que não havia mais ressentimento entre elas.

– Ele a obrigou a confessar – contou Zigri em um sussurro assustado. – Ela denunciou todas nós.

Balancei a cabeça, com o coração pesado devido ao sofrimento dessas mulheres, pois agora o governador tinha provas para o julgamento das bruxas.

– Não devemos demonstrar nosso medo – afirmou Maren, como se eu não estivesse ali ao lado dela. – Não tenham medo. Podemos ter um grande poder.

*

Quando saí da cova das bruxas, não voltei para minha casa-prisão, pois, apesar de suas ameaças, não temia o beleguim Lockhert. Eu havia sofrido muito em meu passado para ter medo do que estivesse por vir, então bati com força à porta de sua guarita.

Ele claramente tinha bebido, pois eu podia sentir o cheiro de cerveja dele. Ainda havia sangue em sua túnica e, além disso, ele nem sequer havia lavado o sangue da pobre mulher de suas mãos.

– Bem, Fru Rhodius – declarou ele. – Estou muito lisonjeado com sua visita, mas você é um pouco velha demais para o meu gosto.

Tive vontade de gritar meu insulto com sua insinuação, mas me contive.

– Entre, se quiser! – disse ele, quando não saí da soleira.

– Não – respondi, pois não tinha intenção de dar um passo para dentro de seu covil.

– Estou aqui porque... – Procurei as palavras certas. – Rogo-lhe que pare de atormentar as mulheres.

Seus olhos brilharam com a menção a suas ações vis.

– Mas por que eu faria isso? Em um dia, a cadela confessou, enquanto você passou semanas bajulando as bruxas e não conseguiu nenhuma palavra da verdade delas.

– É contra a lei...

– Dá para controlar a língua, mulher? – bradou. – No meu país natal, você ficaria muito tempo pendurada na forca por causa de sua constante arenga.

Ele colocou uma grande mão no meu peito e me empurrou para trás. Desabei na neve, deixando cair minha caixa de remédios.

– Quem você pensa que é? – disse ele, olhando, furioso, para mim. – Bem, deixe-me dizer quem *eu* sou, se ainda não está claro. Meu propósito, até o dia da minha morte, é caçar bruxas. Foi para isso que fui chamado pelo governador de Finnmark. Vocês não sabem lidar com bruxas, mas os escoceses sabem!

Sentei-me na neve, puxando meu baú para perto de mim, aliviada por ele não ter se aberto.

– As bruxas tiraram minha família de mim. Quatro de nós partimos da Escócia para a Noruega, mas minha esposa e meus dois filhos morreram afogados – Ele se inclinou sobre mim, e sua saliva molhava minhas bochechas. – Assim como o mercador Brasche, eu também vi bruxas na forma de pássaros voando ao redor de nosso navio, e então a tempestade veio. Elas sabiam o que eu estava vindo fazer aqui, e tentaram nos afogar, destruindo o navio. Mas eu sobrevivi!

Então ele cuspiu em mim. Uma massa grossa caiu na minha testa antes de ele se endireitar e voltar para sua cabana, batendo a porta.

Limpei a saliva do rosto, sentindo-me enjoada, e me levantei.

O homem era vil. E eu lhe pergunto, meu rei, por que tal alma sobreviveu, enquanto tantas outras foram cruelmente levadas, às vezes em um piscar de olhos?

E, no entanto, percebi algo em seus olhos – uma tristeza profunda e assombrosa que reconheci –, pois o beleguim Lockhert possuía o olhar de alguém que havia perdido tudo o que amara.

CAPÍTULO 36

INGEBORG

Na manhã seguinte ao retorno de Solve, quebrada e em agonia por causa de seu interrogatório com o monstro Lockhert, Ingeborg e Maren receberam ordens para sair da cova das bruxas.

– Prefiro manter todas vocês presas juntas – declarou o beleguim Lockhert –, mas o governador deseja que vocês sejam separadas.

Ele se abaixou e lançou um olhar frio para Ingeborg. Seus olhos pareciam os de uma vaca enlouquecida pela doença, arregalados e ariscos.

– Sim, considerem-se sortudas, moças, por estarem sob os cuidados de Fru Rhodius. É melhor contar a ela toda a verdade – Cutucou o peito de Ingeborg com o dedo sujo. – Caso contrário, terei vocês de volta aos meus domínios.

Ingeborg lutou para não demonstrar medo e cerrou os punhos trêmulos ao lado do corpo.

– Sim, o governador acredita que longe da influência de suas parentas bruxas, a verdade pode ser arrancada de vocês – Ele se virou para olhar para Maren, com a expressão mais cautelosa. – Se dependesse de mim, eu a arrancaria de vocês com minhas próprias mãos, pois não há dúvida de seu envolvimento com a bruxaria.

A mãe de Ingeborg chorou por perdê-la, enquanto segurava a barriga inchada. Os últimos vestígios de raiva da jovem pela devassidão da mãe se transformaram em pena. Prometeu a ela, mais uma vez, que faria tudo o que pudesse para ajudá-la.

Elas foram conduzidas pelo pátio escorregadio e recebidas por Fru Anna Rhodius e sua mal-humorada criada Helwig em sua casa-prisão. Ingeborg havia perdido a mãe, mas ali pelo menos Kirsten estava segura.

– Olá, Inge – cumprimentou Kirsten, com os olhos baixos, sentada à mesa de Fru Anna em um banquinho e balançando as pernas, como se apenas ontem elas tivessem saído juntas para o pântano, para colher turfa.

– Irmã!

Ingeborg correu, mas Kirsten recuou.

– Você está fedendo! – disse ela, franzindo o nariz em desgosto.

*

Ingeborg e Maren foram mandadas para a lavanderia com Helwig, que as esfregou sem piedade, como se quisesse expurgá-las do mal.

– Não pode tirar a cor da minha pele! – Maren se afastou da criada vigorosa. – Sou sempre desta cor!

Helwig ficou com o rosto vermelho.

– Nunca vi nada igual.

Ingeborg achava Maren bonita. Ela mesma estava desbotada e frágil, comparada a sua alta e gloriosa amiga. O que faria sem a recusa de Maren em ceder às ameaças de Lockhert? A garota lhe dava coragem; uma estranha sensação de que havia mais coisas do que ela conseguia ver com os próprios olhos. Caso se permitisse acreditar que tinha poder, então talvez, só talvez, pudesse ser verdade.

Depois de limpas, foram vestidas com velhos corpetes de lã cinza e pesadas saias pretas descartadas por criadas há muito falecidas. Ambos ficaram grandes demais em Ingeborg.

– Você parece um dos anões élficos da viúva Krog! – Maren riu dela.

– Tenho certeza de que não! – disse Ingeborg, indignada.

– Venha, venha e verá. – Maren agarrou seu braço e a puxou para fora da lavanderia. Ela a conduziu até a beira de um trecho de gelo que havia sido criado pela água que escorria da lavanderia.

– Veja por si mesma! – disse Maren, ainda rindo e apontando para baixo.

Ingeborg se arrastou para a frente em suas velhas botas e olhou para o reflexo de gelo, com um pouco de medo no coração. Como deveria estar depois de tantas semanas na cova das bruxas? Mas Maren estava certa. Ela estava ridícula. Uma garota que parecia um ratinho, afundada em lã cinza e preta. Ah, um realce tão dramático ao seu rosto e grandes olhos de filhote de corsa. O riso explodiu de sua boca. E passou por seu corpo tenso.

Era errado rir de toda a miséria delas, mas ela não conseguia se conter. Sobretudo quando viu o reflexo de Maren também, e as caretas que ela fez para o gelo para fazê-la rir ainda mais. E olhe como a saia de Maren ficou curta nela! Não apenas seus tornozelos, mas também suas panturrilhas estavam à mostra, cobertas de pelos escuros e espessos.

As duas meninas riram até chorar. E então a alegria anterior caiu de seus ombros. Elas se entreolharam, uma tão alta e a outra tão pequena. Mas ainda assim, apenas duas garotas. Maren abriu os braços para Ingeborg. Elas choraram encostadas nos ásperos casacos de lã uma da outra, tremendo, segurando uma a outra, até que Helwig rugiu para que parassem com a choradeira.

*

Depois de dias e noites sem começo e fim na cova das bruxas, Fru Anna impôs ordem e rotina no casebre-prisão. Depois das orações matinais na escuridão, uma vela era acesa para que aprendessem as letras. Fru Anna possuía uma edição dinamarquesa da Bíblia Luterana. Tinha um retrato do rei Cristiano III, avô do rei Frederico, na capa. Foi o primeiro livro que Ingeborg havia tocado.

Fru Rhodius se sentava diante das meninas e as instruía na leitura. Permitia que uma de cada vez traçasse as letras da Bíblia com os dedos, se estivessem limpos. Ingeborg traçou o redondo "b" repetidas vezes. E depois o "s" serpenteante dançando pela página. Ela aprendeu a palavra *satan*.

Uma cobra, um lávvu sámi, uma árvore, outro lávvu e a montanha do outro lado.

– Quando se é capaz de ler a Bíblia, se está mais perto de Deus – disse Fru Anna a elas. – Às vezes, Deus pode não escolher uma mulher para ser mãe. Às vezes é seu dever espalhar os ensinamentos de Jesus Cristo.

Fru Anna lhes contou histórias da Bíblia sobre Jesus e, por alguns momentos, Ingeborg conseguiu esquecer-se de onde estavam. Jesus tinha sido muito pobre também. Nascido em um estábulo com animais ao seu redor. Ele amava os animais, como Maren, e se recusava a tratar as mulheres de maneira diferente. Ingeborg ansiava por ouvir as histórias sobre Jesus e Maria Madalena. Mas depois dessas narrativas bíblicas, vinha o catecismo: horas cansativas em que Fru Anna fazia perguntas e elas tinham de responder palavra por palavra, conforme escrito na cópia do Catecismo de Lutero, dada a ela pelo reverendo Jacobsen para a instrução das garotas.

– O que é o batismo? – perguntava Fru Anna às meninas. Embora Ingeborg tivesse aprendido seu catecismo com o reverendo Jacobsen em Ekkerøy, agora as palavras fugiam de sua memória. Mas Kirsten aprendera bem com Fru Anna durante o tempo em que passou sozinha com ela.

– O batismo não é apenas água, mas é a água compreendida no mandamento de Deus e conectada à Palavra de Deus.

Fru Anna colocou a mão na cabeça de cachos ruivos de Kirsten e lhe deu um sorriso benévolo.

– Boa menina – elogiou, tirando a mão e pegando o catecismo antes de lê-lo. – O que o batismo dá ou concede?

– Ele opera o perdão dos pecados, livra da morte e do Diabo, e dá a salvação eterna a todos os que acreditam, como declaram as palavras e promessas de Deus – recitou Kirsten.

– Quais são tais palavras e promessas de Deus? – continuou Fru Anna.

Maren deu um grande bocejo e coçou a perna por baixo da saia de lã.

Fru Anna lançou um olhar de desaprovação para ela, antes de esperar a resposta de Kirsten com um sorriso de expectativa no rosto.

– Cristo, Nosso Senhor, diz no último capítulo de Marcos – Kirsten fez uma pausa e fechou os olhos antes de continuar: – Aquele que crer e for batizado será salvo; mas aquele que não crer será condenado.

Ingeborg observou Kirsten com espanto. Ela nunca havia manifestado tanto interesse no catecismo quando eram obrigadas a recitá-lo todas as semanas com o reverendo Jacobsen. Mas havia algo diferente em sua irmã quando Fru Anna falava com ela, como se uma luz tivesse sido acesa dentro dela. Quando pensou sobre isso, concluiu que tal luz já existia antes, mas havia se apagado na noite em que seu pai fora dado como morto.

– Como pode a água fazer coisas tão grandiosas? – perguntou Fru Anna, com toda a sua atenção em Kirsten, como se Maren e Ingeborg fossem invisíveis para ela agora.

Kirsten inclinou o rosto para Fru Anna e falou, com sua voz clara e sonora, enquanto repetia as palavras que lhe haviam sido ensinadas.

Será que ela as entende?

– Na verdade, não é a água que as faz, mas a palavra de Deus na água, e com a fé, que confia a palavra de Deus na água. Pois sem a palavra de Deus, a água é apenas água, e não batismo. Mas com a palavra de Deus, é um batismo... – Kirsten vacilou.

– ...uma abençoada água da vida... – interveio Fru Anna.

– Uma limpeza regenerativa do Espírito Santo – concluiu Kirsten.

– Sim, de fato, como diz São Paulo, em Tito, capítulo três – Fru Anna respirou fundo, enquanto Maren revirava os olhos para Ingeborg.

A falta de reverência de Maren era chocante, mas uma parte de Ingeborg também queria revirar os olhos. Ela pensava que tinha sido uma boa menina cristã durante toda a vida – houve o tempo em que ela foi capaz de recitar a palavra do catecismo com perfeição. Ainda assim, foi presa e acusada de não ser cristã, mas uma garota má, muito má.

Ela suspirou enquanto seu coração doía, sentindo-se em conflito devido às recitações devotas da irmã da cópia surrada do catecismo luterano.

– Então, Ingeborg – Fru Anna dirigiu seu olhar frio para ela. – O que significa esse batismo com água?

Ingeborg procurou as palavras certas. A água afogava, sim, a água afogava o mal, e então tudo ficava puro. Ela sabia que isso estava na resposta, mas não sabia como dizer, então balançou a cabeça.

Fru Anna perguntou:

– Maren? Conhece o catecismo?

Maren deu de ombros.

– Claro, mas me aborrece repetir palavras tão chatas. Posso contar uma história, Fru Anna?

– Mais tarde. Porém, filha – advertiu Fru Anna –, suas histórias não lhe servirão de nada. Se aprender o catecismo, isso a ajudará...

– A água significa que o velho Adão em nós deve, por contrição diária e arrependimento, ser afogado e morrer com todos os pecados e más concupiscências, e de novo, um novo homem a cada dia ressurgir e renascer, o qual viverá diante de Deus em retidão e pureza para todo o sempre – recitou Maren, com pressa, as palavras, antes de inclinar-se para a frente e apontar o dedo para Fru Anna, que olhava para ela, espantada. – Mas, senhora, e quanto a nós, as criadas, as mães, até mesmo as nobres como você? Por que nenhuma menção a Eva? Diga-me agora, como Lutero pôde se esquecer de nós, quando seu caminho para entrar neste mundo foi *através* de uma de nós?

Os olhos de Fru Anna se arregalaram ainda mais em choque com as palavras da garota, mas não a repreendeu. Em vez disso, ela se levantou e colocou o livro sobre a mesa. Enfiou a mão no bolso. Ingeborg imaginou seus dedos roçando a chave da cova das bruxas e desejou enfiar a própria mão no bolso e tomá-la dela.

Quando Fru Anna estendeu a mão, estava fechada. Ela deu um passo em direção às meninas e abriu a palma da mão. Nela havia três amêndoas maiores do que as que ela lhes dera na cova das bruxas muitas semanas antes, com o açúcar sobre elas como que vidrado por pó de neve, e a boca de Ingeborg se encheu de água só de pensar em comer uma delas.

– Gostariam de uma das minhas amêndoas caramelizadas? – perguntou Fru Anna, antes de continuar sem esperar por uma resposta: – Foram enviadas para mim como um presente do rei da Dinamarca, e as darei a vocês como recompensa se forem boas meninas – prosseguiu, parecendo tensa. – Tudo o que precisam fazer é responder a uma pergunta: sua mãe, Ingeborg e Kirsten, ou sua tia, Maren, batizaram vocês para o Diabo?

Só uma pergunta, ela diz, mas que pergunta!

– Minha mãe… – começou Kirsten enquanto olhava para a amêndoa, mas Ingeborg colocou a mão em advertência no braço de sua irmã.

– Nossa mãe não fez nada disso – interveio ela, olhando para Maren.

Quando Maren não disse nada, mas lançou um olhar ameaçador para Fru Anna, Ingeborg respondeu por ela:

– E a tia de Maren também não a batizou.

Fru Anna pareceu aliviada com a resposta? Era como se a senhora estivesse prendendo a respiração e, agora, soltasse um grande suspiro. Ofereceu as amêndoas caramelizadas uma a uma, embora não tivessem confessado nada.

Tanta doçura em sua boca, mais doce que a mais doce baga de verão! Mas então ela mordeu a amêndoa, e o sabor era de outra vida. Não das refeições de peixe de sua casa em Ekkerøy, mas do mundo para o qual ela desejara navegar com seu irmão Axell.

*

Certas tardes, Fru Anna lhes ensinava um pouco sobre as ervas curativas em seu baú de remédios, alertando-as para não chegarem perto, pois algumas poderiam ser venenosas se ingeridas em excesso. A mente de Ingeborg se confundia com todos os diferentes nomes e usos, mas Kirsten e Maren aprendiam depressa.

Antes do jantar, as meninas praticavam escrita com os dedos na poeira dos cantos do casebre.

– Olhe, Ingeborg, seu nome é o mais comprido – comentou Maren, enquanto Ingeborg lia devagar os três nomes rabiscados na lama: *Ingeborg, Maren, Kirsten.*

– Todas juntas – declarou Maren, parecendo satisfeita.

Depois que o sino da capela tocava doze vezes, elas jantavam. Na maioria dos dias era sopa e bacalhau salgado. Maren se recusou a comer o peixe, e Ingeborg temeu que ela ficasse magra demais. Mas a garota sempre tinha em seus bolsos uma porção raízes ou caules para chupar. Fru Anna nunca perguntava onde ela os conseguia.

*

Com o passar das semanas, o sol se esgueirou acima do horizonte. Tinha-se algumas poucas horas de luz de cada lado do meio-dia. Um rico azul assombroso emergiu sob as crostas de neve e encheu o céu. Quando Ingeborg levantava a mão do lado de fora, parecia que estava sendo levada por essa luz crepuscular, e imaginou que o céu desejava arrastá-la para trás de suas cortinas. Com alegria, iria e se esconderia, mas sua exposição era implacável, pois a vida na casa-prisão prosseguia com sua rotina habitual de orações, tarefas, catecismo e interrogatórios diários. Como a mãe e Solve descobriram a arte? Encontraram o Diabo? Participaram da magia climática? Ela e Maren sempre se recusavam a responder e nunca eram punidas por isso. Mas o que mais preocupava Ingeborg eram as longas horas que Kirsten passava com Fru Anna no quarto da mulher. Era onde ela escolhia dormir, aos pés de sua cama em um pequeno catre, enquanto Ingeborg e Maren dividiam o catre da criada Helwig.

– O que andou dizendo a Fru Anna? – perguntou Ingeborg à irmã.

Kirsten olhou para ela com uma expressão vazia.

– Nada – respondeu. – Ela me dá açúcar para comer, com limão, e mais amêndoas caramelizadas também – Ela fez uma pausa. – Ela gosta de me chamar de Christina. Acho que era o nome da filha dela.

Ingeborg franziu a testa.

– Mas você não é filha dela, Kirsten, lembre-se disso.

– Mamãe nunca me amou, Inge! – Kirsten se afastou.

O julgamento estava quase chegando, e a irmã estava sob a influência de Fru Rhodius. O tempo estava esgotando-se.

*

Soldados vigiavam a cova das bruxas e Ingeborg não conseguia chegar perto dela. À noite, junto ao fogo para cozinhar, o olhar da jovem se fixava nas saias de Fru Rhodius. Sob as anáguas, em seu bolso, estava a chave da cela. Precisava tomá-la dela. Mas a dinamarquesa sempre a tinha consigo e a escondia debaixo do travesseiro à noite.

Ingeborg jazia apertada entre Maren e Helwig no catre, empurrando os punhos contra as têmporas. *Pense, Ingeborg, pense. Tem de haver um jeito.*

*

Ingeborg fora chamada ao castelo para ser interrogada pelo governador. O beleguim Lockhert a empurrou para dentro da câmara do governador, antes de virar as costas e sair pisando duro novamente. Ela ficou insegura na entrada, com os ombros doloridos pelo aperto de Lockhert, impressionada com a grandeza diante de si. Ainda maior que a sala de estar de Heinrich Brasche, as paredes estavam decoradas com ricas tapeçarias e pinturas a óleo, e um fogo ardia na lareira. Não era turfa, mas madeira preciosa que faiscava e crepitava na enorme lareira. Seu nariz começou a escorrer por causa do calor no salão, e ela o enxugou com a manga, ousando não imaginar o quão vil era a própria aparência.

Sentado em uma das grandes cadeiras de madeira do outro lado da câmara estava o governador Orning. Sua longa cicatriz de batalha dividia seu rosto enrugado.

Ao lado dele estava uma mulher jovem, que Ingeborg supôs ser sua esposa. Ela tinha cabelos tão claros que eram quase brancos e usava um vestido de cetim preto; sua gola de renda branca caía pelos ombros e era decorada com uma rosa de seda carmesim no centro. O vermelho tinha um tom surpreendente em contraste com o seu decote branco. Um grande gato preto estava enrolado em seu colo, e Ingeborg podia ouvir seu ronronar alto e ritmado. A maior parte do rosto de Fru Orning estava escondida por um enorme leque de renda preta que ela segurava com a mãozinha branca para proteger-se do fogo feroz que ardia na lareira.

O governador se levantou, perturbando dois cães de caça esparramados a seus pés. A gata olhou com fria indiferença para os cachorros enquanto continuava a ronronar no colo da mulher.

– Venha comigo, menina – chamou o governador, com um gesto do dedo.

A esposa fez uma pausa em seu abanar. Havia um alerta em seus olhos. Mas o que Ingeborg poderia fazer? Não podia recusar o governador de Finnmark.

Ingeborg o seguiu até o outro lado da câmara e entrou em um enorme salão. Não havia móveis, exceto uma grande cadeira com chifres de alce pendurados acima dela e um grande baú. Nas paredes estavam penduradas tapeçarias e pinturas a óleo, e as janelas envidraçadas não tinham cobertura. Não havia lareira acesa e fazia muito frio. Ingeborg podia ver a neve caindo do lado de fora.

– Sabe que aposento é este? – O governador Orning perguntou a ela.

Ingeborg negou com a cabeça, tremendo de frio e com um pressentimento.

– É a câmara de julgamento em Vardøhus – revelou ele, com os olhos faiscando. – Muito em breve, estará cheia de gente. Eu, meu leal beleguim Lockhert e um júri de doze bons homens. E as bruxas acusadas.

O pavor percorreu a espinha de Ingeborg.

– Sim, em apenas algumas semanas estaremos livres das bruxas! – declarou ele, sentando-se na grande cadeira e gesticulando para que ela se aproximasse.

Ingeborg deu um passo relutante à frente.

– Devo lhe perguntar sobre um incidente que veio à tona estes dias – declarou o governador, encarando-a com severidade. – O mercador Brasche me enviou uma carta para me contar o que aconteceu na casa de seu primo Anders Pedersen em Kiberg, na véspera de Natal.

Ingeborg juntou as mãos, preparando-se para o interrogatório.

– Bruxas chegaram na forma de pássaros, transformaram-se em gatos e rastejaram para dentro do porão. Elas se reuniram com o Diabo e beberam toda a cerveja de Anders Pedersen. O que pode me dizer sobre isso, Ingeborg Iversdatter?

Ingeborg encarou o governador com espanto.

– Não sei nada sobre estes eventos, excelência.

– Você mente – sibilou o governador para ela. – O próprio mercador Brasche a viu, pois ele e Anders Pedersen a encontraram com a outra filha de bruxa, Maren Olufsdatter, a tia dela, Solve Nilsdatter, e sua própria mãe.

– Não – Ingeborg negou com um gesto, com o pânico tomando conta de si. – Não é verdade. Ora, éramos prisioneiras aqui na véspera de Natal...

Sua voz foi sumindo quando o governador se levantou e balançou a cabeça.

– Solve Nilsdatter confessou. Ela disse que todas vocês se transformaram em gatos e cavaram para sair da cova das bruxas com as garras. Em seguida, tornaram-se pássaros e voaram através do Estreito de Varanger até a aldeia de Kiberg.

– Ela não sabe o que está dizendo... – protestou Ingeborg.

O governador se aproximou e cutucou o peito dela com o dedo. Ingeborg recuou para a parede do outro lado da câmara.

– Você entende o quão sério é este crime? – perguntou ele. – Mulheres entrarem no porão de um homem e beberem toda a cerveja dele?

– O mercador Brasche está enganado. Talvez ele e Anders Pedersen tenham bebido toda a cerveja.

– É uma calúnia que ouço? – disse o governador, erguendo as sobrancelhas e de repente parecendo achar graça. – Você pode ser jovem, mas não se intimida com facilidade, não é, garota?

Ela não disse nada, desejando que ele a deixasse em paz.

– Quantos anos tem, Ingeborg Iversdatter? – continuou o governador, claramente sem intenção de deixá-la ir.

– Fiz dezesseis anos, excelência.

– É apenas um ano mais velha do que era minha esposa quando me deitei com ela pela primeira vez – comentou Orning.

Ingeborg pensou na garota pálida vestida de preto, com a rosa de seda vermelha, e o rosto escondido pelo grande leque.

– Foi uma confusão. Tive de obter o perdão do rei, pois eu a levei embora contra a vontade e a aprovação da família dela. Como o pai de Elisa ficou bravo! – O governador Orning deu a Ingeborg um sorriso sombrio, estendendo a mão e afastando o cabelo de seu rosto, de modo que ela se sobressaltou como uma criatura assustada. – É uma pena que seu cabelo seja da cor da terra, mas gosto dos seus olhos. Canela quente, convidativos – O governador olhou para baixo, para o corpo dela. – E esta roupa é grande demais para você, mas por baixo está o que eu gosto.

Ele se aproximou de Ingeborg, e ela recuou novamente. Seus ombros estavam pressionados contra a parede.

– Na verdade, não há comparação, pois minha esposa é filha de um nobre e você é o rebento comum de uma prostituta do Diabo, mas, mesmo assim, agora você pertence a mim – Ele olhava com malícia para Ingeborg conforme o tom de sua voz mudava.

Ingeborg pressionou as mãos contra as paredes frias de madeira da câmara de julgamento.

– Vamos ver agora se você carrega a marca do Diabo – disse o governador a ela. – Me dê sua mão.

Ela não teve escolha a não ser levantar as mãos para ele. Ele examinou uma, depois a outra.

– O que é esta cicatriz? – Ele a encarou.

– Fui mordida pelo cachorro do mercador Brasche – sussurrou ela.

Ele inclinou a cabeça para ela com os olhos descrentes.

– Tire as botas – ordenou.

Ela tirou as botas gastas de pele de rena. Suas velhas meias de lã estavam cheias de buracos, com os dedos dos pés saindo.

– Tire as meias – O governador apertou as mãos uma contra a outra. – E seu corpete e saia.

Ela congelou de horror.

– Faça o que eu digo – ordenou ele, com a voz áspera. – De que outra forma posso examiná-la em busca da marca de Satanás?

– Eu imploro, excelência, não tenho conhecimento do Diabo…

– Tire as roupas agora, garota, senão vou mandar Lockhert arrancá-las de você!

Ela engoliu o nó na garganta. Não iria chorar na frente do governador. Fechando os olhos, começou a desamarrar o corpete, com as bochechas coradas de humilhação quando o espartilho se soltou.

Uma vez que ela estava tremendo em sua túnica, o governador começou a examiná-la. Ele levantou os braços dela e afastou a gola de seu pescoço, enfiando a mão dentro da túnica e tocando ao redor de seus seios. Colocou a mão sobre seu minúsculo seio esquerdo e apertou seu mamilo. Ingeborg soltou um gemido de dor.

– Tudo normal aqui, embora você tenha o físico de um menino – comentou ele, lançando-lhe um sorriso desagradável. – Suba no baú.

Ela subiu no baú ao lado da grande cadeira. Para fora da janela alta, a nevasca girava descontrolável.

– Levante a túnica até a cintura.

Ela engoliu em seco mais uma vez e balançou a cabeça.

– Eu mandei levantar a túnica.

Em cima do baú ela ficava tão alta quanto o governador. Podia olhar diretamente em seus olhos de peixe morto. Ela sacudiu a cabeça de novo.

– Então farei isso por você – E puxou à força as pontas da túnica.

Por instinto, Ingeborg o empurrou e saltou, correndo pela sala de julgamento em direção à grande porta do outro lado.

– Volte aqui, sua vadiazinha! – chamou ele.

Ela escancarou a porta do salão. A neve caía em cascata, mas embora ainda estivesse descalça em sua túnica, isso não a impediu.

Saiu no meio da nevasca, mas ele foi atrás dela. A respiração dele em seu pescoço, seu fedor de vinho velho e fumaça de madeira. Ele a agarrou pelo braço e o torceu atrás de suas costas. Ingeborg gritou, mas sua voz foi abafada pela neve que caía. Ele a empurrou para baixo, e ela caiu sobre o gelo úmido e compactado. Suas mãos estavam espalmadas na frente dela, mas ele estava sobre ela, puxando-a para o lado, esbofeteando-a com força, puxando a túnica acima de sua cintura.

– Você é uma bruxa vadia como sua mãe – rosnou ele.

Sua saliva pousou nas bochechas dela. A fúria em seu corpo, o ódio, prendia Ingeborg contra a neve.

– Não resista, ou vou queimar todas vocês, até mesmo sua irmãzinha.

Ingeborg parou de lutar. Ela não podia arriscar a vida das outras, não por isso.

Não tenha medo. A voz de Maren estava dentro de sua cabeça. *Podemos ter grande poder.*

Ingeborg fechou os olhos, ouviu-o desafivelar, com as mãos ásperas separando suas pernas, e o calor e o horror da respiração em suas bochechas.

Ele a rompeu.

Seu peso em cima, esmagando-a. Era como se ele tivesse enfiado a espada entre as pernas dela, bem fundo. A dor a perfurou.

Ingeborg ficou tão inerte quanto os mortos. Pensou em Axell afundando no mar. Quanto tempo levou para ele se afogar? Contando. *Um. Dois. Três. Quatro. Cinco. Seis. Sete. Oito. Nove...*

Ela se sentiu elevando-se do chão gelado. Quando abriu os olhos, estava olhando para o governador, com as calças em volta dos joelhos, enquanto ela estava deitada embaixo dele e ele a violentava.

Subindo cada vez mais alto, ela se transformou em seu eu pássaro. Voou para cima e para longe, para fora da fortaleza e através do Estreito de Varanger.

Abaixo dela, as ondas batiam nas camadas de gelo. Ingeborg viu rochas salientes e bolhas de água presas sob a superfície congelada. A água aprisionada era o amor que procurava.

Ingeborg voou em direção ao continente. Mais perto da costa, o gelo era mais espesso, com fios de geada branca espalhados em sua superfície em padrões aleatórios. Sobrevoou as alturas brancas do monte Domen, mas não viu o Diabo em seu cume. Em seguida voou, rápida, furiosa, acima dos espaços brancos e desolados da península de Varanger. Abaixo, uma matilha de lobos, e seu líder olhando para cima e uivando. Todo o bando sentia a sua dor.

Ingeborg voou todo o caminho até sua casa em Ekkerøy, circulou sobre sua aldeia, observando seus antigos vizinhos cuidarem de suas tarefas. Ninguém a viu, embora os chamasse, mas eles estavam surdos para seus apelos. Planando acima da casa do mercador Brasche, ela salpicou o degrau da frente com fezes de pássaro antes de fazer o mesmo na casa do filho.

Pousou em um trecho de pântano congelado e lá encontrou o Diabo na forma de um cão preto. Assobiou para ele e o fez curvar-se para ela. Assim que o fez, voltou para dentro do próprio corpo, agredida pelo último e rígido impulso do governador dentro de si.

– Pelo Bom Deus! – a voz de uma mulher gritou em dinamarquês. Conhecia aquela voz. – Governador, devo protestar!

O rosto de Anna Rhodius, pálido de choque, apareceu, com a mão no ombro do governador.

– Como *ousa*? – O governador recuou. Sua expressão era furiosa quando afastou a mão de Anna Rhodius.

– Governador Orning, ela é apenas uma jovem donzela! – continuou Fru Rhodius, com uma voz imperiosa, e Ingeborg ficou estranhamente impressionada. Como esta mulher enfrentou o homem mais poderoso de Finnmark!

– Ela é filha de uma prostituta a serviço do Diabo... – O governador continuou amaldiçoando Ingeborg e a mãe.

– Ainda não foi provado, excelência – respondeu Anna, em voz baixa, desviando o olhar dele.

O governador se levantou, com o rosto roxo, enquanto afivelava as calças.

– Sim, de fato, o Diabo se apossou da garota, me tentou a tocá-la – afirmou. – Graças a Deus você veio, Fru Rhodius.

Fru Rhodius ignorou o governador e se curvou para Ingeborg. Puxou com delicadeza a túnica para baixo, alisou o tecido e estendeu a mão para a jovem.

Mas ela não aceitaria. Não, esta mulher, que parecia tão gentil, não era amiga dela. A fúria a invadiu, enquanto Ingeborg se levantava sozinha e cambaleava pela neve que caía.

– Volte, Ingeborg! Está sem roupas, sem botas! É muito inapropriado e, além disso, vai congelar – gritou Anna atrás dela.

– Deixe-a – Ingeborg ouviu o governador dizer. – Os portões da fortaleza estão trancados. Ela não pode ir a lugar algum. Uma caminhada fria na neve talvez a convença a confessar tudo o que sabe.

A vergonha estava em cada passo ardente que Ingeborg dava. Seus pés descalços queimavam no frio. Passando pela cabana de turfa dos soldados, tentava ignorar seus olhares descarados. Sentia dor entre as pernas, como se estivesse pegando fogo. No entanto, estava determinada a não chorar. Lá estava a cova das bruxas obscurecida por flocos de neve giratórios. Como desejava estar de volta ali com a mãe. Não se importava com a fome, a sujeira e o fedor, porque pelo menos lá dentro não estaria sozinha.

Subiu os degraus cobertos de neve até o topo das muralhas da fortaleza, caminhando pelo perímetro, equilibrando-se sobre uma saliência de neve, sem se importar se cairia para a morte. Na ameia do canto, Ingeborg olhou para Vardø. O vento estava tão selvagem que nenhum pássaro voava. O céu formava redemoinhos de neve contra a escuridão, e ela desejou que ele a agarrasse e a atirasse no mar.

Ela olhou para os pés. Havia sangue respingado sobre seus dedos azuis. Virando-se, viu um rastro de sangue no caminho pelo qual viera. Ingeborg se agachou nas ameias, escondeu-se atrás de um dos canhões, enquanto levantava a túnica e olhava.

Suas pernas estavam manchadas de vermelho e, quando tocou entre elas, estavam cobertas de sangue. Também havia manchas de sangue em sua túnica branca.

O nojento governador havia roubado sua virgindade, e agora ela estava arruinada para sempre.

Uma voz cantava. Isso a afastou da borda das ameias. Engatinhou ao longo do topo da muralha em direção ao som. As palavras cantadas não eram em dinamarquês ou norueguês, e com certeza não eram um dos hinos que cantavam na igreja. Um balbúcio, um murmúrio, uma crescente torção de notas, elevando-se e descendo como os pássaros caíam e mergulhavam no céu.

Ela conhecia este som; era o *yoik*.

Ingeborg espiou por cima da borda da muralha. Na parte de trás da casa do governador havia um corredor estreito entre o prédio e as paredes da fortaleza. Um criado estava parado ali, de costas para ela. Ele era sámi, e estava vestido com um *gákti* azul-escuro enfeitado com uma trança vermelha, mesclada com fios verdes e amarelos e amarrada em volta dos quadris. A cor de seu traje era viva em contraste com a neve branca. Alimentava os dois cães de caça do governador com pedaços de carne de rena; Ingeborg nunca tinha visto as criaturas tão dóceis. Era para os cachorros que ele cantava.

E algo em seu *yoik* a acalmou também, como se ele a estivesse chamando, como se ela fosse parte de seu bando.

Havia algo neste rapaz.

Ingeborg se inclinou ainda mais para ouvi-lo melhor, mas a neve estava fofa, e ela escorregou da muralha, caindo em uma pilha de neve abaixo. Os cachorros recuaram e rosnaram quando o rapaz se virou.

Era ele.

– Zare! – exclamou ela, enquanto lutava para se levantar da neve.

– Você está machucada? – falou em norueguês, acariciando os cachorros para que se acalmassem e voltassem para a carne.

Ingeborg balançou a cabeça. O que ele estava fazendo ali?

– Mas você está sangrando – Ele deu um passo em direção a ela.

– Não! – Ela estendeu a mão em pânico. Apesar de sua alegria com a presença dele, não queria que visse sua vergonha. – Vá embora!

Ele parou de andar.

– Ingeborg, o que há de errado?

Ingeborg viu a pena no rosto dele e isso a fez chorar. Levou as mãos ao rosto quente e úmido, pois não conseguia conter a torrente de sua dor.

Zare se aproximou, colocando sua pele de rena em volta dos ombros de Ingeborg, enquanto ela chorava. A gentileza de seu gesto a fez desabar.

– O governador me atacou – Ingeborg tocou sua roupa ensanguentada. – Aqui.

Os olhos de Zare ficaram escuros como tinta. Ela ouviu um longo silvo baixo sob a respiração dele; o mesmo som que o gato faz antes de atacar um rato. Então ele pegou um pouco de neve e limpou as mãos ensanguentadas de Ingeborg com ela.

– Ele vai deixar você em paz agora.

Zare esfregou as mãos dela até ficarem quentes e secas.

– Como você sabe?

Mas Zare não respondeu.

– Como entrou na fortaleza? – perguntou Ingeborg. – Por que está alimentando os cachorros do governador?

– Porque é o meu trabalho – declarou Zare, com a voz afiada. – O governador sempre contrata meninos sámi, já que somos os melhores com cães, e ele pode nos tratar como animais também.

Ingeborg se sentiu inundada de gratidão. Este rapaz, que ela mal conhecia, tinha encontrado uma posição na fortaleza para que pudesse ajudar. Ele, um sámi, mas ninguém de seu vilarejo viera em seu auxílio.

– O que estava cantando para os cães?

– O *yoik* do lobo – revelou ele. – Isso os acalma, pois é o ancestral deles.

Os grandes cães de caça terminaram sua carne e se aproximaram. Zare acariciou a cabeça de um, que abanou o rabo. O outro olhou para ela com olhos penetrantes de lobo.

– Esta é uma fêmea, e eu a chamo de Beaivenieida, a filha do Sol, porque ela tem um ar alegre, e este é Gumpe, o lobo, porque ele é um lobo em seu coração.

Ingeborg estendeu a mão e deu um tapinha na cabeça de Beaivenieida, e seus dedos tocaram os de Zare ao fazê-lo. Gumpe se aproximou deles, enfiou o focinho na palma de sua mão e lambeu o resto do sangue de seus dedos. A língua quente em sua pele fez cócegas e a fez se sentir melhor.

Zare a observou com expressão pensativa.

– Estou aqui todas as manhãs alimentando os cachorros – informou ele. – É aqui que você vai me encontrar se precisar de mim.

– Vai nos ajudar a escapar, Zare?

Ele pareceu perturbado. Mas com certeza tinha um plano, já que arrumara um trabalho na fortaleza.

– O que ouviu sobre o julgamento? – perguntou ele. – Quem é acusada?

– Minha mãe; a prima dela, Solve; e a viúva Krog, de nosso vilarejo.

– Apenas as três?

Ingeborg lembrou da conversa sobre a mãe dele, Elli.

– Acho que também estão desconfiados de sua mãe.

Zare apertou suas mãos nas dele.

– Será meus ouvidos, Ingeborg? Virá me contar, quando puder, o que ouviu?

– Sim, mas como vamos escapar? Os portões da fortaleza estão sempre guardados e trancados, e não temos corda para descer pelas muralhas. Além disso, seremos vistos…

Ela havia passado noite após noite tentando descobrir como poderiam escapar.

Zare esfregou suas mãos às dele outra vez, como se fosse fazer faíscas para o fogo.

– Vou pensar nisso. Mas entre logo, Ingeborg. Está frio demais e você está sem botas, com quase nada para aquecê-la.

*

Naquela noite, em seus sonhos, Zare veio até ela. Sem dizer nada, ele ofereceu a mão a Ingeborg e os dois correram com os lobos. Eles faziam parte da matilha, lado a lado, a respiração como névoa diante deles, a lua iluminando o caminho por cima da neve cintilante. Vantagem numérica. Selvagens e poderosos. Tinham de fugir de Vardø antes do julgamento das bruxas.

Apesar do que o governador havia feito a ela, Ingeborg acordou sentindo-se mais esperançosa do que se sentira há dias. Zare encontraria uma forma.

CAPÍTULO 37
ANNA

Minha filha Christina fala comigo. "Salve as meninas", ela sussurra.

Posso sentir seu hálito doce em minha bochecha, o cheiro do alecrim fumegante em seu quarto atingido pela pestilência e, ah, a delicadeza de seus dedos sobre minha testa.

Salve as meninas. Esta é a minha tarefa, pois as mulheres na cova das bruxas estão além do meu auxílio. Tive certeza disso quando o governador me informou que o júri havia sido selecionado para o julgamento daqui a quatro semanas.

– Doze homens bons e honestos da ilha de Vardø – informou ele. – Presidirei como magistrado, e Lockhert apresentará as provas, junto das confissões da bruxa Solve Nilsdatter.

Eu havia sido chamada à câmara privada do governador para discutir a questão das filhas das bruxas.

– Cabe a você fazer estas garotas declararem que as mães as venderam ao Diabo – orientou ele.

Estava desconfortável em estar em sua presença depois do que o vira fazer com a garota, Ingeborg Iversdatter, mas ele parecia completamente desavergonhado.

– Mas, excelência, não tenho certeza da veracidade da alegação de que estas garotas foram entregues para o Diabo…

O governador bateu a mão na mesa e me encarou.

– Claro que é verdade. Só precisamos fazê-las confessar – Ele se sentou ereto. – Esta Maren Olufsdatter é filha de Liren Sand. E onde está o pai dela, afinal? Pois ela não é uma norueguesa de pele clara. Ele é o Diabo, com certeza. Quanto à garota, Ingeborg Iversdatter, bem…– Ele me lançou um olhar duro. – Com seus próprios olhos você viu que ela é uma sedutora cruel.

Senti-me enrubescer com a perversão das palavras do governador. Eu o testemunhei atacando a garota, mas precisava ter cuidado para não colocá-lo contra mim, pois eu era a única esperança que essas garotas tinham.

– Preciso que você as prepare para o julgamento. Certifique-se de que elas forneçam provas suficientes para condenar as bruxas.

– E se eu as trouxer de volta a Deus, elas serão libertadas?

– Se elas são capazes de recitar seu catecismo com perfeição, é prova suficiente de que foram trazidas de volta ao Bom Deus e vou garantir que vivam – concordou ele.

– E a filha mais nova, Kirsten? – perguntei ao governador, sentindo um aperto no peito ao falar dela.

Um leve sorriso surgiu no rosto dele.

– Ah, sim, ela deve ser persuadida a denunciar a mãe no tribunal.

Senti uma dor profunda de desejo em meu ventre e ouvi a risada tilintante de minha querida Christina atrás de mim. Ah, sim, meu amor, estou aqui para você para todo o sempre.

Minha decisão foi imediata e, de todo o coração, senti que era o melhor.

– Farei isso. Mas, depois, deve dá-la para mim. Em definitivo.

– Como assim? – O governador franziu a testa.

– Farei o que ordena, mas quando o julgamento terminar, Kirsten viverá comigo no casebre – Fiz uma pausa. – Até que chegue o perdão do rei por ajudá-lo, e então ela partirá comigo.

O governador ergueu as sobrancelhas, surpreso.

– Aquela filha de pescador é uma criatura inútil.

– Concorda com meus termos? – Pressionei o governador, sem responder à sua pergunta, pois como ele poderia entender? – Concorda em obter o meu perdão e, depois disso, me deixar partir com Kirsten?

Ele suspirou.

– Você é uma mulher muito irritante com suas exigências. Mas, sim, pode cuidar dela, pois ninguém mais vai querê-la depois que a mãe for queimada.

As palavras, ditas com tanta leviandade, eram terríveis.

– No entanto, se você falhar, Fru Rhodius – sua voz assumiu um tom mais ameaçador –, vamos queimar sua garota e você ficará aqui pelo resto de seus dias.

A raiva flamejou por mim com a ameaça, mas segurei minha língua.

Eu estava presa em sua teia, lutando com fúria, mas bem presa, de qualquer forma.

CAPÍTULO 38
INGEBORG

As *Nordlys* viriam aquela noite. Ingeborg podia sentir a aproximação delas na tensa rarefação do ar e no fulgor cerúleo afundado no azul-escuro do céu. A Estrela do Norte já reluzia.

– O que está observando? – Zare havia deslizado ao lado dela nas muralhas da fortaleza. Este era o lugar secreto onde, na última semana, passaram algum tempo juntos e longe de todo o medo e horror lá embaixo.

Nas muralhas da fortaleza, Ingeborg só precisa olhar para o céu e sonhar. Então, ela apontou para a grande estrela, sua guia constante nos meses sombrios dentro da fortaleza.

– Estou olhando para a Estrela do Norte – explicou a Zare.

– Nós a chamamos de *Boahjenásti* – contou ele, aproximando-se dela. – É a única estrela fixa no alto da abóbada do céu – revelou. Ela sentiu a respiração suave dele em seu pescoço, e uma forte atração.– Todas as outras estrelas se movem em torno dela.

– É muito mais brilhante do que as outras.

– Todo outono fazemos o sacrifício de uma rena macho para a Estrela do Norte – disse Zare. Seus olhos refletiam a luz da lua prateada. Eles brilhavam como se fossem feitos de cristais.

– Um sacrifício? – perguntou Ingeborg. – Como quando Jesus se sacrificou pela humanidade?

– Sim, mas a razão pela qual fazemos isso é para impedir que o mundo desmorone – Ele sorriu para ela, e ela notou que havia uma pequena lasca em um de seus dentes da frente. – O sacrifício mantém o equilíbrio em nosso mundo e impede que o seu pilar caia.

– Qual é o pilar do mundo? – perguntou Ingeborg, pensando nos pilares do retábulo do reverendo Jacobsen na igreja de Ekkerøy.

Zare mudou de posição, e Ingeborg pôde sentir a força de suas pernas enquanto roçavam nela.

– É uma grande árvore que sustenta o céu.

Como a Yggdrasil da viúva Krog, a velha árvore da vida da antiga religião, ela pensou.

Mas as crenças de Zare não eram como a antiga religião da viúva Krog. Eram diferentes, especiais para o povo sámi.

– Se o pilar se quebrar, o céu cai e é o fim do mundo.

– Como o Dia do Juízo?

– De certa forma – respondeu Zare. – A árvore do mundo tem uma águia como sua mensageira para nos lembrar das grandes e boas coisas que podem ser feitas em vida. Ela envia uma mensagem a todos.

– Não para mim, sou apenas uma garota. Não há nada de bom que eu possa fazer – comentou Ingeborg, em voz baixa, tentando não pensar que sua vida nesta terra poderia acabar logo.

– Não é verdade – retrucou Zare, virando-se para ela, com o olhar tão intenso que ela ficou paralisada por ele. – Os sámi reverenciam a meninas tanto quanto os meninos.

Ingeborg ficou surpresa com as palavras dele. O reverendo Jacobsen sempre se referiu aos sámi como selvagens e feiticeiros. Eles deviam ser temidos. No entanto, ela nunca tinha ouvido um menino ou homem, nem mesmo o próprio irmão, falar como se meninos e meninas fossem iguais. Nem mesmo as mulheres acreditavam nisso. Ingeborg só conseguia lembrar de uma pessoa que pensava assim.

– Maren diz que nós, garotas, podemos ter um grande poder.

– Ela está certa, embora não como uma bruxa – Zare colocou a mão sobre a dela. Através de suas luvas, seu toque a aqueceu. – Os sámi não acreditam que as mulheres possam ser bruxas.

Ingeborg tentou imaginar um mundo sem bruxas, mas o que mais explicaria todas as coisas ruins que aconteceram? A tempestade que afogou seu pai e irmão? A fome na qual não conseguiram pescar qualquer peixe? A doença e a morte de vacas e cordeiros? Estava prestes a dizer isso a Zare, mas ele colocou o dedo na boca para avisá-la para ficar em silêncio. Ele ergueu o queixo para o céu e Ingeborg seguiu o seu olhar.

– São as almas dos que partiram – sussurrou ele.

Ondas gigantescas de amarelo, verde e escarlate viajaram depressa pelo céu. Pareciam os grandes "s" da Bíblia de Fru Anna, embora virados para o outro lado. A luz serpenteou em cortinas luminosas até desaparecer tão de repente quanto havia surgido. Ingeborg ouviu um som crepitante, e todo o seu corpo sentiu como se estivesse carregado com o poder das luzes.

– *Guovssahasat*. As luzes que podem ser ouvidas – sussurrou Zare.

Prateadas, verdes, contornadas em violeta e rosa, as luzes irradiavam para fora, como se fossem uma coroa flamejante. Eram as dobras coloridas de uma saia rodopiante, uma princesa trasgo girando pelo céu. Eram um círculo de mulheres dançando. Ingeborg lembrou da véspera do solstício de verão.

A viúva Krog batendo com sua bengala, enquanto todas as mulheres davam as mãos e se moviam em uma onda sinuosa. Foram acusadas de dançar com o Diabo naquela noite.

– Não existem coisas como o Diabo e suas bruxas – afirmou Zare.

– Mas o Diabo me atacou – sussurrou Ingeborg. – E me lancetou com sua espada.

– Não foi o Diabo quem abusou de você, Ingeborg.

Sentada no topo da fortaleza, ao lado da proteção de Zare, Ingeborg deixou que o oscilar e o girar das luzes cintilantes a levantassem. Viu-se de volta do lado de fora da casa do governador, correndo na neve. Lá estava o governador, violando-a.

Apertou a mão de Zare, assustada com a clareza de sua memória.

– Ele tirou minha virtude – sussurrou. – Estou arruinada.

– Ingeborg Iversdatter, você está longe de estar arruinada – declarou Zare, afagando sua mão. – Pois vejo a luz de nossa deusa Sáráhkká dentro de você.

Ingeborg fitou os sérios olhos azuis de Zare. Queria tanto acreditar nele.

O rapaz sámi segurou seu rosto com as mãos e depois a beijou. De leve, em sua testa. Ingeborg viu a Estrela do Norte mais uma vez, mas agora dentro de si, reluzindo tanto que pensou que ia explodir de luz.

CAPÍTULO 39

ANNA

– Como Solve Nilsdatter trouxe o Diabo até você?

Esta foi a pergunta que fiz a Maren repetidas vezes, procurando provas para condenar a tia dela, porém todos os dias ela respondia com uma história diferente. Maren afirmou que havia aprendido a arte com uma velha sámi que lhe vendera um amuleto, ou que uma lebre branca cantara uma canção para ela, ou que um pequeno pardal subira saltitando pelo seu braço. Com o passar dos dias, suas histórias se tornavam mais fantásticas: ela conheceu o Diabo cavalgando em uma baleia azul, ou quando libertou o alce dos fossos de caça do governador, ou quando estava flutuando no gelo com um filhote de urso polar.

Assim que eu acreditava que a última história era a verdadeira, Maren mudava de ideia.

– Acredito que conheci o Diabo quando ele veio até mim como uma foca, descansando sobre uma rocha à beira-mar, em Ekkerøy – contou ela, inclinando a cabeça para o lado, pensativa. – Sim, é verdade, Fru Anna. E ele me persuadiu a vender minha alma para ele por um punhado de moedas.

– Desista de seus jogos, Maren Olufsdatter – ordenei, e a frustração crescia dentro de mim. – Confesse-me de uma vez por todas: como sua tia Solve a entregou ao Senhor das Trevas?

– Prometa-me uma coisa primeiro – pediu Maren.

– O que poderia ser? – perguntei, apática, pois o que eu, também cativa, poderia dar a esta garota selvagem?

Maren olhou para mim com olhos ferozes.

– Jure que nenhum fio de cabelo da cabeça de Ingeborg Iversdatter será danificado – disse ela. – Nem da irmã Kirsten.

– Farei tudo ao meu alcance para proteger *todas* as minhas meninas.

– Como curandeira, você jura? – insistiu ela, tomando minha mão e apertando-a. Ela tinha um aperto forte.

– Sim – declarei, afastando a mão e segurando minha cruz de ônix no pescoço.

– Muito bem. Vou lhe contar quem *concedeu* o ofício para *mim* – concordou Maren. – Mas só para mim.

Esperei, enquanto ela cruzava os braços e olhava pela janela minúscula da casa-prisão para a neve, que caía há dias.

– Não foi minha tia Solve, mas minha mãe quem me deu o ofício em uma tigela de cerveja. Parecia excremento de rato no fundo, mas eu sabia que era poção do diabo. Joguei os grãos pretos no chão, mas era tarde demais. Eu conseguia sentir a ardência na minha língua, o mal deslizando pela minha garganta.

Ela se levantou de repente e girou em um círculo lento.

– A primeira vez que o Diabo apareceu foi na forma de um cachorro preto com chifres de cabra na cabeça, entrando na cabana. Ele me pediu para servi-lo, mas eu disse não. Ele perguntou de novo, mas, ainda assim, recusei, então ele fugiu.

"Na segunda vez, no meio da noite, ele voltou na forma de um homem barbudo com chifres nos joelhos e um grande chapéu preto. Pediu-me para servi-lo, mas, ainda assim, eu disse não.

"Na terceira vez, ele me disse que se eu o seguisse, nunca mais sentiria fome. Que ele me traria *lefse* doce cheio de manteiga e açúcar. Como minha barriga gemeu! E completou: quanto à sua mãe, ela pode comer uma tigela grande de *rømmekolle*. Quão satisfeita ela ficará? Ele sorriu para mim. Fez com que eu me sentisse tão feliz e, então, eu disse que, sim, eu o serviria."

– Deve contar isso para o governador no julgamento – orientei Maren.

Ela inclinou a cabeça.

– Vai me salvar se eu confessar?

– Sim, vai – respondi, sentindo o rosto esquentar. – Mas também deve recitar o catecismo, para que todos saibam que você voltou a Deus. Você era tão jovem quando sua mãe a entregou ao Senhor das Trevas que ainda pode ser salva.

– Acha que todas as horas que passamos de joelhos orando a Deus são suficientes para salvar minha vida, Fru Anna? – Maren bocejou preguiçosamente, como se não tivesse mais nada com que se preocupar além de recitar algumas orações.

– Sim, sim – afirmei, segurando minha Bíblia no peito, porque eu não podia pensar de outra forma.

Maren se espreguiçou com graça felina, os braços acima da cabeça, com seus olhos verdes salpicados de âmbar e castanho encarando os meus. Pensei na primeira vez em que a vi, com o grande lince selvagem. Ou talvez tivesse sido um sonho?

Maren bocejou de novo, mostrando-me os dentes afiados, enquanto me encarava com uma calma felina. A garota não tinha medo da morte e, portanto, não éramos tão diferentes.

CAPÍTULO 40
INGEBORG

Ingeborg cambaleava sob o peso da turfa enquanto ela e Maren traziam suprimentos até o casebre. Estavam quase na soleira, quando ouviu latidos. Virou-se, tomando cuidado para não deixar cair a turfa, esperando ver Zare com os cães de caça, Beaivenieida e Gumpe. Mas era o governador Orning, marchando em direção ao poço. Em sua mão direita, ele segurava um pequeno saco que se contorcia, e ao redor do qual os cachorros pulavam, latindo de agitação. Fru Orning estava atrás dele, estendendo a mão para o saco, mas o marido o levantou bem acima dela. A gata preta dela corria atrás do grupo, fazendo um terrível barulho estridente e agudo. O som atraiu os soldados de sua cabana, com as armas em riste, mas assim que viram que eram o governador e a esposa, baixaram os mosquetes. Eles eram observados com olhos curiosos.

Ingeborg recuou contra a parede da cabana, e a carga de turfa tremia em seus braços. Não via o governador desde que ele a atacara. Estava a apenas um passo de poder esconder-se dentro da cabana e ainda não conseguia se mover, congelada por um tumulto de emoções. Dor. Raiva. Vergonha.

Maren também estava paralisada, observando imóvel e silenciosa.

– Eu imploro, Christopher, são gatinhos inocentes – implorou Fru Orning para o marido.

Não mais escondido por seu leque preto, o rosto de Fru Orning estava mais pálido que giz, coberto de pó branco.

O governador derrapou ao parar. Estava tão furioso com a esposa que não notara os espectadores. Nem mesmo Fru Anna e Kirsten de mãos dadas, quando elas apareceram na soleira da casa-prisão.

A visão perturbou Ingeborg. O vínculo entre a irmã e Fru Anna não era certo, mas não importava o que dissesse a Kirsten, a irmã a afastava.

– Fru Anna é gentil comigo, Ingeborg.

– Mas ela não é sua mãe.

Kirsten olhava para ela com olhos inocentes.

– Eu sei. Ela me ama mais do que a mamãe.

– Kirsten!

Mas sua irmã não lhe dava mais ouvidos e ia ver Fru Anna preparar mais tinturas para aliviar o sofrimento de Solve na cova das bruxas. A irmã já possuía mais conhecimento do que ela e Maren sobre todas as propriedades botânicas das plantas medicinais.

O governador alcançou o poço e segurou o saco de gatinhos, que se contorciam acima dele.

– Por favor, não! Por favor! – implorou Fru Orning, e uma gota de suor escorreu pela superfície empoada de seu rosto branco. Mas Ingeborg podia ver o sorriso cruel no rosto do governador. Ele tinha prazer com a angústia da esposa.

A gata preta pulou na beira do poço e ficou nas patas traseiras, golpeando o saco com as garras. O governador a empurrou com a mão livre, e ela caiu sobre as patas na frente dos grandes cães de caça. Mas eles não a tocaram. Ela arqueou as costas e sibilou para o governador.

– Eu deveria matar sua gata também – comentou ele. – Está possuída pelo Diabo. Até meus cachorros têm medo dela.

– Precisamos dos gatos para afastar os ratos! – implorou Fru Orning. – Os gatinhos serão bons caçadores, igual à mãe deles.

– Eles não são gatos, esposa, você não viu como são estranhos? Estou nos livrando do mal deles.

– Juro que está enganado – insistiu a esposa, com os olhos ardentes no rosto rígido. – Como pode ter medo de dois gatinhos?

Um dos soldados soltou uma risada zombeteira e o governador lançou um olhar venenoso para o bando de homens.

Na pausa que ele fez, Fru Orning alcançou o poço e puxava o braço do marido.

Orning olhou para a esposa. Sua expressão escureceu. Com o braço livre, deu-lhe uma cotovelada na barriga. Ela caiu para trás, ao lado da gata preta, que ainda sibilava.

– Como ousa me questionar, esposa? Ordeno que volte para casa.

Fru Orning se levantou, cambaleando, pressionando as mãos no peito, tentando recuperar o fôlego.

Ingeborg começou a tremer com o peso da turfa, e a raiva rodopiava dentro de si. Prendeu a respiração. *Não se mexa*, disse a si mesma.

Mas, para o seu choque, Maren deixou cair no chão a sua pilha de turfa.

Ao ouvir o som que ela fez, o governador lhes lançou um olhar. Seus olhos se estreitaram ao ver Ingeborg, e ela sentiu suas bochechas corarem, e seu coração encolher no peito. Mas ele olhou para a jovem como se ela não passasse de excremento de cachorro em sua bota. Seus olhos passaram para Maren e se arregalaram de surpresa quando a garota caminhou em sua direção.

– Tenho uma pergunta a fazer, governador – declarou ela, sem nenhum traço de humildade ou medo na voz.

Ele ficou tão surpreso pela filha de bruxa ousar falar consigo que não jogou o saco de gatinhos no poço. Em vez disso, abaixou a mão, ainda segurando o volume com firmeza.

– O que é, menina?

– Se eu lhe fizer uma confissão, deixa os gatinhos viverem?

O governador Orning olhou para Maren Olufsdatter.

– Você se atreve a fazer uma *barganha* comigo, garota? – rugiu ele.

Maren sorriu para o governador. Então apertou os lábios e soltou um assobio agudo. Os cães de caça do governador pararam de latir. Ela assobiou mais uma vez, e eles trotaram até Maren, sentando-se diante dela. A jovem ergueu a mão e assobiou pela terceira vez. Os cachorros se deitaram de costas no pátio coberto de neve.

Maren se ajoelhou e afagou a barriga dos cães enquanto eles a lambiam.

– Sim, ouso barganhar com você – disse Maren por fim, erguendo os olhos.

O governador olhou para ela, espantado, claramente sem saber o que pensar de sua audácia. Não estava acostumado com mulheres, muito menos garotas, respondendo a ele. Como ela tinha tamanho controle sobre os seus cães?

Ingeborg sentiu uma onda de orgulho. As ações de Maren eram mais que tolas, mas ela era corajosa. Além disso, havia distraído o governador a tal ponto que a gata preta estava de novo na beirada do poço, tentando alcançar seus gatinhos. Suas garras se prenderam ao saco enquanto ela o puxava.

Fru Orning correu depressa e arrancou o saco do marido.

O governador Orning girou, enfurecido.

– Como você *ousa*? – berrou ele, sacando a pistola e apontando-a para a esposa.

O capitão dos soldados pegou seu mosquete às costas do governador. Embora não o tenha apontado, Ingeborg percebeu seu choque com as ações de seu senhor.

– Acalme-se, governador – interveio Maren. – Os gatos vão, como disse sua esposa, deixar os ratos ocupados.

O governador Orning baixou lentamente a pistola.

– Criatura patética – rosnou para Fru Orning, enquanto ela abria o saco para tirar dois gatinhos chorões.

Um era malhado e o outro, alaranjado.

– Vê? São amaldiçoados! – disse ele. – Como pode uma gata preta ter gatinhos de pelo diferente? É magia negra…

– Deixe-os viver, e eu vou lhe fazer uma confissão – provocou Maren, desviando a atenção do homem do pelo dos gatinhos.

Os olhos do governador Orning se estreitaram e Ingeborg percebeu que ele estava em conflito entre a crueldade e a curiosidade.

– Muito bem – concordou ele. – Confesse!

Maren voltou a levantar-se e os cães saltaram ao seu lado. Ela deu um pequeno giro, claramente encantada por ter cativado a atenção de tantos.

– Eu confesso... – brincou ela. – Confesso... – Caminhou até a pequena Fru Orning e se curvou profundamente diante dela. – Eu acredito que sua esposa é uma princesa e você é o trasgo que a mantém cativa.

Houve um silêncio estarrecedor. Nenhum dos soldados ousou rir.

Maren, então, fez uma reverência na frente de Fru Orning, que apertou os gatinhos no peito, olhando para a outra garota com indisfarçável admiração.

– O que diz, governador? Tem sangue de trasgo?

A turfa nos braços de Ingeborg tremia perigosamente, e seu coração disparava sem controle. O governador com certeza mandaria matar Maren. De fato, ele olhava para ela com raiva. Mas então, para surpresa de todos, a carranca em seu rosto se abriu, e ele soltou uma gargalhada.

A jovem saltitou, claramente encantada com a reação dele. O governador riu ainda mais, com as mãos nos quadris, e Maren sorriu para Ingeborg. *Veja, mostre a eles o seu poder*, seus olhos pareciam dizer.

Os soldados começaram a rir, e até mesmo o rosto medroso de Fru Orning se abriu em um sorriso.

Mas Ingeborg não conseguiu rir. Podia ver a fúria sombria nos olhos do governador. Ao seu lado, Kirsten estava rindo, mas Fru Anna ficou observando, em silêncio. *Ela também vê.*

O governador parou de rir tão de repente quanto havia começado. Deu um passo rápido em direção a Maren e lhe esbofeteou o rosto.

Ela cambaleou para trás, mas não caiu.

– Pode se divertir com suas brincadeiras por enquanto, Maren Olufsdatter, mas acredite, eu vou rir por último.

Ele girou nos calcanhares e voltou para o castelo. Os cães correram atrás dele. Nos degraus, ele se virou e rugiu para a esposa.

– Livre-se desses gatinhos. – Mas Fru Orning não fez nenhum movimento. Permaneceu olhando para Maren com admiração.

Terminado o espetáculo, os soldados entraram em sua cabana, enquanto Fru Anna e Kirsten voltaram para dentro da casa-prisão. Ingeborg se aproximou de Maren com a turfa ainda nos braços. Estava dividida entre a censura e a admiração. Maren havia demonstrado tanta coragem!

Mas antes que tivesse a chance de dizer qualquer coisa a ela, Fru Orning se aproximou.

– Obrigada – disse, colocando a mão na bochecha que o marido havia esbofeteado, como se para esfriá-la.

Maren deu de ombros.

– Ele é um bruto. É melhor enfrentá-lo, porque ele vai nos machucar de qualquer maneira. Mas você se sentirá melhor em seu coração – Maren tirou a mão de Fru Orning de sua bochecha e a colocou sobre o próprio coração – se desafiá-lo. Pois como isso poderia tornar a sua vida pior?

– Como *você* sabe? – sussurrou Fru Orning, com os olhos cheios de lágrimas.

Maren não disse nada, mas as duas garotas se entreolharam antes que ela finalmente quebrasse o silêncio.

– É melhor você nos dar os gatinhos, e vamos mantê-los na casa de Fru Anna – ofereceu Maren. – Ela ficará contente por eles caçarem os ratos.

Fru Orning passou os gatinhos para Maren, enquanto sua gata preta se enroscava entre as pernas delas. Ela se abaixou e a pegou. As duas moças ficaram próximas para que a mãe lambesse as orelhas de seus filhotes.

– Vou manter seus bebês seguros – Maren prometeu à gata.

Maren voltou a curvar-se para Fru Orning, com um gatinho em cada mão, enquanto a outra garota corava.

– Você é uma princesa aos meus olhos – sussurrou Maren, antes de virar as costas, passar por Ingeborg e entrar no casebre. Ela havia se esquecido completamente da turfa caída.

Fru Orning continuou olhando em sua direção. Abraçando a gata preta no peito minúsculo com uma das mãos, levou a outra à bochecha. Tocou o branco alabastro de seu rosto. De perto, Ingeborg pôde ver que estava rachado. Por que uma moça tão jovem cobriria o rosto com pó branco? Como se sentisse o escrutínio de Ingeborg, Fru Orning olhou para ela antes de baixar os olhos.

– Sinto muito por suas provações – sussurrou, antes de subir correndo os degraus do castelo.

CAPÍTULO 41

ANNA

Não sei o que fazer, meu rei, pois devo confessar que é a primeira vez em minha vida que me sinto consumida pela dúvida. Fiz um acordo com o governador. Se Kirsten testemunhar contra a própria mãe, ele prometeu que lhe pedirá o meu perdão, porque o ajudei em sua tarefa de livrar o Norte das bruxas. Com o perdão, posso sair desta miserável ilha de sofrimento e levar Kirsten comigo. Kirsten e Christina, pois a simetria de seus nomes acaso não tem significado? Seríamos libertadas juntas, e eu poderia voltar para o meu marido, nossa casa e nosso jardim em Bergen, com uma filha. Poderia levar Kirsten para Copenhague e apresentá-la à corte, e todos concordariam com sua beleza. Eu lhe mostraria *minha* menina e lhe diria: "Meu rei, veja, aqui está ela, e ela é toda minha", e em sua presença, bem diante de seus olhos, eu seria libertada.

Enquanto as nevascas varrem as primeiras semanas de março em Vardø, acumulando-se cada vez mais alto em todos os edifícios da fortaleza, sonho com Copenhague no verão. Sonho com o cheiro de lavanda e madressilva no jardim do rei, enchendo-me com tanto anseio de voltar e passear mais uma vez com nossas versões mais jovens, enquanto observávamos os andorinhões de verão com caudas bifurcadas, voando baixo e rápido, e seus gritos penetrantes, presságios do futuro. Quero retornar ao passado, mas meu corpo está preso no presente, pressionado contra o sofrimento das mulheres de Varanger, de forma que os gritos dos andorinhões se tornaram o tormento delas.

Solve Nilsdatter já estava destruída e havia denunciado as outras duas, mas não encontrou condenação da parte delas. Quando eu as visitava, as três mulheres acusadas tentavam manter umas às outras aquecidas, e eu lhes dava vinho com infusão de lavanda para ajudá-las a dormir.

Todas as noites, eu saía da cabana passando por Ingeborg e Maren, que dormiam no velho catre de Helwig. Minha criada não ficara mais de uma semana sob o mesmo teto que as filhas das bruxas. Ela me disse que a mãe estava doente no continente e precisava da filha, mas a expressão em seus olhos me disse que estava com medo.

De qualquer forma, eu não precisava de Helwig agora, pois as meninas podiam fazer todas as tarefas necessárias.

Fora da cova das bruxas, eu às vezes falava com o capitão Hans. O jovem soldado também era de Copenhague e não tão cruel quanto o governador e o beleguim. Ele me dava pequenos presentes de comida ou uma garrafa de lata com rum de seus soldados para aliviar o sofrimento das mulheres aprisionadas.

Dentro da cova, cuidei das queimaduras e lesões de Solve e da viúva Krog o melhor que pude. Também colocaram a velha Krog sob terríveis provações, mas ela não confessou. Entendi que o governador desejava saber o paradeiro da mulher sámi chamada Elli, que já estivera em conluio com a grande bruxa Liren Sand, a mãe de Maren. Tudo o que a viúva Krog disse, em um sussurro rouco, foi que ela comprara um peixe da sámi Elli, mas isso foi tudo. Toda vez que era pressionada a confessar bruxaria ou denunciar as demais, a viúva Krog era inflexível. Não mentia sobre si mesma nem sobre qualquer outra mulher.

Minha admiração pela velha crescera à medida que ela resistia aos tormentos de Lockhert, e em meu coração comecei a duvidar de sua culpa.

Depois de cuidar das duas mulheres atormentadas o melhor que era capaz, examinei Zigri Sigvaldsdatter, ouvindo o resoluto batimento cardíaco do bebê com um chifre de madeira pressionado em sua vasta barriga. A criança chegaria em breve, talvez até antes do julgamento, temo.

O que devo fazer? O que preciso é de provas irrefutáveis de que estas mulheres são, de fato, bruxas que desejam nos matar em nossas camas. Se eu tivesse tal evidência, isso aliviaria as minhas dúvidas.

De volta à minha casa-prisão, observo Kirsten e me maravilho com como ela se assemelha a Christina em sua aparência e na maneira como se move. Kirsten sempre puxa um cacho, enrolando-o no dedo mindinho, como minha filha fazia antes, e a visão deste pequeno hábito sempre me dá um aperto no coração. Claro, Kirsten fala de uma maneira diferente, com o áspero dialeto do norueguês do Norte, mas quando ela canta os salmos em dinamarquês... Ah, nesses momentos a voz dela é tão doce quanto a da minha querida menina tinha sido. É tanto uma alegria quanto uma tortura estar com esta criança todos os dias.

Percebi uma distância crescente entre Kirsten e a irmã, Ingeborg, e também a garota selvagem, Maren; o que me agrada, devo admitir, pois as ouvi discutindo aos sussurros, enquanto faziam suas tarefas.

– Você imaginou que viu! – A voz de Ingeborg mais alta do que as demais.

– Mamãe sempre me odiou – sussurrou Kirsten de volta. – Lembra de como ela costumava me bater, Ingeborg? Lembra? Ela me chamou de cria do Diabo!

Enquanto as duas meninas mais velhas estão na lavanderia, ou coletando turfa, ou varrendo a neve da soleira da porta, divido meus preciosos limões com Kirsten, cortando-os em fatias finas e polvilhando-os com açúcar. Nós nos entreolhamos com prazer pela sensação do doce açúcar efervescente no limão azedo, e é nessas horas que planto minhas sementes.

– Gostaria de vir morar comigo em minha casa em Bergen? – perguntei à minha garota. – Você terá o seu próprio quarto e muitos vestidos lindos. Nunca mais passará fome.

Os olhos azuis de Kirsten se encheram de admiração, enquanto ela chupava o limão açucarado.

– Posso ter um cachorrinho?

– Sim, pode – respondi, sorrindo para ela, e ela sorriu o sorriso cheio de dentes de Christina.

– Vou chamar o cachorro de Zacharias – disse ela, parecendo satisfeita.

– E eu vou levá-la a Copenhague para conhecer o rei.

Ela riu da ideia, claramente acreditando que eu estava sendo ridícula, mas, garanti a ela, eu de fato conhecia o rei.

– A primeira vez que encontrei o rei, ele ainda era um príncipe e eu era um pouco mais velha que você, Kirsten – contei a ela.

Kirsten parou de rir e me encarou com respeito.

– Você é uma grandiosa e formidável dama, Fru Anna – disse com reverência. – Desejo, um dia, ser como você.

Como as palavras dela encheram o poço profundo de minha dor com alento.

*

Estas poucas semanas são a calmaria antes da tempestade, e esses momentos com Kirsten, gotas de luz e alegria. Mas todos nós podemos sentir o julgamento aproximando-se como dobras de escuridão que se apertam como forcas em volta de nossos pescoços.

O azul do inverno nos arrasta para dentro de nós, demorando-se até março, e me pergunto se existe uma estação como a primavera no Norte. Temo que nunca mais encontremos a luz e passo muitas horas orando ao Bom Deus para que o governador cumpra a sua palavra.

CAPÍTULO 42
INGEBORG

No centro do pátio, Ingeborg ergueu o olhar para o céu escuro. Corvos pretos voavam acima de si. A neve era pesada, e penetrava suas vestes exteriores. Respirando o ar gelado, a jovem abriu a boca e deixou cair flocos de neve na língua. Pontos de gelo se chocaram com seu rosto, que estava virado para cima, e sua pele formigou com essa sensação.

Deixando o balde perto do poço, Ingeborg rastejou até a cova das bruxas, esgueirando-se pela cabana dos soldados. Pela primeira vez, a entrada da cova das bruxas não era vigiada: a neve estava pesada demais e estava frio demais lá fora, mesmo para os soldados. Ingeborg escavou as pilhas secas de gelo cristalizado até chegar a um pedaço da velha tábua úmida da cova das bruxas. Ela tirou as luvas e pressionou as mãos na madeira. Imaginou a mãe lá dentro com Solve e a viúva Krog. Encostou o rosto na parede, esforçou-se para ouvir e sussurrou: "Mãe?" Mas não houve resposta.

Uma porta bateu, ecoando do outro lado do pátio. O beleguim Lockhert estava saindo da guarita, e seu grande cinturão de chaves tilintava em volta da cintura.

Ingeborg escapuliu, contornando os fundos da casa do governador e descendo pelo beco onde Zare havia alimentado os cachorros.

Ela chegou aos degraus ocultos e os subiu até as muralhas da fortaleza. A noite estava muito escura. Não havia lua nem estrelas, e tateou o caminho de cabeça. No alto das paredes estava ventando mais do que ela esperava, e foi esbofeteada de um lado para o outro enquanto andava ao longo delas.

Uma figura sombria estava agachada atrás da muralha. Nunca combinavam de se encontrar, mas, na maioria das noites, encontravam-se nas muralhas da fortaleza.

– Zare – sussurrou ela.

– Ingeborg – sussurrou Zare em resposta, enquanto ela via a faísca dos olhos dele no escuro. – Como você está? – perguntou ele, tocando a mão dela. Ingeborg sentiu o calor de sua pele. Eles entrelaçaram os dedos. Nada havia acontecido além do beijo na testa, mas o toque dele trazia um rubor às suas bochechas que ela ficava feliz por ele não conseguir ver no escuro.

– Tão bem quanto se pode esperar – respondeu ela. – Mas Fru Anna disse que o julgamento acontecerá logo…

Ela parou, engolindo em seco ao pensar na mãe grávida.

– Ouviu alguma notícia sobre minha mãe, Elli? – perguntou Zare.

– Sim. Lockhert enviou três soldados para procurá-la. – Ingeborg fez uma pausa.

Zare apertou sua mão.

– Tenho que ir avisá-la. Foi por isso que vim trabalhar na fortaleza.

Ingeborg soltou a mão da dele, sentindo-se um pouco ressentida. Então, ele não veio a Vardøhus para ajudá-la. Tinha vindo espionar pela mãe.

– Mas como vai sair? – A voz de Ingeborg estava rouca.

– Eu sou um servo, não um prisioneiro.

– Claro – retrucou, sentindo-se magoada. Ela era a prisioneira, não Zare.

– Todos os dias sou enviado ao porto para pegar peixes para a cozinha do castelo. Amanhã não voltarei.

O coração de Ingeborg deu um salto de decepção. Como queria implorar para que ele não a deixasse. Mas não podia pedir a ele para escolhê-la em vez da mãe.

– Achei que você tinha vindo me ajudar. Eu pensei… – Não conseguiu evitar o tom acusatório em sua voz.

– Eu vim – afirmou ele. O branco de seus olhos faiscava no escuro. – Mas devo alertar minha mãe. Vão matá-la imediatamente, sem julgamento. Como mulher sámi, ela tem ainda menos direitos do que você.

– Eu não tenho direitos – retrucou Ingeborg com amargura, voltando a mente para a lembrança indesejável do que o governador lhe fizera.

– Pelo menos lhe é oferecido um julgamento, Ingeborg – O tom dele foi um pouco frio. – Pelo menos seus modos e tradições não são reprimidos.

O vento os empurrava. Ingeborg fechou os olhos, inspirou o cheiro de Zare. Ele a estava deixando. Ela ficaria sozinha.

Zare estendeu a mão e puxou as peles de rena ao redor dos ombros de Ingeborg.

– Entende que devo avisar minha mãe? – perguntou ele. – Precisamos levá-la para longe, para as pastagens na tundra ocidental, onde o governador e seus homens nunca a encontrarão.

Ela assentiu, mas o medo brotou dentro de si. Como poderia suportar não ver Zare todos os dias?

– O que vou fazer? – sussurrou ela.

Zare aproximou seu rosto do dela.

– Nunca ceda a eles, Ingeborg. Recuse-se a confessar ou a denunciar. Assim, eles não poderão condená-la.

– Mas o governador quer matar todas nós...

– Ele é apenas um homem. Ouvi dizer que o povo de Vardø escreveu ao próprio rei pedindo que ele enviasse outro juiz.

A esperança surgiu em Ingeborg com tanta violência que ela se viu abraçada a Zare.

– Verdade?

– Sim, mas, *min kjære* – disse ele, com os lábios tão perto de seu rosto que ela conseguiu sentir o toque deles –, talvez seja tarde demais para sua mãe.

Seu coração desabou mais uma vez. Zare tinha razão. O juiz demoraria muito para chegar até eles. Teria de viajar de Copenhague para Bergen, uma jornada árdua no inverno. De lá, a viagem de barco pela costa norte da Noruega levaria semanas.

– Mas eu *vou voltar* – prometeu ele. – Na próxima Lua escura, terei chegado ao assentamento e Svartnes. Vou remar pelo Estreito de Varanger todas as manhãs e esperarei por você até o anoitecer.

– Então devo descobrir como sair da fortaleza – declarou Ingeborg, com uma determinação sombria.

Zare acariciou a mão dela.

– Pergunte a Maren.

O que ele quis dizer? Maren era uma prisioneira igual a ela. Mas havia momentos, durante a noite, em que ela acordava e o espaço no catre ao seu lado estava vazio. De manhã, ela via uma pena de corvo preto emaranhada no cabelo da amiga, e os olhos escuros com sombras, como se ela não tivesse dormido.

– Prometa que vai voltar – pediu ela a Zare, e o pânico aumentava ao pensar em sua partida.

– Eu vou – respondeu ele. – Você tem a minha palavra.

Ele a abraçou, e ela fechou os olhos. Colocou a cabeça sob o seu queixo, enquanto ele o descansava sobre a sua coroa. Ele era sámi. Diferente dela. Mas foi o único a quem mostrou o seu coração.

– É difícil para mim deixar você, Ingeborg, acredite em mim.– Zare fez uma pausa como se estivesse pensando. – E se você pudesse vir comigo? Podemos disfarçá-la como um dos criados e você poderá fugir comigo amanhã.

Ingeborg recusou com um movimento de cabeça, embora seu coração gritasse *sim*.

– Venha comigo, Ingeborg – insistiu Zare. – Viva com os sámi. Percorra a tundra, corra com os lobos e seja sempre livre.

– Não posso deixar minha mãe e minha irmã – respondeu ela, perturbada por ele tentá-la.

– É claro – Ele baixou a cabeça. – Desculpe-me por perguntar. Mas voltarei para você. Vou levá-la embora, para muito longe.

Ela sentiu um lampejo de raiva. Zare a fez sentir coisas por ele, fê-la acreditar que ele tinha vindo para a fortaleza por ela. Mas ele tinha vindo pela mãe, não por ela.

– Não posso viver com você – declarou bruscamente. – Não quero que me leve a lugar algum.

Ela sentiu o corpo dele afastar-se do seu. Uma voz dentro de sua cabeça implorava: *Pare. Não diga mais nada.* Mas sua dor a impelia.

– Sou norueguesa e você é sámi – disse ela, com voz dura. – Nunca poderíamos ficar juntos, porque eu sou cristã e você é…

– Um *selvagem*! – Ele se afastou dela de repente, e ela caiu. Ele estava de pé, e ela se levantou. O vento uivava ao redor deles. Ingeborg não podia ver a expressão no rosto de Zare, tão escuro estava.

– Somos diferentes – afirmou ela. As palavras saltaram de sua boca.

– Você está errada, Ingeborg Iversdatter – retrucou ele.

Ela queria que ele a pedisse de novo para fugirem juntos, que a tomasse nos braços, fizesse mais promessas e, então, ela conseguiria acreditar nele. Então, ela *diria* sim.

Mas ele não o fez. Ele se moveu tão rápido, escorregando da muralha e caindo no beco escuro.

– Zare! – chamou ela em um sussurro rouco. – Zare, perdoe-me.

Lágrimas começaram a brotar em seus olhos. O que ela tinha feito?

Desceu atrás dele. Correu pelo beco, mas ele havia desaparecido. Ingeborg ficou no pátio, abraçando-se, com lágrimas escorrendo pelo rosto. Ele devia desprezá-la agora, por sua mente estreita e preconceituosa.

Surgindo na noite escura, Maren apareceu de repente diante dela.

Ingeborg soltou um gritinho de susto.

– O que está fazendo aqui? – perguntou ela.

– Eu poderia perguntar o mesmo para você – replicou Maren, com o rosto tão escuro quanto a noite, e o cabelo solto ao vento. – Mas já sei que você esteve com nosso amigo sámi, Zare – Ela suspirou. – Acredito que ele está apaixonado por você, Ingeborg Iversdatter.

– Não, não é verdade! – Ingeborg empurrou Maren para fora de seu caminho, com seu sorriso forçado e uma tensão em sua voz que a deixava furiosa.

Mas não era culpa de Maren. Talvez Zare a tivesse amado, mas ela arruinara tudo, se fosse o caso. E agora ele devia pensar muito pouco dela. Havia perdido a única chance de escapar de seu destino miserável. Nunca seria livre.

PARTE QUATRO

PRIMAVERA 1663

O JOVEM PASTOR DE RENAS E O LOBO

Desde o momento em que o jovem pastor de renas nasceu, queria, de todo o coração, ter tanto poder e força quanto o lobo *Gumpegievra*.

Quando contou ao pai que era seu sonho tornar-se lobo, este lhe disse que era como se desejasse ser mau.

– O lobo ataca nossas renas – disse-lhe o pai. – Ele é seu inimigo.

Mas não importava quantas vezes as renas fossem roubada por lobos, o jovem pastor mantinha uma profunda reverência pela grande fera.

– Ele está vivendo sua verdadeira natureza – dizia.

– O lobo é perigoso – advertiu o pai. – Ele não tem pena de nenhuma criatura.

– Ele não está contra nós, pai. É o contrário.

O pai disse à sua criança para esquecer o sonho sobre lobos. Seu dever era cuidar do rebanho de renas e mantê-las a salvo dos predadores.

Mas ainda sonhava com lobos. Temia que sua alma livre estivesse cativa, então, foi ver o *noaidi* na aldeia, que era o curador, conhecedor e vidente de todas as coisas.

– Sonho com um grande lobo cinzento – contou ao *noaidi*. – Sigo-o em todos os lugares. Minha alma livre foi capturada pela fera?

– Vou encontrá-la e trazê-la de volta – prometeu o xamã, que entrou em transe para procurar a alma cativa do jovem pastor de renas.

Ele esperou.

Quando o *noaidi* voltou de sua jornada no reino da morte, disse-lhe que seu espírito não havia sido capturado. O xamã pegou o tambor e começou a tocá-lo, entoando o *yoik* enquanto o fazia. Na superfície do tambor, o jovem pastor de renas viu o lobo cinzento correr veloz, em círculos, por todas as imagens e símbolos do mundo sámi.

No retorno do mundo dos espíritos, o xamã lhe disse que seu espírito auxiliar era um lobo.

– Encontre a árvore curva no centro da floresta e passe por baixo dela na direção do Sol – orientou o xamã. – Então, poderá correr com os lobos, porque o lobo lhe dará poder e sabedoria.

O jovem pastor de renas fez o que o xamã dissera, embora soubesse que o pai não fosse gostar que uma criança sua se tornasse lobo. Mas o espírito auxiliar lhe chamava e ele não podia negar esse chamado.

O jovem pastor de renas caminhou, e esquiou, e caminhou pelo vasto *vidda* nevado sob o grande céu noturno. O sagrado Mánnu, a Lua, guiou seu caminho. Por fim, chegou a uma grande floresta. Caminhou por entre as árvores ao longo de uma trilha prateada, iluminada pela lua, até parar diante de uma enorme árvore com um tronco curvo, com galhos que se retorciam para o céu. Sabia que era a árvore da qual o xamã havia falado.

Sentou-se e comeu um pouco de carne de rena seca e bebeu uma xícara de neve derretida enquanto esperava o sol nascer. A lua desapareceu atrás de si quando o sol da primavera começou a subir acima da neve, refletindo rosa e laranja no céu.

O jovem pastor de renas deu três passos para trás e depois correu por baixo do tronco curvo da árvore, em direção ao sol nascente.

Correu e ainda se sentia humano. Correu e era capaz de ir mais rápido. Correu, e suas mãos se transformaram em patas diante de seus olhos, e seus braços foram cobertos por um espesso pelo cinza. Caiu de quatro enquanto sua coluna se arqueava e o pelo macio e cinza surgia sobre todo o seu corpo. Seu coração batia mais rápido, e sentiu o sangue de um sámi tornar-se o sangue vermelho e espesso do lobo. Virou a cabeça e viu sua linda cauda cinza balançando ao vento. Abriu bem a boca e presas brilhantes emergiram. Os olhos se reviraram na sua cabeça, e quando voltou a olhar, o mundo era diferente: o céu estava mais distante e a neve sob suas patas o puxava para a terra. A paisagem era uma cornucópia de aromas e repleta de sons; os cheiros de outras criaturas, e os minúsculos estalos de galhos.

De fato, nunca se sentira tão forte e com tanto poder.

O xamã havia avisado ao jovem pastor de renas que poderia correr como lobo por duas semanas e pelos nove vales do mundo sámi, mas se não voltasse para a árvore curva a tempo, seria lobo para sempre.

Ficou tão feliz por ser um lobo e com tanto orgulho que queria mostrar ao pai. Correu de volta para a sua aldeia. Mas tamanha era sua animação que assustou as renas, as quais fugiram em todas as direções.

– Sou só eu! – gritou o jovem pastor de renas, mas suas palavras se transformaram em uivos.

Lá estava o pai, e o jovem pastor correu em sua direção.

– Olha, pai! Veja, sou lobo! Quanta força e poder tenho!

Mas o pai não estava sorrindo. Não. E embora houvesse algo no lobo que o fez hesitar – um reconhecimento entre ele e a besta –, o pai suprimiu sua intuição e lembrou a si mesmo que lobos eram predadores. Ergueu seu arco e flecha e atirou no coração da criança-lobo.

O pai foi até o lobo. Com certeza tinha sido muito tolo em não fugir. Mas a pelagem daria uma pele quente para a sua família. Faria um chapéu para a sua criança.

O sangue vermelho manchou a neve branca, e o pai gritou, alarmado. Pois no chão, diante de si, não estava um grande lobo cinzento, mas sua criança com uma flecha no coração. Ele caiu de joelhos, implorando aos espíritos do reino da morte para trazer de volta o filho, mas era tarde demais.

O jovem pastor de renas estava correndo com os lobos, e nunca mais voltaria.

CAPÍTULO 43

ANNA

Na manhã do julgamento, no terceiro dia de abril do ano da graça de Nosso Senhor de 1663, o vento uivava baixo fora do casebre. A água batia nas costas da ilha de Vardø, enquanto grandes bandos de gaivotas circulavam pelo céu. Meu marido Ambrosius alegaria que todos estes trabalhos da natureza eram sinais e, de fato, a dureza do tempo me deu uma profunda sensação de mau presságio. A terra estava desolada e gelada, cobertores brancos e opacos se estendiam infinitamente, pois levaria semanas até o degelo do verão. Eu não conseguia parar de tremer, não importava quantas roupas de lã colocasse sobre mim; não, não era o frio que me atacava, mas o medo pela situação das minhas garotas.

Vesti as três com muito cuidado, escovando suas saias e corpetes de lã e prendendo um de meus colarinhos brancos em cada um de seus pescoços. Apesar de seus protestos, persuadi Ingeborg e Maren a usarem toucas para esconder seus cabelos rebeldes e trancei minhas próprias fitas verdes no cabelo ruivo de Kirsten, pois ela era minha estrela naquele dia sombrio.

Diante da porta da câmara de julgamento, parei para verificar se as meninas ainda estavam em ordem. Podíamos ouvir todo o povo da ilha do outro lado da porta, espremido no tribunal e esperando o drama começar. Fazia tantos meses desde que estivera em cárcere que fui atacada por náuseas repentinas e urgentes. Abafei-as e, com o gosto amargo da bílis na boca, dirigi-me a Maren, Ingeborg e Kirsten.

– Haverá muitas pessoas no tribunal, todas observando e ouvindo vocês. – Eu falava tanto para mim mesma quanto para elas. – É importante que falem com clareza e mantenham a calma, acima de tudo. Não chorem. Não gritem, pois não confiarão em suas palavras se o fizerem.

– Já lhe disse, Fru Anna, não vou testemunhar – retrucou Ingeborg. Seus olhos estavam cheios de fúria, mas pude ver o medo nela quando mordeu os lábios e pelo seu olhar de soslaio, demorado e preocupado, para Kirsten.

– Já relatei isso ao governador – respondi a Ingeborg. – Mas ele insistiu em que você estivesse presente – Suspirei. – Meninas, não sei o que vai acontecer atrás desta porta, mas peço que falem a verdade, por mais assustadas que estejam.

– Não estou com medo – declarou Maren, lançando-me um olhar altivo. – Estou esperando há semanas por este dia.

Olhei para a garota, alarmada. Apesar de seu traje austero, as feições escuras de Maren eram sedutoras, e me parecia que seus olhos reluzentes estavam iluminados por mil tochas quando ela deslizou o braço em volta da cintura de Ingeborg e apoiou o queixo em seu pescoço, sussurrando algo no ouvido da outra garota.

– O que está dizendo? – perguntei, mas Maren apenas sorriu para mim, embora seus olhos faiscassem com hostilidade.

– Nada que precise saber, Fru Anna.

Não tive tempo de pressioná-la mais, pois a grande porta da câmara foi aberta.

Todos os olhares estavam sobre nós quando entramos no salão de julgamento. Estava iluminado com muitas velas, e todas lançavam sombras dramáticas sobre a enorme multidão de pessoas. Observei que a maior parte delas eram mulheres, pois a maioria dos homens da ilha não tinha retornado das zonas de pesca de inverno. Senti seus olhares sobre nós e me virei para ver a tapeçaria de caça nas paredes da câmara. Agora notei uma série de pinturas de cenas de batalha repletas de homens em combate, heróis e morte.

As meninas andavam de cabeça baixa, como eu as havia instruído. A câmara estava abafada, inundada pelos cheiros do suor da multidão, um odor de peixe podre, devido ao seu trabalho, e do calor de seus corpos, do calor das velas, assim como de um fogo que ardia bem no fim do salão.

Eu não estava mais tremendo, mas sentia como se uma fornalha tivesse sido acesa dentro de mim, e a náusea voltou À boca do meu estômago. Como eu desejava uma calmante taça de vinho misturado ao óleo de lavanda.

Ao lado do fogo ardente, estava o governador, enquanto o monolítico beleguim Lockhert estava de pé atrás dele. Ao seu lado estava sentado um escrivão com tinta e pena para documentar o testemunho do julgamento.

Olhei para o pote de tinta com desejo, pois como eu gostaria de escrever-lhe com grafia clara, meu rei!

Do outro lado do governador estava o reverendo Jacobsen, vestido com uma longa batina preta, e seu rosto gordo solene enquanto observava as meninas entrarem. Todos os homens usavam golas de rufos, posicionadas no alto do pescoço, como se quisessem trazer-nos de volta aos dias dos julgamentos de bruxas de seu pai, o rei Cristiano, na Dinamarca.

Ao longo da parede, estava sentado em bancos um júri de doze bons homens, todos formalmente vestidos com lã preta e golas brancas também.

Através de uma das pequenas janelas acima da cabeça do júri, pude ver nuvens cor de estanho correr pelo céu azul profundo, e lascas de neve eram sopradas para um lado e para o outro.

Ingeborg foi chamada para testemunhar primeiro, mas a garota não se mexeu do banco.

– Vossa Excelência – falei, minha voz soou mais forte do que eu me sentia. – Ingeborg Iversdatter não tem testemunho a dar.

O governador estreitou os olhos.

– Isso cabe a mim decidir – Ele voltou seu olhar feroz para Ingeborg. – A garota Ingeborg Iversdatter é chamada para depor.

Ingeborg não abaixou a cabeça, porque, para a minha surpresa, ela olhou de volta para ele, fazendo com que sua cicatriz brilhasse vermelha e furiosa em sua pele rachada.

– Muito bem – sibilou ela, em um tom não muito submisso.

CAPÍTULO 44

INGEBORG

Todos prendiam a respiração, esperando que Ingeborg falasse. Ela se virou para olhar Fru Rhodius e Maren, ambas sentadas no banco. A senhora dinamarquesa deu um aceno encorajador, e os olhos de Maren falaram com ela. Ingeborg a ouviu sussurrar mais uma vez em sua mente.

Diga a verdade. Deixe-os com medo do seu poder. Eles não podem machucá-la se fizer isso.

Mas Ingeborg já tinha sido ferida. Sentia o calor do olhar cruel do governador sobre si e se virou para a multidão de ilhéus de Vardø. Um mar de rostos estranhos, a maioria femininos, olhava fixamente para ela. Ninguém de seu vilarejo de Ekkerøy estava lá.

A hostilidade se elevava em ondas por parte das mulheres. Lembrou-se de seu último abraço com Zare e desejou que ele estivesse entre a multidão. Mas ele a havia abandonado, e não tinha ninguém que se importasse com ela. Cavou fundo para encontrar alguma força.

– Relate ao tribunal o que aconteceu na véspera de Natal – ordenou o beleguim Lockhert parado perto dela. – Conte ao tribunal como você e as outras bruxas se transformaram em gatos e entraram no porão de Anders Pedersen. Como encontraram o Diabo lá e beberam toda a cerveja dele.

Ingeborg balançou a cabeça. Se o povo de Vardø quisesse ouvir sobre o seu único encontro com o Diabo, ela *diria* a verdade.

– Apenas uma vez encontrei o Diabo – respondeu Ingeborg. Enquanto falava, as lascas de gelo do lado de fora se transformaram em uma tempestade de granizo que martelava o teto da câmara do governador, fazendo as velas oscilarem e quase abafando sua voz. Ela sentiu a tensão de toda a sala quando todos se inclinaram para a frente. Todos acreditavam nela, prendendo a respiração para captar cada palavra que ela dizia.

Agora Ingeborg entendia por que Maren chamava isto de poder.

– Eu estava de pé na caixa grande – Ingeborg apontou para o baú do governador, ao lado do júri de homens. – O Maligno me atacou.

Ela se virou para olhar para o governador.

O pescoço dele estava vermelho, seu rosto, iluminado pela luz, enquanto seus olhos a perfuravam. Havia advertência em seu olhar. Mas o medo de Ingeborg a havia deixado. Ela não tinha nada a perder e algo a impulsionava a falar, sem pensar nas consequências.

– O Maligno pôs a mão aqui – Ela tocou o peito. – Eu pulei da caixa e corri pelo salão e lá para fora. O Diabo me perseguiu. Ele me agarrou, me arrastou pelo pátio. Bateu em mim e puxou minha saia para cima. – Ingeborg respirou fundo, preparando-se para a revelação final. – Ele me lancetou com sua espada.

Ela estendeu a mão, colocando-a sobre sua saia em um lugar que todos iriam reconhecer.

Uma agitação percorreu a multidão, mas Ingeborg manteve os olhos no governador, cujo rosto estava todo vermelho agora, exceto pela cicatriz, que era uma faixa de branco prateado.

Ela podia ouvir algumas das mulheres da ilha resmungando, pois todas sabiam de que violação ela falava.

– Esta história é de faz de conta! – berrou Lockhert. – Conte ao tribunal o testemunho verdadeiro, Ingeborg Iversdatter. Conhece alguma outra bruxa?

– Não.

– Então não tem dançado com as bruxas em Domen na presença do Diabo?

– Não.

– Não apareceu com outras bruxas transformadas em focas no mar para afugentar os peixes com talos de algas marinhas para que não fossem capturados?

– Não, não apareci.

O beleguim Lockhert a encarou com raiva.

– Seu testemunho não tem valor, criança. Para ser salva, deve nomear outras.

Agora, sua boca estava seca e nenhuma palavra saía. Ela apertou as mãos com força, acreditou em sua coragem.

– Não – declarou. – Não conheço nenhuma bruxa.

Lockhert a empurrou de volta para Fru Rhodius enquanto sussurros começavam na multidão e as pessoas remexiam os pés. A história dela os havia perturbado. Foi um conto de violência e abuso. Ninguém gostava de ouvir isso da boca de uma garota, pois, em suas palavras, talvez elas se reconhecessem: as vezes em que seus maridos ou pais as levavam para fora e as espancavam na neve; as noites em que seus senhores estiveram tão bêbados que se forçaram sobre elas. O júri de doze bons homens se mexeu desconfortavelmente no banco, sem querer acreditar nas palavras da garota Iversdatter, pois era mais fácil culpar o Diabo pelos hematomas em suas esposas e filhas; mais fácil culpar bruxas por seus barris de cerveja vazios. Mais fácil declarar as criadas pesadas com uma gravidez indesejada como seguidoras do Diabo.

– Esta garota é inútil, Fru Rhodius – declarou Lockhert à dinamarquesa, empurrando Ingeborg para ela. – Ela é uma simplória.

Mas Ingeborg percebeu a expressão de simpatia nos olhos de Fru Rhodius. Ela sabia que falava a verdade.

CAPÍTULO 45

ANNA

Menina estúpida e tola! Eu queria dar uma boa sacudida em Ingeborg, pois suas palavras garantiram a própria condenação. O governador estava fervendo de raiva com o testemunho dela, com o rosto roxo, e ainda assim, eu não pude deixar de admirar a garota, pois ela havia falado. Eu fui testemunha de sua violação pelo governador e, embora tivesse intercedido, não havia contado a ninguém mais sobre o ocorrido. Agora, porém, informo a você, meu rei, e gostaria de exortá-lo a livrar Finnmark do governador distrital Orning por sua crueldade abominável e conduta depravada.

Enquanto Ingeborg retomava seu lugar no banco ao meu lado, o beleguim Lockhert chamou Maren para prestar seu testemunho. A garota alta e morena parou no centro do salão do tribunal e jurou dizer a verdade. A multidão espectadora de ilhéus avançou para vê-la mais de perto, com a suspeita estampada em seu rosto, pois Maren era uma estranha para eles e parecia selvagem e desconhecida, embora eu tivesse feito o possível para domar a sua aparência.

Depois de fazer seu juramento, Maren colocou as mãos nos quadris, sem revelar uma centelha de medo em seu rosto. E embora tivesse sido minha tarefa obter confissões da moça, eu temia as palavras que poderiam sair de seus lábios.

– A bruxa Solve Nilsdatter confessou que você estava com ela no porão de Anders Pedersen na véspera de Natal com a outra garota, Ingeborg, e a mãe dela, Zigri Sigvaldsdatter, quando, disfarçadas de gatas, vocês beberam toda a cerveja dele. O que tem a dizer sobre isso? – Lockhert se dirigiu a ela, com sua voz rude, mas um pouco abalada devido à sua falta de terror.

– Na véspera de Natal, beleguim, éramos convidadas da cova das bruxas, bem debaixo do seu nariz, então como poderíamos estar do outro lado do Estreito de Varanger, em Kiberg, bebendo a cerveja de Pedersen? – perguntou ela, docemente.

– Vocês cavaram para sair da cova e se transformaram em pássaros – berrou Lockhert. – Foram vistas por mim, pelo governador e pelo reverendo Jacobsen, bem como pelo mercador Brasche e Anders Pedersen!

Maren inclinou a cabeça.

– E que pássaro eu era, beleguim?

O beleguim Lockhert estreitou os olhos para Maren Olufsdatter.

– Você sabe muito bem que era um corvo preto, garota.

Foi minha imaginação ou ouvi Maren murmurando baixinho os sons de um corvo – *crá, crá, crá*?

– Não faz a menor diferença o que eu digo a você, beleguim Lockhert, porque todos vocês acreditam que nos viram, então como posso dizer o contrário para homens tão instruídos? – perguntou Maren, abrindo os braços na frente do júri antes de dar um passo em direção ao corpo ofegante de seu inquisidor escocês. – Mas tenho uma pergunta para você. Pois se podemos nos transformar em gatos e sair da cova das bruxas, e se podemos voar como pássaros através do Estreito de Varanger, por que escolhemos permanecer em cativeiro?

O beleguim Lockhert parecia estar furioso por ser desafiado por uma das acusadas, e sua incapacidade de responder demonstrou que não era uma ocorrência comum.

– Não cabe a você nos fazer perguntas, Maren Olufsdatter. Seu dever é responder com sinceridade ao que lhe é endereçado – intercedeu o governador Orning, com voz estrondosa.

Maren se virou e inquiriu o governador.

– Eu não fui presa, governador Orning, porque vim para Vardøhus por minha própria vontade – declarou Maren, apontando para ele da mesma forma que eu tinha visto bruxas acusadas apontarem para alguém que haviam denunciado.

Maren fez uma pausa. Sua atitude frente aos homens de autoridade não lhe faria bem, e talvez percebesse a futilidade de sua situação, porque eu podia ver a raiva cintilar em seus olhos escuros enquanto ela continuava a falar.

– Eu tenho um sonho, ou seria verdade? Que uma grande multidão de mulheres está reunida fora da fortaleza, tão numerosas quanto grãos de gelo na neve espessa, e que desejamos entrar em seu castelo e incendiá-lo. Queremos incendiar você, governador Orning!

A fúria pareceu enrolar-se no corpo de Maren durante o seu depoimento e parecia torná-la mais alta do que era, mais alta até do que todos os homens, como se ela estivesse possuída pelo poder de uma fera. Perguntei-me, meu rei, se o Diabo a havia dominado e lhe dotado de habilidades sobrenaturais. Com certeza as mulheres da ilha pareciam pensar assim enquanto cambaleavam para trás, murmurando e resmungando.

– Pode pensar que estou mentindo, pois quando foi testemunhado que tantas mulheres vieram se congregar do lado de fora do seu castelo? Ah, mas nós estávamos na forma de pássaros, governador, sim, um grande bando de pássaros de todos os tipos: corvos, pombas, tarambolas, águias, pardais, cormorões, cisnes, gaivotas. Todos os tamanhos e tipos de pássaros reunidos em conluio para ver você arder!

O governador estava encarando Maren, e acredito ter visto medo nos olhos do homem, pois ele era incapaz de responder, uma situação que eu nunca havia enfrentado com ele.

– Foi o próprio Satã quem a enviou para prejudicar o ilustre governador? – perguntou o beleguim Lockhert, com a voz rouca de excitação ao ouvir as palavras de Maren condenando a si mesma e às outras também.

– Não, na verdade, não foi. Foi minha mãe, Liren Sand, pois ela tem negócios inacabados com o governador Orning – revelou Maren, orgulhosa ao falar da mãe. – E as mulheres na forma de pássaros que estavam comigo eram aquelas que você queimou como bruxas no passado.

– Todas as bruxas são escravas do Diabo – rebateu Lockhert. – Ele deve ter enviado você, mas o governador é tão piedoso que o Maligno foi repelido.

– Viemos por nossa própria vontade em busca de vingança, pois você sabe melhor do que eu onde o Senhor das Trevas deve residir – rebateu Maren.

Por um momento, fechei os olhos e vi mulheres como pássaros voando nos céus de chumbo acima da fortaleza, deslizando no vento enquanto ele levantava suas asas, e pude sentir sua libertação em cada parte de mim.

Quando os abri outra vez, Maren havia terminado de falar. A grande sala de julgamento estava completamente silenciosa enquanto o choque de suas palavras bizarras se instalava.

O rosto horrível do beleguim Lockhert estava contraído em uma carranca.

– Era Satanás com você, pois ele lhe dá o arbítrio para agir como bruxas.

– Ah, não, beleguim – Maren apontou o dedo para ele.

Mais uma vez fiquei surpresa com sua audácia descarada, pois quanto mais ela o incitasse, piores seriam as consequências, mas parecia que Maren não se importava.

– Não era o Senhor das Trevas conosco, pois eu saberia – declarou ela. – O Senhor das Trevas está à espreita aqui em Vardø. Sim, sim, ele está aqui, nesta câmara conosco agora!

Houve uma agitação entre os espectadores, como se uma rajada de vento os tivesse varrido.

– Escutem – falou ela à multidão, e havia tanta fome nos olhos das pessoas por tudo o que ela tinha a dizer. – Minha mãe, Liren Sand, era mais forte do que qualquer homem.

Tal espetáculo nunca havia sido visto no salão do tribunal em Vardøhus antes.

– Liren Sand é tão alta quanto este castelo, com os chifres de uma rena e as garras do lince. Ela é magnífica, Liren Sand, e ela é minha mãe, estendendo a mão para mim. Ora, todos os pescadores que partiram podem nunca mais voltar, mas não Liren Sand. Ela continua comigo nos bons e maus momentos.

Maren fez uma pausa, circulando pela sala de julgamento, e me pareceu que ela estava gostando dessa atenção, embora seu ato fosse sua ruína.

– Liren Sand é uma professora, uma guia, e entraremos no reino dela. Ela me mostra um lago ardente cheio de chamas azuis abrasadoras e sopra chamas de seu cachimbo na água. Mergulha a farinha, o açúcar e o gengibre no lago e saem assados. Liren me dá pão de gengibre e dança comigo – Ela rodopiou na frente da multidão. – Adiante seguimos para o vale das trevas. E vejo todas as outras acusadas no fim de um longo, longo túnel. Elas estão esperando por mim na luz. Liren Sand dança com elas; veja como ela é linda, governador Orning! Não se lembra das mãos, dos lábios, do cheiro da pele dela?

O governador Orning estava de pé, com os olhos faiscando de fúria.

– Pare com esta bobagem de uma vez, garota, e diga-me o nome das bruxas de Varanger!

Maren sorriu, enrolando uma mecha solta de seu cabelo escuro no dedo, com a cabeça inclinada para o lado, quase coquete.

– Preste atenção às minhas palavras – declarou ela. – Machuque uma de nós e eu o machucarei ainda mais, pois Liren Sand me ensinou como.

A sala do tribunal estava completamente silenciosa, o único som era o do granizo batendo no telhado.

– Espanque-nos, atormente-nos, esmague nossos polegares, quebre nossos ossos... porém jamais o nosso espírito. – Maren se virou e começou a se aproximar da multidão, deliciando-se com a forma como as mulheres da ilha se afastaram dela e como o júri de homens estava paralisado, estarrecido de horror. – Eu posso lançar feitiços para que vocês murchem e morram sem cura! – Ela sacudiu o dedo mais uma vez. – Queimem uma de nós na fogueira, ora, então vou queimar todos vocês em suas camas. Incendiarei Vardø inteira!

O medo percorreu a multidão, e as pessoas desviaram o olhar, aterrorizadas com o mau-olhado de Maren. O fogo crepitava e a sala estava cheia de tanto calor que parecia que o hálito do próprio Diabo soprava sobre mim. Comecei a abanar-me com a mão, em pânico e com falta de ar.

Maren voltou até mim nesse momento e retomou seu lugar no banco, com um sorriso no rosto que parecia incongruente, pois decerto seu rompante a condenou à fogueira.

O governador se ergueu atrás de Maren, um homem sinistro e rude com seu chapéu de copa alta e capa preta rodopiante. Ao aproximar-se do júri, ele abriu bem os braços, como se fosse um grande pássaro preto.

– Veem como estas criaturas são perigosas! – declarou o governador Orning ao júri. – Devemos nos livrar destas bruxas do Norte e de sua guerra de terror contra nós!

Mas, enquanto ele falava, as palavras de Maren voltaram para mim.
O Senhor das Trevas espreita aqui em Vardø.

*

O julgamento estava longe de terminar, pois agora trouxeram as três mulheres acusadas, acorrentadas. Eu tinha visto muitas pobres almas em condições terríveis durante o ano da peste, mas o estado de Solve Nilsdatter, da viúva Krog e de Zigri Sigvaldsdatter estava à altura. Enquanto elas se amontoavam em uma pilha de miséria, ao meu lado, Ingeborg arquejou fundo ao ver a mãe, e Maren murmurou maldições baixas pela condição de sua pobre tia. Embora a mãe de Ingeborg e Kirsten, Zigri Sigvaldsdatter, fosse a menos deteriorada das três bruxas, ela era uma figura grotesca, fazendo com que os poucos homens presentes desviassem o olhar. Ela deveria ter ficado no confinamento: Zigri estava inchada como a lua cheia, bamboleando com pés instáveis. Sob a sujeira, sua pele tinha uma palidez mortal, e seu cabelo outrora dourado havia caído, deixando trechos calvos em sua cabeça.

Peguei a mão de Kirsten na minha, dei um aperto tranquilizador, mas ela ficou mole e fria ao passo que olhava boquiaberta para a mãe.

Toda a câmara do julgamento se encheu de um profundo silêncio enquanto a multidão observava. Não houve zombarias nem vaias, como ouvi dizer que acontecia em outros julgamentos de bruxas na Dinamarca. Perguntei-me se as mulheres da ilha sentiam pena destas esposas de pescadores não tão diferentes delas próprias, ou a emoção predominante era o medo? *Aqui estão as três bruxas de Varanger! Cuidado para não olhar nos olhos delas e ser amaldiçoado!*

Solve Nilsdatter havia se transformado na idade da viúva Krog, com os dentes arrancados, as mãos como tocos sangrentos e o braço como uma asa quebrada; mas o pior era o estado de seu peito. A náusea subiu novamente como bile em minha boca e, embora eu tivesse cuidado de seus ferimentos todos os dias, a visão de sua carne esfarrapada, queimada e purulenta à luz intensa da câmara revirou meu estômago como se eu estivesse em um barco. Engoli em seco e respirei fundo, colocando as mãos na barriga para me acalmar.

Ela foi arrastada primeiro diante do governador e de seu júri. Os cães aos pés dele aguçaram as orelhas em atenção, ainda que seu olhar fosse suave sobre a mulher. Lágrimas escorriam pelas bochechas encovadas de Solve, e sua respiração era difícil e áspera.

O governador a instruiu a depor, mas ficou claro que a pobre criatura não conseguia falar, pois apenas um som estrangulado saía de sua boca e seu corpo tremia de exaustão e dor.

No lugar de seu testemunho falado, o beleguim Lockhert pegou um maço de papel e o apresentou ao governador.

O governador deu uma olhada rápida nas páginas.

– Parece que a prisioneira já confessou por vontade própria os crimes, que foram registrados pelo beleguim Lockhert – comentou ele. – Vou ler para vocês.

– "Eu, Solve Nilsdatter da vila de Ekkerøy, esposa de Strycke Anderson, confesso de livre e espontânea vontade os seguintes crimes. Junto de minha prima Zigri Sigvaldsdatter, a viúva Krog e a sámi Elli, afastamos os peixes da praia na forma de focas com talos de algas marinhas para o rendimento da pesca diminuir. Queríamos trazer sofrimento ao povo de Varanger. Lançamos feitiços climáticos que causaram o naufrágio do navio do mercador Brasche, a destruição de toda a sua carga e a perda de todas as vidas a bordo." – Além disso, ela confessou o naufrágio do navio do beleguim Lockhert vindo da Escócia e o afogamento de sua família.

O governador fez uma pausa ao ler o nome de seu beleguim e o destino de sua família, enquanto o rosto de Lockhert endureceu com a lembrança. Estas não eram três mulheres destruídas aos olhos dele, eram bruxas malignas que haviam roubado a vida de todos aqueles que ele amava, embora fosse difícil imaginar Lockhert expressando amor a qualquer ser vivo.

O governador continuou lendo o testemunho de Solve. À medida que cada confissão era lida, a cabeça dela baixava mais e mais sobre o peito, como se o peso de suas correntes a puxasse para baixo.

– "Nós festejamos a cerveja no porão de Anders Pedersen com Satanás na época do Natal. Dançamos com bruxas de todos os reinos da Dinamarca, Noruega e Escócia na véspera do solstício de verão no topo do monte Domen. Dançamos quadrilha com Satanás, jogamos jogos de tabuleiro e viramos jarro após jarro de cerveja forte."

As imagens que as palavras dela desenhavam eram tão vívidas que admito, meu rei, comecei a duvidar de sua inocência mais uma vez, pois como uma simples pescadora poderia inventar tais mentiras? Então, *ela dançara* com o Diabo, e seu pai estava correto, de fato: era aqui, nos domínios do Norte, onde o Senhor das Trevas habitava?

– "Comprei amuletos mágicos da sámi Elli para usar contra o governador. Amarrarei-os com fios e os escondi nas fendas das paredes da fortaleza."

Neste ponto, o beleguim Lockhert tirou do bolso do colete uma bola de lã suja e a entregou ao primeiro jurado para examiná-la.

– Encontramos isto enfiado em uma das rachaduras na cova das bruxas – explicou.

O governador continuou a ler o documento.

– "Eu, a viúva Krog, Zigri Sigvaldsdatter e minha sobrinha Maren Olufsdatter nos reunimos na forma de um bando de corvos pretos do lado de fora da fortaleza, ameaçamos trancar o governador Orning e o beleguim Lockhert e incendiá-la."

O governador baixou o pergaminho em suas mãos.

– "Eu, Solve Nilsdatter, confesso que fui até as montanhas e entreguei meu corpo ao Diabo."

A multidão na grande câmara murmurou em desgosto com a imagem da esposa do pescador levantando suas saias para o Senhor das Trevas, e eu pude ouvir os sussurros: "*Queime no Inferno, vadia.*"

Depois que as confissões de Solve foram lidas, a velha viúva Krog foi trazida, mancando em suas algemas. Sua pele estava manchada com hematomas e lacerações. Ela também tinha cotos ensanguentados no lugar dos dedos, mas havia uma centelha de provocação em seus olhos quando ergueu a cabeça.

– Dorette Krog, exorto-lhe a fazer sua confissão completa para ser testemunhada por todos os presentes e presidida pelo ilustre governador do distrito – Lockhert se dirigiu a ela com uma voz severa.

Contudo, a viúva Krog não curvou a cabeça como Solve havia feito, pois ela olhou Lockhert nos olhos e falou com voz trêmula:

– Eu me recuso a confessar, de qualquer maneira que seja.

Houve um farfalhar inquieto na sala de julgamento, enquanto o governador encarava, furioso, a velha.

– Consegue encontrar doze pessoas que façam um juramento de compurgação por você? – desafiou Lockhert.

– De fato, não, pois quem se arriscaria a falar por mim agora, quando certamente seria acusada também? – A viúva Krog se voltou para o governador. – Excelência, estas acusações contra mim são falsas.

– Você foi denunciada por Solve Nilsdatter – acusou o governador.

– Contudo, Solve foi torturada até denunciar as outras – declarou ela. – Juro que não sou nenhuma bruxa. Não vou mentir sobre mim mesma nem denunciar outra mulher. Não vou!

A expressão do governador ficou ainda mais sombria, sua mandíbula cerrada, e a cicatriz destacada em sua bochecha.

– Parece que o Diabo está enraizado bem fundo nesta velha anciã – Ele se dirigiu a Lockhert. – Precisamos convencê-la a dizer a verdade.

Lockhert acenou com a cabeça para o governador e se virou para dirigir-se à viúva Krog.

– Para provar sua inocência, concorda em ser julgada pela prova da água?

A multidão ficou em silêncio, esperando pela resposta dela. Tudo o que eu conseguia ouvir era o crepitar do fogo e o som do granizo contra o vidro da janela.

Como bem sabe, meu rei, a prova da água é a melhor maneira de provar se uma mulher é uma bruxa, porque a água é sagrada. Assim, quando posta à prova, a água receberia as inocentes e rejeitaria as más. Se a viúva

Krog boiasse na água como um barco, seria considerada uma bruxa; ainda assim, eu jamais tinha ouvido falar de uma mulher testada que tivesse feito o contrário.

A viúva Krog parecia apavorada enquanto falava, mas concordou com o teste, pois que escolha ela tinha?

O governador anunciou que o julgamento continuaria no dia seguinte, após a prova da água.

As águas do Norte seriam tão frias que eu não conseguia imaginar como seria estar imersa nelas. De fato, uma vez submersa em suas ondas geladas, a velha poderia congelar até a morte antes que houvesse uma chance de provar que ela era uma bruxa ou não.

Perguntei-me se talvez esta fosse a esperança da viúva Krog.

CAPÍTULO 46

INGEBORG

As meninas receberam ordens de ir até a costa para assistir à prova da água. O governador declarou que, se elas não confessassem, seriam submetidas à mesma ordália. Quando chegaram lá, os ilhéus amontoavam-se nas pedras escorregadias. A velha viúva Krog estava diante deles, tão branca quanto sua túnica, quase nua, batendo os dentes, com o nariz azul. A baía estava quase escura ao passo que o crepúsculo se tornava preto e selvagem. Todo o povo de Vardø estava quieto, observando à beira do mar. O único som era o guincho das gaivotas e o barulho dos remos enquanto os soldados do governador remavam o barco adiante.

As mãos da viúva Krog estavam amarradas, e seus pulsos, ligados aos tornozelos de forma que ela ficasse imobilizada. Os homens a jogaram no gelado oceano Ártico como um saco de grãos, com cordas e tábuas prontas para o caso de ela afundar.

Mas ela não o fez.

O vestido branco da viúva Krog se abriu como uma grande vela e ela flutuou no mar. Um rebuliço na multidão. Uma voz e depois outra se juntaram, até que todas as pessoas estavam uivando: "*Bruxa, bruxa, bruxa!*"

Tiraram-na da água como uma carga de peixe e remaram depressa de volta para a margem, para que ela não ficasse azul e morresse no barco.

As pessoas continuaram entoando: "*Bruxa, bruxa, bruxa!*" Os próprios monstros de Deus, o governador Orning e o beleguim Lockhert observavam, triunfantes.

Quando o barco se aproximou da costa, todos avançaram, escorregando nas margens lamacentas. Ingeborg viu a viúva Krog no fundo da embarcação, com sua camisola colada ao corpo, de modo que todos podiam ver sua nudez, tremendo de frio sem parar, e os olhos vermelhos por causa do mar salgado.

Maren abriu caminho pela multidão.

– Não tenha medo, bruxa! Use seu o poder, mostre a eles!

Ingeborg captou o fervor das palavras de Maren. Queria que a viúva Krog uivasse, enchesse o céu com nuvens pretas e as rasgasse. Queria que o trovão rugisse e o raio atingisse o governador de Vardø. *Envie Thor de sua antiga religião, viúva Krog!*

Ingeborg orou ao Bom Deus e a todos os deuses sámi de Zare para que isso acontecesse. Que a chuva gelada caísse e afogasse a multidão que zombava e as julgava porque não podiam ver além do próprio medo e preconceito.

Nenhum raio veio, e a viúva Krog foi insistente, com palavras espremidas entre os dentes que batiam.

– Eu não sou uma bruxa – dizia ela. – Acreditem em mim! Eu sou inocente.

Mas a água a repelira, e isso não provava que ela era, de fato, uma bruxa?

A viúva Krog continuou, enquanto eles a arrastaram para fora do barco, acorrentaram-na e a levaram de volta à cova das bruxas.

– Eu não vou confessar! – rugiu ela. – Nem denunciar outra.

CAPÍTULO 47

ANNA

Depois do terrível espetáculo da prova da água, fui até a cova das bruxas com minha caixa de remédios. Ao meu lado, Ingeborg carregou um caldeirão de caldo de peixe fumegante para as mulheres.

A viúva Krog estava, de fato, congelada até os ossos, e temi que ela não sobrevivesse àquela noite. Eu havia escolhido Ingeborg para ajudar-me por compaixão por ela e sua mãe, para que pudessem trocar algumas palavras. Kirsten não havia pedido isso, nem a mãe jamais havia perguntado pela filha mais nova – o que inflamou meus impulsos protetores em relação à menina.

Tenha fé, Anna, ela é sua garota, sua.

Quando Ingeborg e eu chegamos à cova das bruxas, o capitão Hans impediu nossa entrada, informando-me que era por ordem do beleguim Lockhert, que estava lá dentrocom as bruxas. Além disso, o capitão havia sido instruído pelo próprio governador a reaver minha chave.

Protestei com veemência, dizendo que as mulheres precisavam ser atendidas, mas o pesaroso capitão Hans disse que tinha ordens a cumprir. Tudo o que pudemos fazer foi deixar o caldo ao lado da porta, e ele me garantiu que seria dado às bruxas. Tirei a chave do bolso com sérias dúvidas, pois o que Lockhert poderia estar fazendo com as mulheres em sua prisão sombria sem o meu olhar atento? Estava claro que Ingeborg pensava coisa semelhante, uma vez que olhou para mim com aqueles seus olhos graves, com um lampejo de acusação neles. Mas a brutalidade de Lockhert está longe de ser minha culpa, pois só tentei impedir os seus tormentos.

Não tenho nenhum poder, pois não sou eu, meu rei, quem governa Finnmark!

*

Mal dormi, esperando que o primeiro raio da aurora entrasse pela janela de pele de alabote. Mas ainda estava escuro como breu quando ouvi a porta do meu quarto ranger ao se abrir.

Quase esperava ver Christina em sua camisola branca e pés descalços novamente.

Mamãe, minha cabeça dói.

Mas o intruso era a gata preta do castelo, andando sobre as tábuas rachadas antes de pular em minha cama. Não a afastei; em vez disso, examinei a gata, enquanto ela olhava para mim sem piscar, como se lesse atentamente a minha alma.

As mulheres e meninas haviam sido acusadas de se metamorfosearem em gatos na véspera de Natal, o que era uma ideia absurda, mas quanto mais eu encarava a gata, mais astuta era a expressão em seus olhos.

– O que devo fazer? – sussurrei para a gata.

Senti o peso do sofrimento dessas mulheres e meninas da península Varanger sobre meus ombros. Eu era tão impotente quanto o governador me fizera acreditar? Agora a chave da cova das bruxas havia sido tirada de mim e eu fora excluída do interrogatório, porque minha voz era de discordância.

O governador Orning quebrou suas leis repetidas vezes, meu rei, atormentando aquelas pobres criaturas.

A gata se esgueirou pelas cobertas da cama em minha direção, e eu não tinha certeza se ela iria me morder, mas, mesmo assim, levantei a mão para deixá-la cheirar. Ela me recompensou com uma lambida áspera e se aninhou ao meu lado. O ritmo profundo de seu ronronar me embalou em um estado que era parte sono, parte vigília.

*

Pela manhã, após as orações, nosso pequeno grupo se dirigiu mais uma vez ao grande salão do governador para a conclusão do julgamento. O ar parecia um pouco mais quente, o céu cinza e desolado, enquanto o brilho nítido das pilhas de neve começava a se derreter, transformando-se em lama. Procurei o primeiro broto de cor, pois uma folha verde bastaria para melhorar meu ânimo, mas tudo estava descolorido e esmaecido. Enquanto avançávamos, o silêncio absoluto foi quebrado pelo som de longas lâminas de gelo que caíam do telhado do castelo sobre as pedras.

A sala do julgamento estava lotada como no dia anterior, mas senti uma mudança no humor do povo de Vardø. A histeria da prova da água da viúva Krog pairava palpável na câmara de julgamento estupidificante, e a tensão deixava o ar ainda mais pesado. Por que estas pescadoras não estavam pensando em como as bruxas não pareciam ser tão diferentes das próprias mães, irmãs e filhas, e até de si mesmas?

As duas primas, Solve e Zigri, foram levadas de volta ao tribunal algemadas, mas a viúva Krog não estava presente. Não ousei pensar nas provações pelas quais Lockhert tinha feito a velha passar para convencê-la a confessar-se, e ficou claro que a ausência dela era a prova de que permanecia inflexível em relação à própria inocência e à das outras mulheres. Eu admirava a resistência dela. Alguns podem dizer que era o Diabo quem lhe dava força, mas acredito que era a sua honra. Quer ela fosse culpada ou não de bruxaria, a velha acreditava na própria inocência e na de suas companheiras acusadas.

Para onde foi meu zelo? Cheguei há um ano nesta maldita ilha, acreditando que estava aqui para fazer sua vontade e caçar as bruxas por você, meu rei. Eu ardia de paixão e devoção e teria dado minha vida nesta busca em nome de sua divindade. Mas agora meu coração doía de tristeza, e a dúvida me assaltava sempre que olhava para as duas mulheres destruídas e me perguntava como elas poderiam ter as habilidades para destruir o seu poder, meu rei, o homem mais magnífico de todo o reino da Dinamarca e da Noruega.

Ah, posso conjecturar o quanto quiser, pois, na verdade, não posso retratar-me de meu propósito agora. Fiz um acordo com o governador e era hora de levá-lo até o fim.

O governador convocou Kirsten Iversdatter, filha da bruxa acusada, Zigri Sigvaldsdatter, para testemunhar. Este era o nosso momento. Levantei-me e ofereci a mão a Kirsten. Ela estava usando minha fita verde trançada em seus cachos ruivos do dia anterior e a luz entrava pelas janelas do salão de julgamento e a iluminava. Estava como um anjo quando olhou para mim, com seus olhos azuis e confiantes, assim como Christina fizera certa vez, quando prometi à minha filha moribunda que ela viveria e que eu a salvaria.

Kirsten pegou minha mão enquanto o rosto de Ingeborg empalidecia de choque, e ela sussurrou para a irmã:

– Kirsten, não diga nada.

Mas a irmã já não lhe pertencia, pois era minha menina, minha.

Enquanto caminhávamos para testemunhar, tive um vislumbre da esposa do governador sentada ao lado dele, com uma expressão tão horrorizada quanto à de Ingeborg. Ela puxou o braço do marido.

– Christopher, ela é uma criança, o que você quer com isso...?

Mas o marido sacudiu a mão dela do braço e fixou seu olhar sombrio em Kirsten. Apertei sua mão, e seus dedos apertados nos meus enviaram um dardo de força ao meu coração. Acredite em mim, meu rei, se houvesse outra maneira de salvar minha garota, eu a teria feito, porém confesso que sim, de fato, desejo minha antiga vida de novo e quero minha filha de volta.

Sempre haverá perda e sofrimento neste mundo, mas desta vez não seriam meus.

Com todos os olhares sobre nós, Lockhert falou em voz baixa e áspera:

– Conte ao governador e ao júri o que você confessou a Fru Rhodius.

– Kirsten, minha filha... – Zigri Sigvaldsdatter estava lutando contra as correntes, com Solve de braço quebrado caída sobre ela. Enquanto ela tentava se mover em nossa direção, dois dos soldados a puxaram de volta.

Sopros da cova das bruxas encheram o ar ao meu redor e eu pude sentir o cheiro do suor de seu sofrimento, o sangue de seu tormento e as excreções de seu desespero.

Enquanto uma onda de náusea crescia dentro de mim, forcei-me a fechar os ouvidos para a bruxa, pois a esposa de seu amante, Fru Brasche, já havia assegurado a condenação de Zigri Sigvaldsdatter. Eu pretendia salvar a filha de um destino como o dela, de ser rotulada de bruxa; não neste dia, pois era muito jovem, mas algum dia no futuro. Se Kirsten Iversdatter permanecesse em Vardø, seria nomeada para sempre como uma cria de bruxa, tal qual Maren havia sido. Tal destino fez de uma garota uma criatura selvagem e instável, e temo que quando Maren estiver em idade de ser indiciada, não demorará muito para ser levada à fogueira. Será que Zigri Sigvaldsdatter não conseguia perceber que eu estava salvando a garota dela, Kirsten? Pois como minha filha ela se tornará Christina Rhodius e desfrutará de conforto e segurança em minha casa, em Bergen. Vou cuidar dela e garantir que não lhe falte nada.

– Silêncio, bruxa! – ordenou o governador, e o soldado colocou a mão sobre a boca de Zigri, enquanto ela esperneava, com sua barriga de grávida enorme e inquietante, ao soldado que tentava lidar com ela.

– Eu vi minha mãe com o Diabo – falou Kirsten, em voz baixa.

– Onde você viu sua mãe com o Diabo? – pressionou Lockhert.

– No estábulo de Heinrich Brasche – respondeu ela, com a voz ficando mais forte. – Minha mãe me bateu com força e me disse para não dizer uma palavra a ninguém.

– O que você os viu fazendo?

– Eles estavam fornicando – A voz de Kirsten, cristalina.

Zigri parou de lutar, mas seu corpo se contorcia por enormes soluços quando o soldado retirou a sua mão.

– Ah, Kirsten, o que você fez? – A mulher chorou.

Kirsten se virou para olhar para a mãe, com sua mão ainda na minha.

– Você disse que eu era filha do Diabo, disse que foi por minha culpa que Axell se afogou… – A voz de Kirsten vacilou.

– Eu não estava falando sério, Kirsten. Eu estava de luto pelo meu menino.

Kirsten virou as costas para a mãe e olhou para mim com olhos suplicantes.

– Podemos ir para Bergen agora? Podemos, Fru Anna?

– Sim, logo, minha menina – prometi, enquanto voltávamos para o nosso banco.

*

O que aconteceu a seguir foi o esperado. O governador e o beleguim conferenciaram com o júri de homens, antes que o beleguim voltasse a desempenhar o papel principal. As palavras de Lockhert chegaram aos ouvidos de toda a população da ilha de Vardø que se amontoava no salão do julgamento.

– Como estas mulheres fizeram um pacto com o Diabo e praticaram bruxaria, causando sofrimento ao nosso povo da península de Varanger, que Deus tenha piedade de nós, mas não temos outra escolha, elas devem ser punidas com a morte na fogueira.

As duas primas, Zigri e Solve, agarraram-se uma à outra, aterrorizadas. Ah, meu rei, eu não conseguia olhar para elas, mas para onde eu poderia dirigir meu olhar? A multidão estava explodindo em histeria novamente, com gritos de "Queimem as bruxas!". Outros, porém, ficaram em silêncio, com a desaprovação na linha de suas bocas.

Não consegui olhar para Ingeborg, mas a ouvi resfolegar e ofegar como se fosse um peixe tirado d'água.

– O que ele quer dizer? – Kirsten me perguntou, em um sussurro aterrorizado.

– Ele quer dizer que nossa mãe será queimada na fogueira assim que der à luz! – respondeu Ingeborg com brusquidão à irmã, antes que eu tivesse a chance de falar algumas palavras gentis e suaves para minha garota.

– Mas ela estava com o Diabo… – Kirsten franziu a testa, parecendo confusa. – E o bebê… é um filho do Diabo…

Ela olhou para mim em busca de uma resposta.

– Sim, sim – eu a tranquilizei.

Mas o julgamento ainda não havia terminado, na verdade, não. O que aconteceu a seguir estava além da minha imaginação, e sua traição tão dolorosa que quase fez o meu coração parar de bater.

Não esquecerei a visão do beleguim Lockhert em seu melhor gibão preto, o cabelo rebelde grudado na cabeça com gordura de ovelha, estufando o peito com orgulho.

– Além disso, excelência, devemos julgar estas três meninas, Ingeborg e Kirsten Iversdatter e Maren Olufsdatter, que aprenderam e praticaram bruxaria com suas mães.

Olhei horrorizada para Lockhert, incapaz de mover-me ou falar devido ao horror de suas palavras.

– O Maligno sempre esteve com as meninas no passado, e elas não podem se livrar dele, não importa o quanto o reverendo trabalhe nelas e tente convertê-las ao Nosso Senhor, o Cristo. O Maligno nunca as abandonará, pois foram sacrificadas a ele pela mãe e pela tia.

Ah, meu rei, lá nos olhos brilhantes do governador Orning eu vi minha traição mais uma vez, pois ele não estava surpreso com o anúncio de seu beleguim. Ele esfregou as mãos como se as estivesse aquecendo nas fogueiras que desejava acender e acenou com a cabeça para Lockhert continuar falando.

– Em vista de tais circunstâncias, eu perguntaria ao tribunal se elas não deveriam ser punidas com a morte e impedidas de aprender mais diabruras e de seduzir outras crianças à maldade.

A lembrança da voz cruel do governador Orning ressurgiu em minha mente. *Vamos queimar sua garota e você ficará aqui pelo resto de seus dias.*

O povo de Vardø ficou em silêncio, atordoado com o pedido brutal do beleguim. Ingeborg soltou um grito, como se tivesse levado um soco na barriga, mas Kirsten não falou nada, embora sua mão tenha escorregado da minha.

Eu não conseguia respirar. Ah, meu Bom Deus, ah, meu rei, eu não conseguia. Enquanto estas palavras terríveis recaíam sobre todos os presentes como se fossem uma pestilência, enquanto as pessoas tossiam de desconforto, murmuravam protestos trêmulos: "Essas garotas são muito jovens!", apenas uma alma agiu.

Maren se levantou da cadeira enquanto arrancava a gola branca engomada do pescoço e a touca da cabeça. Ela se moveu depressa entre as fileiras de ilhéus, até ficar diante do governador, ergueu o rosto para ele, com seu cabelo preto de corvo ondulando em cachos rebeldes até a base de suas costas.

– Governador do distrito, ouça bem, pois deseja colocar filha contra mãe, e mãe contra filha, irmã contra irmã, primas, amigas, todas as mulheres umas contra as outras! – declarou ela. – Mas o que acontecerá quando não houver mais mulheres, nenhuma garota respirando em toda a península de Varanger? O que vocês homens farão?

Ela se virou para a multidão reunida de mulheres da ilha e apontou o dedo para elas.

– Pois com certeza não sobrará nenhuma de vocês, mulheres, para cuidar do gado, cozinhar a comida de seus maridos e lavar as roupas sujas deles – Maren se voltou para o governador e deu mais um passo na direção dele. – Nenhuma mulher para foder com vocês nem dar à luz a seus filhos. Nenhuma para orar por vocês. Onde isso vai acabar? Em um mundo sem mulheres, apenas Deus, seus homens e o Diabo sempre com *vocês*!

Sua explosão foi tão repentina e chocante que o governador ficou sem palavras, embora Lockhert tenha ido agarrá-la.

A esposa do governador juntou as mãos, e seus olhos reluziam como se as palavras de Maren a tivessem incendiado.

– Deixe-a em paz – ordenou Fru Orning a Lockhert.

O beleguim hesitou, olhando para o governador em busca de segurança.

Mas, antes que o governador pudesse falar, Maren estalou os dedos. De todos os quatro cantos do salão de julgamento surgiram ratos correndo pelo chão de madeira. Os ilhéus gritaram e começaram a correr para a porta da câmara, impedindo a entrada dos soldados. O governador se levantou e gritou com seus cães, mas os cachorros recuaram, como se tivessem medo dos ratos, igual a todo mundo.

Agarrei a mão de Kirsten na minha e me virei para a porta. Embora ela tenha se afastado, puxei minha garota em direção à saída, mas, enquanto o fazia, um grito agudo soou atrás de mim. Era um som que eu reconhecia muito bem, e me virei para ver Zigri Sigvaldsdatter segurando sua barriga, com a água vazando entre suas pernas.

Sua hora havia chegado.

CAPÍTULO 48

INGEBORG

Dentro do quarto do casebre, sob guarda, a mãe de Ingeborg se contorcia sobre uma pilha de peles de rena.

Fru Rhodius dispensou Lockhert.

– Isto é assunto de mulher – declarou ela. – Pode ficar do lado de fora da porta o dia todo se quiser, mas esta bruxa não é capaz de correr ou voar para lugar algum.

Lockhert lançou um olhar nojento a Fru Rhodius antes de fechar a porta atrás de si.

– Coloque um caldeirão de água para esquentar no fogo, Ingeborg – instruiu Fru Rhodius. –Precisamos lavá-la. Não posso cuidar dela com tanta sujeira.

Ingeborg testou a água. De todo o coração, desejava banhar a dinamarquesa na água fervente. Que ela queimasse também. Mas os gritos da mãe a agoniavam, e ela, obedientemente, levou a água. Fru Rhodius lhe passou um pano.

– Separe isto para o recém-nascido – Ela lançou a Ingeborg um olhar encorajador. – Não fique tão preocupada, criança. Já fiz isto muitas vezes.

Por que ela estava sorrindo para Ingeborg depois de tamanha traição? Depois de roubar a própria irmã dela? A irmã que agora estava agachada no canto do casebre, observando-as em estado de choque. E onde estava Maren? Ela estivera ali um momento atrás, mas agora desapareceu.

Fru Rhodius era uma mulher diferente na sala de parto. Nenhum sermão ou discurso sobre o Bom Deus. Ela falou com gentileza à mãe, apesar do que fizera contra ela.

– Levante as pernas, boa mulher – persuadiu ela.

A mãe ergueu o olhar para Ingeborg, com os olhos esbugalhados de dor.

– Você está aqui, Ingeborg – sussurrou a mãe, segurando sua mão e a apertando com tanta força que Ingeborg pensou que ela poderia quebrar seus dedos.

– Sim, vou ficar com você.

– Sinto muito, minha filha, perdoe-me…

– Silêncio, mãe, silêncio.

Com os panos que sobraram e a água, Fru Rhodius lavou as pernas da mãe, levantando-lhe as saias e examinando-a.

A mãe gemeu como uma fera enquanto segurava a mão de Ingeborg com ainda mais força.

– Seu bebê estará aqui em breve – anunciou Fru Rhodius.

Dores ondularam pelo corpo da mãe.

– Não, eu não quero que o bebê venha, não! – lamentou ela.

Mas ela não tinha poder contra as forças da natureza que controlavam o seu corpo.

Ingeborg olhou para baixo e pôde ver a cabeça do bebê começando a sair. Sua coroa sangrenta era uma visão pura e milagrosa.

Foi um parto rápido. No último toque do sino do meio-dia, o bebê nasceu. Uma garotinha, com uma mecha de cabelo preto. A bebê deu um choro saudável. Fru Anna a envolveu bem apertada e a deitou no peito sujo de Zigri.

– Vamos, leve sua filha ao peito – incentivou Fru Rhodius.

O rosto da mãe era um turbilhão de emoções: alegria por sua nova filha e medo pelo que a esperava agora que seu útero estava vazio. Ela se encostou nas paredes do casebre, com a bebê nos braços, e a segurou no peito.

– Como puderam pensar que minha bebezinha é filha do Diabo? – A voz de Zigri estava fraca de exaustão quando olhou para Fru Rhodius. – Não vê que não me envolvi com o Diabo?

Fru Rhodius deu as costas à mulher e não respondeu.

– Não fale sobre isso agora, mãe – pediu Ingeborg, enxugando o suor da testa da mãe. Queria manter a magia do nascimento, intocada pelo fim que esperava as duas. – Esta é a hora do nascimento da sua bebê.

– Nunca mais verei outra – disse a mãe, soluçando.

As lágrimas da mãe atraíram as de Ingeborg. O choque do que acabara de acontecer na sala de julgamento a invadiu. Ela, a mãe e Kirsten foram condenadas a queimar na fogueira. Queimar! Com Solve e Maren. Não conseguia acreditar que isso iria acontecer. Simplesmente não conseguia. Agarrou-se ao conhecimento de Zare e à sua promessa de retorno. Mas ele não a desprezava pelas coisas que ela lhe dissera?

Quanto à sua nova irmãzinha, Ingeborg sabia o que aconteceria, com terrível certeza. A bebê seria tirada de sua mãe, que seria devolvida dolorida e sangrando e acorrentada na cova das bruxas. Outra mulher de Vardø amamentaria a bebê. Ainda outra a criaria. Aconteceria com esta garotinha o que havia acontecido a Maren: cresceria com a marca de filha de uma bruxa, a mesma maldição sobre a sua cabeça, para ser condenada um dia. Um ciclo interminável de maldição.

– É trágico, não é? – Ingeborg olhou para Fru Rhodius em meio às lágrimas.

O cabelo preto de Fru Anna havia se soltado e suas bochechas estavam coradas pelos seus esforços. Embora ela fosse muito mais velha, parecia muito bonita iluminada pelos raios do sol da primavera incipiente que entravam pela pequena janela de seu casebre. Ela se afastou de Ingeborg, embora a jovem a tenha visto enxugar uma lágrima, apenas uma, do olho. No entanto, quando falou, sua voz estava dura novamente.

– Acha melhor uma bruxa um dia sacrificar sua filhinha ao Diabo, assim como sua mãe fez com você?

– Quer que *eu* queime, Fru Rhodius?

– Não! – exclamou ela, com seus olhos ardentes. – Vou salvar vocês, meninas.

– Mas não quero ser salva sem minha mãe – sibilou Ingeborg.

*

A mãe teve apenas alguns minutos a sós com sua bebê. Assim que o choro da criança foi ouvido, Lockhert e um soldado entraram, junto da ama de leite.

– Tire o bebê da bruxa – ordenou Lockhert ao soldado.

– Ela ainda não acabou de alimentá-la – protestou Fru Rhodius.

– Temos uma ama de leite aqui. O bebê será criado em Vardø.

– Eu imploro, dê-me mais tempo – gritou a mãe, apertando a bebê no peito.

– Dê a ela um minuto, a bebê precisa de alimento – Fru Rhodius apelou para Lockhert.

– Como pode sequer pensar em deixar um bebê nos braços de uma bruxa? – Lockhert parecia furioso. Ele foi até a mãe de Ingeborg, passando por Fru Rhodius.

Ingeborg não suportava a ideia de suas mãos ásperas sobre a pele delicada da bebê.

– Mamãe – insistiu ela –, dê-me a bebê.

– Não! – exclamou a mãe, balançando a cabeça. – Eu não sou nenhuma bruxa. Eles têm de acreditar em mim.

– Entregue a criança a Ingeborg agora ou ela será arrancada de seus braços – advertiu Fru Rhodius. – Eles vão machucá-la. Entregue-a a Ingeborg. Prometo que ela estará segura.

Relutante, soluçando, a mãe deixou Ingeborg pegar o embrulho quente e agitado. Ela pegou a bebê nos braços. Parecia tão natural, tão certo ter um bebê embalado entre eles. No entanto, ela própria jamais se tornaria mãe.

Partiu seu coração entregar a criança à ama de leite, que logo deixou o casebre quando a mãe começou a uivar.

– Fique quieta, bruxa – ordenou Lockhert, mas a mãe não parou.

Lockhert deu um tapa em Zigri, ainda assim, ela continuou.

Só quando Ingeborg pegou sua cabeça entre as mãos é que ela parou. A moça olhou nos olhos torturados da mãe e lhe deu todo o amor que podia.

– Vou encontrar uma saída – sussurrou Ingeborg para ela.

As palavras de alguma forma tocaram sua mãe, e ela ficou quieta, ainda trêmula com o choque do parto. Lockhert e seu homem a levantaram do chão e a arrastaram para fora do casebre, de volta ao pátio e até a cova das bruxas.

Ingeborg seguiu seu rastro de sangue na neve lamacenta.

Ignorada pelos soldados, ela se ajoelhou perto das paredes rachadas da cova e pressionou as mãos nela.

– Mãe, mãe – sussurrou. – Estou aqui. Vou salvar você.

CAPÍTULO 49

ANNA

Meu rei, o governador Orning pretende queimar simples garotas, e *minha* garota Kirsten – e ela tem apenas treze anos de idade!

Após o terrível julgamento, o mundo inteiro saiu dos eixos. Eu havia pensado que minhas próprias tribulações tinham chegado ao seu momento mais sombrio, mas não, o governador Christopher Orning e seu capanga, o beleguim Lockhert, mascararam a verdade. Acredito que são eles os demônios entre nós!

Escrevo estas palavras o mais rápido que posso, mas de que adianta, pois será que você as lerá? Não consegui enviar nenhuma das cartas a você e, mesmo que, de alguma forma, conseguisse colocá-las em um navio com destino à Dinamarca e que fossem entregues ao palácio, você se lembraria do nosso truque secreto? Nunca esqueci os bilhetes de amor que você me enviou, escritos com suco de limão para que ninguém mais pudesse ler as missivas, mas quando eu segurava o pergaminho à luz da vela, suas juras de amor se derramavam sobre mim.

Você chegou a me amar, um dia. Lembrei-lhe de minha reivindicação ao seu coração na última vez em que estivemos juntos, menos de dois anos atrás. De fato, peguei suas mãos nas minhas e falei com coragem.

Você ordenara que eu saísse de seu escritório para entrar em sua câmara privada no palácio Rosenborg, e ficamos sozinhos; nem mesmo seu valete estava presente.

Diante de mim estava a cama real na qual você acariciava sua rainha, Sofia Amália, ou assim imaginei. O quarto era muito mais ornamentado do que o seu escritório, com painéis de madeira, paredes cobertas de sedas verdes e pinturas da China, e me perguntei se isso se devia aos gostos opulentos da rainha.

– Lembre-se do amor que compartilhamos, Frederico – apelei a você, tomada pela nostalgia. – Como você tomou minha virgindade, e eu lhe dei todo o meu coração. Meu rei, você ainda o possui.

Você bebeu minhas palavras como se fosse um homem sedento, e vi o brilho em seus olhos, o reacender de nossa paixão. Mas, então, em um instante, você o empurrou para longe e puxou suas mãos das minhas, e a fúria alimentou cada movimento seu.

– Como ousa tocar seu rei! Como ousa me chamar de Frederico! Deveria mandar executá-la!

Mas não acreditei que estivesse falando sério, pois seus sentimentos por mim haviam sido exibidos no comando de que eu deveria segui-lo até o seu quarto. Por qual outra razão você me convidaria a entrar no domínio sagrado da câmara matrimonial real, senão por intimidade?

– Acredita que está tão acima de mim agora? – desafiei-o, incapaz de parar o fluxo de palavras. – No passado, éramos um garoto e uma garota que amavam livros e flores. Éramos um jovem casal que se beijava debaixo de uma pereira.

– Basta! – Você deu um tapa na minha bochecha, mas não me machuquei. Sua raiva me alegrou, pois pude ver a emoção rugir dentro de você.

– Ainda uso a cruz que você me deu – Afastei meu lenço e mostrei a cruz de ônix preta. –Vou usá-la até o dia da minha morte.

– Que será mais cedo do que pensa se não parar com este absurdo de uma vez – você disse com severidade.

– Não diga essas coisas, *min kjære* – supliquei, colocando a mão em sua manga.

Sim, ousei tocar em você de novo, o monarca absoluto do nosso reino.

Você se livrou de mim, porém mais uma vez pude notar seu conflito, pois por que não chamava o seu valete? Por que não me mandava sair de seu quarto?

Ah, mas de fato eu compreendi mal suas intenções, pois você queria machucar-me ainda mais.

– Anna Rhodius, você é uma mulher vaidosa e inútil – você declarou com uma voz cruel. – Fora de seus anos férteis e não mais bela como era na juventude. Você não tem autoridade como uma mulher idosa e, ainda assim, insiste em questionar a autoridade dos homens.

– Eu apenas trouxe à sua atenção a corrupção do governador Trolle que serve em seu nome – eu me defendi, e minhas bochechas queimavam com a dor de suas palavras. – Ele anseia por destruir a monarquia.

– Você foi causa de grande humilhação para mim – você sibilou.

Então, este foi o meu verdadeiro crime, tão imenso que nunca pude superá-lo, pois ofendi o seu orgulho real e você ficou mortificado por ter amado uma mulher como eu.

Ah, meu rei, meu coração realmente se partiu, mais uma vez, com as suas palavras brutais...

Perdi todas as esperanças de receber uma carta de reconciliação, mas imploro, por favor, salve estas cidadãs injustiçadas do *seu* reino. Sim, elas são as mais pobres das pobres, vivendo em condições difíceis, mas são mulheres comuns e boas meninas. Querido Senhor, perdoe-me por minha parte no infortúnio delas, pois não são bruxas nem crias de bruxas.

*

Quase terminei o suco de um limão para escrever esta carta invisível, com minha pena feita de uma pena de corvo que tinha voado para dentro do casebre no verão passado. Quando terminar, vou dobrá-la em um quadrado e selá-la com um pouco de cera de vela pingada nas bordas. Depois vou colocá-la na caixa onde guardo todas as cartas.

*

O choque do veredicto ecoou pelo pátio vazio enquanto eu me dirigia para a casa do governador. Tudo parecia em desordem, e eu não tinha ideia de para onde as garotas tinham ido, embora elas devessem estar em algum lugar dentro da fortaleza, pois dois soldados estavam postados em frente aos portões fechados com correntes.

Todos os ilhéus voltaram para as suas minúsculas cabanas depois que os ratos invadiram a câmara de julgamento. A condenada Solve foi levada de volta para a cova das bruxas, para onde Zigri foi levada após o nascimento de sua bebê. Eu não suportava olhar na direção da choupana escura enquanto subia os degraus para o castelo e abria a porta.

Atravessei a câmara de julgamento, agora deserta até mesmo dos ratos, mas ainda podia ouvir ecos de choque e raiva nos gritos das mulheres da ilha ante a exigência de Lockhert de condenar as três garotas. Sentia-me ardendo de convicção e ultraje ao abrir a porta seguinte, que dava para a sala do governador.

Ele estava sentado de costas para mim em sua grande cadeira, com os dois cães de caça deitados a seus pés. O fogo ardia na lareira, e ele estava sozinho. A cadeira de Fru Orning estava vazia e Lockhert não estava à vista. Se Orning sentiu minha chegada na sala, não demonstrou, mas apenas se inclinou para a frente em sua cadeira, com um copo de vinho tinto entre as mãos, olhando para o fogo. Estaria pensando naquelas que acabara de condenar às chamas?

Minha respiração estava apertada no peito, pois sabia que falar significaria que minha própria situação provavelmente pioraria, mas não poderia mais ficar parada e segurar a língua.

– Governador, posso falar com o senhor?

– Ah, imaginei que fosse você – comentou ele, ignorando meu pedido. – Com que perfume você sempre se adorna, Fru Rhodius? Óleo de rosas, não é? Lembra-me dos verões em Bergen, na propriedade Rosencrantz – Ele soltou um longo suspiro, como se carregasse as tristezas do mundo sobre os ombros.

– Sim, governador – admiti, colocando a mão sobre a cruz de ônix que você me deu para acalmar meus nervos. – Preciso falar com o senhor...

– Venha se sentar comigo, Fru Anna – chamou ele, indicando a cadeira da esposa.

Avancei e me sentei com hesitação. A cicatriz em seu rosto era branca e irregular como o cume de uma montanha, e pensei em quantas almas o velho soldado havia matado em seu cumprimento do dever, embora queimar bruxas fosse um mundo à parte da guerra entre os homens.

– Excelência, estou aqui para lembrá-lo de sua promessa feita a mim.

– E que promessa seria, Fru Rhodius? – Ele olhou para mim, com os olhos vidrados, enquanto as palavras que ele dizia soavam arrastadas. Avistei a garrafa vazia e concluí que o homem estava bêbado.

Nunca é sábio argumentar com um homem cheio de vinho e, no entanto, não pude ficar calada.

– Prometeu-me que, caso Kirsten Iversdatter depusesse contra a mãe, o senhor pediria ao rei que me perdoasse e que eu estaria livre para partir *com* Kirsten. Voltaríamos para minha casa em Bergen, assim que fosse possível navegar para o Sul. Fez-me um juramento solene de que informaria ao rei como eu o ajudei a livrar o Norte das bruxas.

O governador Orning acariciou sua barba grisalha pontuda, seus movimentos eram lentos enquanto sua cabeça rolava de um lado para o outro.

– Nunca fiz tal promessa, Fru Rhodius.

Encarei-o, chocada, e, embora soubesse que o governador Orning era um autoritário cruel e perverso, não acreditava que ele faltaria com a própria palavra.

– Além disso, a mãe já confessou que entregou as filhas ao Diabo – concluiu. – Lockhert a questionou.

Eu me senti fraquejar ao imaginar como Lockhert poderia ter atormentado Zigri Sigvaldsdatter, tão fraca por ter acabado de dar à luz sua bebê.

– Não posso deixar essas meninas viverem, pois elas vão corromper outras crianças com sua maldade.

– E a bebê? – sussurrei.

– A bebê está com uma ama de leite. O reverendo Jacobsen e a esposa cuidarão da criança. Eles pretendem purificá-la de todos os vestígios das perversas mãe e irmãs. Veja bem, salvei uma alma do Diabo, não salvei?

– Governador, acho que o rei não gostaria que você colocasse garotas na fogueira. Kirsten tem apenas treze anos e as outras duas mal chegaram aos dezessete.

– Como sabe o que o rei iria querer? – Orning se virou para mim; o veneno da bebida descia sobre ele. Havia faíscas de raiva e algo ainda mais sombrio em seus olhos. – Não entende que estamos travando uma guerra contra Satã e seu monstruoso regimento de bruxas, Fru Rhodius? Estou protegendo você e a todos os que vivem nesta lamentável província de Finnmark da destruição e do caos causados por estas bruxas vis.

– Mas creio que posso devolver as meninas a Deus, pois todos os dias elas têm aprendido o catecismo. Deixe Kirsten recitá-lo para o senhor, e verá que criança piedosa ela é.

O governador soltou uma risada cruel, e seus cachorros se mexeram a seus pés, olhando para mim com os olhos cheios da trágica tristeza que eu sentia.

– E o comportamento delas no tribunal? Aquela chamada Maren Olufsdatter está tão possuída quanto a mãe, e Ingeborg Iversdatter foi escravizada por ela. O que pensa da aparição dos ratos, Fru Anna? Pois não foram chamados pelo próprio Diabo para instigar o terror entre as pessoas piedosas?

– Mas Kirsten é uma criança inocente.

– A menina foi batizada ao Diabo e já fez o mal dele, pois a própria mãe me disse isso – O governador tomou outro gole de vinho e ergueu a taça para o fogo. – Estou amarrado à minha esposinha feiosa e sem filhos para compensar meus deveres conjugais, ha! Elisa costumava ser obediente e submissa, mas os acontecimentos das últimas semanas deram ideias até à minha própria esposa! – Ele cuspiu no fogo, as chamas assobiaram e faíscas voaram para o chão, as quais ele esmagou com o sapato de fivela. – Por que acha que um homem da minha posição foi enviado para tão longe? Por causa do pai de minha esposa, o governador Rosencrantz de Bergen. Ele me acusou de tirar vantagem da filha dele! Mas a mocinha era toda graciosa comigo, e foi ela quem me enganou para me casar com ela, pois quem mais aceitaria uma garota assim, com o rosto marcado por varíola, por maior que fosse o dote?

Remexi-me com desconforto na cadeira, desejando não ouvir mais nada sobre as atribulações pessoais de Orning. Quanto mais eu soubesse sobre o seu passado, mais ele se voltaria contra mim quando ficasse sóbrio novamente.

– Peço-lhe, governador, que espere até o verão – interrompi. – Chame algum juiz de apelação de Copenhague. Vamos fazer um novo julgamento quando os dias forem mais claros, mais longos...

– É tarde demais – afirmou ele. – As fogueiras já estão sendo construídas para as duas bruxas Zigri Sigvaldsdatter e Solve Nilsdatter neste instante. Elas vão queimar amanhã.

Meu coração martelou no peito com horror ao pensamento.

– E a viúva Krog?

– Ah, sim, bem, lembre-se, ela nunca se confessou.

– Onde ela está?

– Onde ela pertence – declarou ele, encarando-me com tanta ferocidade que fui silenciada. – Saia da minha frente – disse, dispensando-me com a mão. – Não desejo mais olhar para o seu rosto enrugado e seios de velha – falou, arrastado, com os olhos brilhando perigosamente. – Traga-me a minha esposa. Onde está Elisa?

– Mas as *meninas*…

– Está feito, mulher, pare de me importunar! Dois soldados foram à Rússia buscar mais lenha para as fogueiras. Elas vão queimar daqui uma semana, e estaremos livres de todas estas bruxas e de seus animais quando os pescadores voltarem.

– Não, excelência, eu imploro… – supliquei.

– Desista de sua arenga! – O governador se irritou comigo. – Remova a sua pessoa de minha presença antes que eu atire você na cova das bruxas também.

Levantei-me da cadeira da de sua esposa, com todo o meu corpo rígido de raiva. Mas estava claro para mim que não importava o quanto eu suplicasse, nada mudaria a mente deste homem vil. Eu estava impotente mais uma vez, e a frustração que isso me causou me fez querer gritar de fúria contra ele. Fui tomada pelo desejo, por um momento fugaz, de ser uma verdadeira bruxa e amaldiçoá-lo com o inferno que ele tanto merecia.

O governador pode muito bem ter intuído meus pensamentos, pois falou às minhas costas enquanto eu saía de sua câmara:

– Vou mandar colocarem um freio de repreensão em você, Fru Rhodius, se não aprender a segurar a língua. Tenha cuidado, senhora, pois ninguém está acima das tentações do Senhor das Trevas!

*

Do lado de fora, nuvens escuras enchiam o céu enquanto eu cambaleava pelo pátio, oprimida por minha própria impotência.

Eu não suportaria voltar para o casebre e para o rosto acusador de Kirsten, acreditando que eu a havia traído, mesmo que eu fosse capaz de dar tudo o que tinha pela vida dela.

Do lado de fora da cova das bruxas, o capitão Hans estava sozinho, em posição de sentido.

– Não posso permitir sua entrada, Fru Rhodius – declarou ele assim que me viu. – Ordens do governador.

– Eu sei – assenti, em voz baixa. – Mas, diga-me, como estão as mulheres condenadas?

– Em grande desespero – Ele soltou um suspiro pesado. – Não é meu trabalho ter uma opinião, mas… – Ele se interrompeu e balançou a cabeça. – Nós demos a elas nosso rum. Se pelo menos estiverem quase inconscientes por causa da bebida, as pobres moças talvez sofram menos.

– Quando eu era menina, uma bruxa foi condenada à fogueira em Ribe, perto de onde cresci. Colocaram pólvora nela para que sofresse menos. Torna o fim mais rápido.

O capitão Hans olhou para o depósito de munição acima da cova das bruxas, lendo meus pensamentos.

– Não posso pegar a pólvora a menos que o governador assim o ordene. Ele deseja que elas sofram.

Maldito governador Orning. Eu não iria deixá-lo prevalecer, pois se eu não pudesse salvar a vida dessas mulheres, ao menos tornaria o seu fim mais fácil.

Abaixei-me e rasguei a bainha da minha saia. Ocorreu-me subornar o governador, mas sua promessa quebrada me convenceu de que ele simplesmente pegaria o que era meu e não me daria nada em troca. Apalpei-a e tirei três grandes pérolas que minha mãe me dera quando saí de casa tantos anos atrás para ser uma esposa.

Estendi as pérolas na palma da mão e as ofereci ao capitão.

– Quando me tornei soldado no exército do rei, pensei que iria lutar contra os suecos. Um inimigo que eu pudesse ver, e seria justo e honesto – refletiu ele, com seus olhos graves e tristes. – Mas isto... estas mulheres... bem, isto não é nada bom, Fru Rhodius.

Então ele estendeu a mão e pegou minhas pérolas.

CAPÍTULO 50

INGEBORG

As três estavam nas muralhas da fortaleza. Ingeborg se lembrou do sonho que tivera na cova das bruxas, quando todas voaram como pássaros. Mas desta vez ela estava com Maren e Kirsten. A mãe, Solve e a viúva Krog estavam aprisionadas com a sentença de morte sobre elas pela manhã.

Ingeborg conseguia ver um grupo de três soldados ao longe, em Stegelsnes, a península irregular da ilha que se projetava para o mar. Eles estavam construindo duas torres frágeis de madeira. Ela não poderia conceber que a mãe seria queimada em uma delas. Sua mente estava em pânico. Como conseguiria salvá-la?

Ela olhou o mais longe que pôde, esperando ver Zare em seu barco, mas a água estava vazia de qualquer embarcação, ao menos uma vez, plácida, oscilando contra as margens da ilha. A tarde estava clara, e as nuvens brancas eram babados angélicos. Agora o sol finalmente havia retornado, mas não era bem-vindo. Elas não queriam tempo bom, porque isso ajudaria a acender o fogo.

Por que Maren disse a elas para virem para aquele lugar? Tentariam descer a muralha? Mas não tinham corda, e era uma longa, longa queda até as rochas duras abaixo. Uma coisa tinha sido subir, mas ela duvidava que pudessem descer. Além disso, Kirsten com certeza não seria capaz de fazê-lo.

Bem, então, se fosse preciso, deixá-la-ia para trás. A irmãzinha havia traído a própria família. Ela merecia o que estava para lhe acontecer.

– O que estamos fazendo aqui? – Virou-se para Maren.

– Só consigo pensar em uma maneira de parar as queimas amanhã – explicou Maren. – Vamos conjurar uma tempestade. Vai destruir as fogueiras, espalhar toda a madeira. Será tão selvagem que ninguém conseguirá abrir as portas das casas.

Raiva e incredulidade se apossaram de Ingeborg.

– É isso? – perguntou ela, cutucando com o dedo o peito de Maren. – Todas estas semanas, sem parar, você falou sobre nosso poder e como não podem nos machucar! Tudo o que você tem é um feitiço estúpido de lendas!

– Não é uma lenda – retorquiu Maren, com a voz calma e os olhos brilhantes. – É um feitiço que minha mãe me ensinou.

– E que bem isso fez a ela? – gritou Ingeborg. – Sua mãe foi queimada na fogueira!

As palavras saíram de sua boca, selvagens e irregulares. Ela viu Maren encolher-se como se tivesse sido golpeada e se arrependeu de imediato.

Maren Olufsdatter não batia bem da cabeça. Seu rompante na sala de julgamento deixou isso claro, mas então, a coisa com os ratos? Bem, aquilo *foi* estranho. E as palavras de Maren a infundiram com paixão: Ingeborg havia se deixado levar e, na hora, foi bom. Mas estava consumida pela culpa agora. Tinha piorado as coisas para a mãe. E para todas elas.

– Qual é o feitiço? – falou Kirsten pela primeira vez desde o veredicto.

– Cada uma de nós segura uma das pontas de um guardanapo e dá um nó nela, em seguida recitamos as palavras juntas – explicou Maren. – Depois, nós o soltamos ao vento ao mesmo tempo.

– Mas somos apenas três e não temos guardanapos – disse Ingeborg com amargura.

– Ah, não, somos quatro – disse Maren. – Aí vem ela.

Maren sorriu do jeito que costumava sorrir para ela quando se conheceram. Ingeborg se virou para ver a esposa do governador, Elisa Orning, subindo as escadas da fortaleza.

Ela parecia diferente de quando a vira no tribunal. Seu cabelo perolado caía solto sobre os ombros e sua pele estava livre da cerosa pasta branca. Havia cicatrizes vermelhas de varíola em suas bochechas, mas seus olhos brilhavam. Elisa estava sorrindo para Maren.

Quando avistou Kirsten, ela jogou os braços ao redor da garota. Ingeborg ficou irritada com a ação íntima de uma estranha. Ela mesma não havia tocado na irmã desde o julgamento.

– Pobre inocente – disse Elisa a Kirsten, passando os dedos pelos cachos ruivos.

Os lábios de Kirsten tremeram e seus olhos se encheram de lágrimas.

– Fui enganada – sussurrou ela, com voz rouca.

– Eu disse para você não dizer nada – disparou Ingeborg para a irmã. Kirsten sempre fora capaz de fazer com que todos sentissem pena dela. – Como pode ter dito aquelas coisas?

– Eu acreditei nelas. *Ela* me convenceu.

Fru Anna Rhodius. A traidora. Prometendo ajudá-las, só queria ajudar a si mesma.

– Vamos – chamou Maren. – Não temos muito tempo. O governador vai procurar Elisa em breve. Agora é a nossa chance.

Elisa tirou do bolso um guardanapo de linho branco e o entregou a Maren. Cada uma delas pegou uma ponta e deu um nó nela.

Elas estavam todas tão próximas! Um quadrado bem unido de quatro moças.

– Agora, segurem o nó com a mão esquerda e levantem o braço para o céu – disse Maren a elas. – Repitam depois de mim: "Eu convoco o vento em nome de Liren Sand e todas antes dela e todas depois dela."

As outras três garotas recitaram as palavras e continuaram repetindo logo que Maren as dizia, à medida que ela continuava:

– "Eu invoco a chuva em nome dos espíritos do céu e do mar. Eu convoco o granizo em nome da grande baleia azul, ela que canta pela nossa redenção das profundezas dos mares. Convoco a tempestade em nome das nuvens para atacar todos os homens que quiserem nos prejudicar." Agora soltem.

Ingeborg esperava que o guardanapo caísse de volta sobre as paredes da fortaleza, pois ela não conseguia sentir nem sequer uma lufada de vento, mas, para sua surpresa, ele se elevou no ar. Como se um sopro de ar tivesse sido enviado apenas para o feitiço, o guardanapo decolou como uma vela branca em miniatura. Elas o observaram flutuar pela ilha, passando pelos soldados que construíam as fogueiras e indo em direção ao mar. Elas observaram até que ele fosse uma pequena partícula e depois nada mais.

Elas esperaram. Mas nada aconteceu. Nem um sussurro de vento em suas bochechas.

Lágrimas de decepção começaram a sufocar a garganta de Ingeborg. Que estúpido confiar em um dos feitiços de Maren.

– Onde está a tempestade, então, Maren? – Ela se virou para a jovem.

Maren cruzou as mãos e olhou para ela com os olhos verde-sálvia.

– Ela virá.

*

No meio da noite, Ingeborg se esgueirou para fora do casebre. A lua cheia banhava o pátio com uma luz prateada. O céu estava limpo de nuvens, repleto de estrelas. Lá estava sua Estrela do Norte, mas estava com raiva demais para contemplá-la. Não havia sinal de tempestade. Nenhuma esperança.

Ela rastejou até a lateral da cova das bruxas. Se ao menos pudesse libertar a mãe. Puxou a madeira retorcida, quebrando as unhas, até os dedos sangrarem, mas tudo o que conseguiu fazer foi abrir um pequeno buraco na madeira podre.

Ela se agachou e pressionou a cabeça na parede.

– Mãe! – sussurrou ela. – Mãe!

– Ingeborg! – Os dedos da mãe se espremeram para fora da fenda e Ingeborg os agarrou.

– Ah, mãe! – Ela não sabia o que dizer. Tudo o que podia fazer era deitar-se de bruços e beijar os dedos sujos e quebrados da mãe.

– Calma. Calma. – A mãe a consolou com uma voz tão gentil que quase não soava como ela.

– Não sei o que fazer, mamãe.

– Você fez tudo o que pôde – respondeu a mãe com a voz embargada. – Eu mesma provoquei isto.

– Não, não.

– Diga-me, o que aconteceu com a minha bebê? – sussurrou a mãe, e Ingeborg pôde ouvir sua voz cheia de lágrimas.

– Ela está com a esposa do reverendo Jacobsen – contou Ingeborg, repetindo o que Fru Rhodius lhe dissera antes.

– Ótimo, ela estará segura com eles.

Ingeborg sabia o que a mãe queria dizer. A salvo de ser rotulada filha de bruxa, talvez.

– E Kirsten? Como ela está?

Ingeborg não disse nada, apenas respirou fundo, soluçando.

– Peça a ela que me perdoe – sussurrou a mãe.

– Mas é ela quem precisa pedir o seu perdão...

– Não, Ingeborg. Ela é uma garotinha, e você sabe o quanto eu fui dura com ela... com você também, mas você é mais velha.

– Ela falou...

– Escute, talvez Heinrich Brasche *tenha sido* o Diabo – A voz da mãe falhou mais uma vez. – Pois eu acreditei em suas mentiras. Ele professou amor por mim, e eu estava tão cega que acreditei nele. Mas meu pecado foi grande, Ingeborg. Não é culpa de Kirsten.

Lágrimas escorriam pelo queixo de Ingeborg. Era demais imaginar o que aconteceria no dia seguinte. Como poderia suportar?

– Cuide de Kirsten – pediu a mãe. – Prometa-me.

– Não posso.

– Ela não sabia o que estava fazendo, Ingeborg – A mãe soltou um suspiro pesado. – Eu também traí vocês duas. O beleguim esmagou meu polegar da outra mão, e a dor, Ingeborg... ele me fez dizer que vendi vocês para o Diabo. Perdoe-me, meu amor...

As palavras atingiram Ingeborg como água fria.

– Bebi um pouco de rum que os soldados nos trouxeram. Solve tomou a maior parte, mas ainda dói muito.

– Você nos denunciou, mãe?

Silêncio. Ingeborg ainda apertava a mão da mãe, mas seu coração ficou mais frio. Ela pensou na viúva Krog – o que havia acontecido com a velha? – e em como ela não parava de repetir: *Eu não vou mentir sobre mim ou outra mulher*. Mas a mãe, Solve e Kirsten tinham. Todas morreriam por isso.

Ela soltou a mão da mãe.

– Ingeborg, Inge, por favor, perdoe-me. – A voz de sua mãe estava apavorada, e seus dedos se estenderam para Ingeborg novamente.

O que ela teria feito no mesmo lugar de sua mãe? Quanta dor teria suportado antes de ceder? Não estava em posição de julgar. Tomou a mão da mãe de volta na própria.

– Nós nos encontraremos no reino de Deus, meu amor, porque fiz minha contrição e nenhuma de nós vai para o Inferno – sussurrou a mãe, baixinho.

Ingeborg apertou a mão da mãe, segurando firme, ao lado da construção úmida. Ficaram agarradas uma à outra a noite toda, a meio caminho entre a cova das bruxas e o mundo lá fora. Com o passar das horas, o gatinho malhado a encontrou e se acomodou ao seu lado.

À medida que o frágil rosa do amanhecer se infiltrava em um dia tão suave, Ingeborg se sentiu miserável. Onde estava a tempestade que Maren havia prometido?

CAPÍTULO 51

ANNA

Os soldados marcharam nós quatro – Maren, Ingeborg, Kirsten e eu – em um grupo miserável, saindo do casebre, descendo a colina da fortaleza até o local da execução, Stegelsnes. Enquanto atravessávamos a neve pesada e molhada, as meninas com suas velhas botas de pele de rena e eu, com meus tamancos, chapinhamos na lama espessa onde ela havia derretido.

Nenhuma das meninas olhava para mim, embora os soldados nos mantivessem próximo. Nenhuma de nós falou, pois o pavor do que estava por vir havia arrancado nossas vozes.

O mar estava agitado, da cor das cinzas, e o Domen não parecia ser um monte real, mas mais uma sombra ou uma nuvem. O sol nascente era um orbe dourado, saindo de trás de nuvens cor de ameixa e cinza trovão. Ao longe, enquanto o mar roçava as costas incrustadas de gelo do Domen, a névoa se estendia como um vapor crepitante, como se o gelo queimasse.

Meus olhos foram atraídos com relutância para as duas pilhas de madeira amontoadas e para as escadas, prontas para as condenadas. Os soldados nos mandaram ficar enfileiradas de frente para as estacas, e não tínhamos permissão para nos mover.

Todas nós esperamos e observamos enquanto as bruxas eram trazidas da fortaleza, atravessando o furioso mar Ártico em barcos. A atmosfera era diferente da prova da viúva Krog, pois os ilhéus que se reuniram estavam vestidos de preto, com as cabeças cobertas e baixas. O silêncio era profundo, e o único som vinha do bater suave do mar, dos barcos a remo e do grasnar das gaivotas e corvos voando acima de nós.

O governador Orning saiu do primeiro barco, com suas peles jogadas sobre sua figura ereta. Deu longas passadas na neve encharcada, com seus dois cães de caça sendo puxados pelas coleiras. Sua frágil esposa saiu atrás dele, com um capuz sobre a cabeça, mas vi um relance de seu rosto com o olho enegrecido e o lábio cortado, o que ela tentara esconder com a grossa pasta cor de giz em sua pele cicatrizada.

O reverendo Jacobsen os seguia, vestido com sua batina preta, um manto de lã preta pesada e um chapéu de lã na cabeça.

As duas mulheres condenadas foram retiradas dos barcos: Solve Nilsdatter e Zigri Sigvaldsdatter. Apenas suas mãos estavam amarradas agora, e elas estavam vestidas com jaquetas e saias. Conseguiram limpar seus rostos, embora seus cabelos estivessem soltos e despenteados. Estranhamente, a viúva Krog não estava com elas, e estremeci por seu destino.

Ouvi os soluços de Kirsten ao meu lado, embora Ingeborg permanecesse em silêncio. Quando tentei pegar a mão da menina, ela se afastou. Ah, como isso partiu meu coração.

Enquanto o reverendo Jacobsen nos guiava em oração, Solve continuou olhando ao redor. Os olhos examinavam a multidão, o mar, o continente, passando de um lado para o outro, como se estivesse em grande distração. O capitão Hans deve tê-las enchido com rum novamente, pois ambas cambaleavam, e rezei para que caíssem no esquecimento antes do fim.

– Arrependam-se de seu pacto maligno com o Diabo. Rezaremos para que o Bom Deus as leve até ele – declarou o reverendo Jacobsen em um tom monótono.

Nenhuma das primas orou; não, elas olharam, boquiabertas, para o reverendo Jacobsen em descrença, incapazes de compreender o que estava prestes a acontecer.

Enquanto o reverendo conduzia a todos em oração, Lockhert saltou do último barco. Atrás dele, dois soldados arrastavam o cadáver da viúva Krog. A saia cinza-clara e esfarrapada da velha e suas mãos envelhecidas pendiam flácidas, e quando avistei seu rosto, estava preto de uma surra, e seus olhos, ensanguentados, como se tivessem sido arrancados. A náusea se elevou violenta e repentina, mas eu engolia a bile.

– Vejam, uma bruxa não pode escapar de seu destino sob a minha autoridade – advertiu o governador aos ilhéus horrorizados. – Vou caçar todas vocês, e vou expurgar o Norte deste mal – Ele apontou para o cadáver da viúva Krog. – Que o destino desta bruxa malvada seja uma lição para todas vocês.

Um dos soldados amarrou uma corda nas mãos da viúva Krog e eles a arrastaram pelo local da execução, como se ela não passasse de um troféu de caça. Sob as ordens de Lockhert, o corpo foi colocado sobre uma rocha de frente para o mar e lá permaneceria, imaginei, até que as gaivotas limpassem os ossos de toda a sua carne.

Tendo testemunhado esta atrocidade, o governador ordenou que as duas mulheres, Solve e Zigri, fossem amarradas em suas escadas. Ambas tremiam de terror – nunca vi tanto medo. Quis gritar com o governador, mas estava impotente.

Meu rei, diga-me, o que eu deveria ter feito?

Ambas resistiram, é claro, e Solve pareceu ficar sóbria. O pânico brilhava em seus olhos.

– Excelência, meu marido ainda pode vir – implorou ela. – Ele voltará da pesca e falará por mim.

– Seu marido ainda ficará no mar por muitas semanas. Além disso, ele vai me agradecer por livrá-lo de uma bruxa asquerosa que fornica com o Diabo – sibilou o governador para Solve.

– Senhor, tenha piedade de minha alma, não é verdade – Solve se soltou do aperto de Lockhert e tropeçou em minha direção, buscando com um braço machucado e espancado, enquanto o outro pendia inútil ao seu lado. – Eu não sou bruxa, nem minha prima! Diga a eles!

Maren saltou para fora de nossa fileira e agarrou a mão ensanguentada da tia.

– Estamos com você, estamos com você, titia.

– Ah, Maren, menina linda, cuide dos meus meninos…

Lockhert arrancou Solve da sobrinha e começou a amarrá-la a uma das escadas.

– Meus meninos! – Ela soluçou. – Meus pobres bebês!

– Seus filhos nunca mais falarão de você – advertiu. – A vergonha deles será grande demais.

– Não! – Solve lutou contra Lockhert.

O governador Orning ordenou que o capitão Hans acendesse o fogo. Chamei a atenção do capitão, e ele me fez um aceno imperceptível. Rezei para que tudo corresse como planejado e que o sofrimento das mulheres fosse breve.

Você já testemunhou a queima de uma bruxa, meu rei? Sabe como é angustiante esperar que as chamas aumentem até que o fogo esteja alto o bastante para abaixar as mulheres? Pois o governador não arriscaria que elas sufocassem primeiro com a fumaça; não, ele tinha de garantir que a carne delas estivesse em chamas.

Virei-me para Kirsten.

– Feche os olhos – implorei a ela.

Mas a garota estava olhando para o céu, assim como sua irmã e Maren. Segui seu olhar e vi que o número de pássaros ao nosso redor havia se multiplicado em um grande redemoinho de gaivotas e corvos. Pretos e brancos, girando e grasnando sem parar, enquanto nuvens começavam a ajuntar-se depressa. Senti uma gota de chuva em minha testa, e depois outra. O vento assobiava pela ilha como se nos chamasse.

As chamas aumentaram e, percebendo a mudança no tempo, o governador ordenou aos homens que baixassem as mulheres aos prantos nas chamas. Ambas haviam urinado e gritavam de terror.

Em breve acabará. Falei com elas na minha cabeça, fazendo o sinal da cruz.

E então, de repente, um raio crepitou pela ilha e os céus se abriram. O granizo caiu sobre nós, empurrando a multidão com tanta força que alguns dos ilhéus foram derrubados.

– Mãe! – Ouvi Ingeborg gritar quando a escada de sua mãe foi abaixada para as chamas, mas o granizo estava fustigando o fogo.

Por milagre, estava apagando.

– Solve! – A mãe de Ingeborg gritou. – Estamos juntas, prima.

– Zigri! – A prima chamou de volta. – Para todo sempre!

Enquanto eu observava, Solve soltou seu braço bom das amarras. Diante de nossos olhos, ela começou a se desvencilhar de sua escada.

– Amarre a bruxa de novo! – latiu Orning para Lockhert.

O beleguim ficou de pé, com as pernas abertas, sobre a base do fogo. Como devia estar queimando através de suas calças! Mas ele odiava tanto as bruxas, que claramente não se importava. Ele estendeu a mão e empurrou Solve para trás, mas seu braço bom se projetou para a frente e ela agarrou o pulso do beleguim. Ele tentou livrar-se dela, mas ela era como um cão com um osso, e parecia possuir uma força sobrenatural quando seus dedos se prenderam aos dele.

– Solte, bruxa! – gritou ele, com o pânico infiltrando-se em sua voz, pois o calor estava claramente tocando sua pele agora.

– Nunca!

Após a última declaração de Solve Nilsdatter, a pólvora que eu havia comprado para elas, amarrada pelo capitão Hans dentro de suas jaquetas, acendeu-se. Bastou uma faísca aleatória do fogo e uma explosão retumbante soou.

Kirsten soltou um grito angustiante, enquanto Ingeborg berrava: "Não!"

Maren correu em direção ao estouro, mas foi jogada para trás por uma segunda explosão, quando uma bola de fogo disparou para o céu. O chão tremeu, e nós caímos.

As duas mães de Ekkerøy e o beleguim Lockhert, em um piscar de olhos, haviam sido transformados em fragmentos, quando suas carnes arrebentaram; as mulheres estavam finalmente livres e, conforme minha intenção, de maneira rápida e sem dor.

Lockhert... bem, é verdade, meu rei, não lamento que o idiota vil esteja a caminho do Inferno.

Quando me levantei, trêmula, pude ver que o governador estava furioso, porque não foi a tortura lenta e suplicante de duas bruxas queimando que ele havia previsto. Foi um fim rebelde, e seu precioso capanga também havia morrido. O granizo violento caía, encharcando as fogueiras até um crepitar lento, antes de parar tão de repente quanto havia começado.

Mas antes que o governador pudesse ordenar que seus soldados fizessem qualquer coisa, ele foi derrubado por uma rajada de vento. Enquanto se recompunha, a massa rodopiante de corvos e gaivotas acima de nós desceu em sua direção. Ele sacudiu os braços, tentando afastá-los, soltando as coleiras de seus dois cães.

– Tire-os de cima de mim! – gritou ele para o capitão Hans, mas o soldado e sua pequena tropa ficaram parados, assistindo ao espetáculo, assim como toda a ilha de Vardø.

O grande redemoinho de aves estava atacando apenas um homem, o alto governador de Finnmark.

– Ordeno que vocês afastem estes malditos pássaros! – gritou Orning, lutando contra as aves enquanto bicavam a carne de suas mãos e de seu rosto, tirando sangue.

Ele sacou sua pistola e a agitou descontroladamente no ar, mas um grande corvo preto desceu e a fez cair de sua mão.

– Ajudem-me! – gritou ele para os soldados, mas, ainda assim, eles não se mexeram. Ele soltou um assobio baixo e seus cães levantaram as orelhas e trotaram em sua direção. – Matem! – gritou para os cães, mas os dois animais de caça apenas inclinaram a cabeça e observaram os pássaros atacando seu mestre. Orning chutou um de seus cachorros, e foi então que ouvi um chamado penetrante acima do uivo do animal.

Maren Olufsdatter se aproximou dos cães de caça, agachou-se, colocando uma das mãos na cabeça de cada um, sussurrando entre eles, para ouvidos atentos. Então ela recuou e observou.

Os cães avançaram, mas não para ajudar o dono. Eles arrancaram a capa dele e as calças de suas pernas enquanto Orning os chutava. Então pularam e rasgaram seu gibão. Rasgaram sua roupa dele até que ficasse nu, e logo começaram a comer sua carne.

– Atirem neles! – gritou, enquanto os cães o devoravam.

Todos nós assistimos. Ele nos fez testemunhar o fim de duas mulheres inocentes e, assim, selou o próprio destino. Eu, por exemplo, não daria o menor passo à frente para ajudá-lo.

– Atirem neles! – ele gritava, enquanto tentava espantar os pássaros enlouquecidos e seus próprios cachorros. Embora o mosquete do capitão Hans estivesse engatilhado, ele não fez nada.

A primeira a agir foi Elisa Orning, quando cambaleou até a pistola de seu marido, que estava ao lado da terra fumegante, pegando-a e engatilhando-a.

– Elisa, atire nos malditos cães! – berrou o marido. E apesar de sua luta contra os pássaros que se precipitavam sobre ele e os cães que o atacavam, pude ver um pequeno brilho de vitória em seus olhos, pois ele acreditava que a esposa ainda estava sob seu controle.

Elisa Orning disparou a pistola. Não tenho ideia de como ela sabia o que fazer, mas a arma disparou tão alto quanto um canhão. Ela parecia apontar a pistola para um dos cães, mas depois tropeçou, não sei se de propósito, pois sua mira mudou para a testa do marido. Uma vermelhidão pura brilhou nela enquanto ele caía como uma pedra, pesado, frio e duro, como o homem que tinha sido.

Naquele momento o vento diminuiu.

As fogueiras ainda tremeluziam e as cinzas se amontoavam onde outrora duas mulheres e seu algoz estiveram.

Maren Olufsdatter estalou os dedos e os pássaros giraram no ar e sumiram. Em seguida, ela foi até Fru Orning e pegou a pistola fumegante de sua mão enquanto ela olhava para o cadáver do marido como se estivesse em transe. Os cães de caça estavam sentados nas patas traseiras e lambiam onde o dono os havia chutado.

O silêncio se espalhou enquanto a morte em Vardø ecoava além daquele pedaço irregular de rocha. O resto de nós ficou parado em choque, cheirando e provando o aroma pungente de fogo e carne queimada em nossas línguas. Os olhos queimavam com a fumaça, a pele ardia com o granizo gelado. Esperamos pelo que viria a seguir; e foi chuva, encharcando a todos nós, de modo que, para alguns, as lágrimas se misturaram à terra e à lama sob os nossos pés.

A primeira a quebrar nosso transe de horror foi Maren Olufsdatter. Ela tirou o manto e o colocou sobre o corpo prostrado da viúva Krog, que jazia exposta sobre a rocha. Ingeborg Iversdatter caiu sobre as cinzas do fogo, inutilmente chamando por sua mãe. Ela puxou algo de lá e, com uma expressão sombria, levantou-se e caminhou em direção à borda de Stegelsnes, olhando para o mar.

Fiquei com Kirsten ao meu lado. A criança choramingava de choque e angústia, e meu coração e minha cabeça estavam em tumulto com o que acabara de testemunhar. Ingeborg se virou e caminhou em nossa direção, estendendo a mão para Kirsten.

O pânico tomou conta de mim, e agarrei a outra mão de Kirsten e a puxei para trás.

Eu não podia desistir dela, pois ela era tudo o que me restara.

CAPÍTULO 52

INGEBORG

Depois, para todo o sempre, Ingeborg Iversdatter não conseguiu retornar às lembranças do dia em que sua mãe queimou sem desmoronar. Mesmo ela, a garota mais estoica de Finnmark, não suportava pensar nisso. A dor vinha em grandes ondas, como a grande tempestade que se abateu sobre eles naquele dia. Sua perda estava sempre presente, lavando-a, tão constante quanto as marés do oceano.

O governador Orning tinha ordenado ao capitão dos soldados que apontasse seu mosquete para as meninas e as fizesse assistir. Mas ela havia prometido à mãe que o faria de qualquer maneira. Desde o início, ela encarou o olhar aterrorizado da mãe, embora seu instinto implorasse para que desviasse o olhar. Ela não olhou para o primeiro sinal de chamas na base da pira funerária, nem confortou Kirsten quando a ouviu soluçar. Ela embalou a paz do Espírito Santo e a trouxe aos olhos de sua mãe. "Vou ficar com você até o fim", tinha prometido.

Tudo aconteceu tão rápido. O céu azul-claro havia derretido para ser substituído por nuvens escuras de tempestade, e o mar também ficou escuro, com cristas brancas e ofuscantes. O vento soprou do Leste, empurrando-os. Faíscas do fogo voaram para cá e para lá. Uma pousou na batina do reverendo Jacobsen, o que o fez agitar as mãos em pânico para removê-la.

Maren estava certa. Elas fizeram aquela tempestade. A esperança se elevou em Ingeborg enquanto o granizo lhes golpeava. A fúria branca dos céus se abria ao passo que eram apedrejados por gigantes cacos de gelo. Um estalo de relâmpago, um estrondo de trovão, outro estrondo. Se chovesse, as fogueiras apagariam.

Mas algo mais havia acontecido. Explosões! Lockhert caiu no fogo e berrou como um urso pego em uma armadilha. Kirsten gritou quando Ingeborg viu a mãe explodir em chamas, apesar da tempestade. Houve outro estrondo quando uma bola de fogo explodiu rumo ao céu. O chão tremeu, e elas caíram por terra, derrubadas.

Quando Ingeborg se levantou, cambaleando, o granizo havia parado, mas ela estava em um turbilhão de cinzas brancas e pássaros esvoaçantes. O som dos guinchos vinha como se estivesse muito longe. Havia um zumbido em seus ouvidos e seu coração retumbava com força em sua cabeça. Ela tropeçou para a frente, agora consciente do governador no meio da conflagração de pássaros. Mas o lobo dentro dos cachorros a chamava, e ela os observou se vingarem.

Precisava alcançar a mãe. Mas só então viu que ela havia partido.

Caiu de joelhos e enfiou as mãos nas cinzas quentes. Quão rápido o fogo tinha queimado! Tarde demais, a tempestade o apagara. A magia de Maren havia sido em vão.

Seus dedos estavam queimados, mas ela não se importou. Estava procurando a mãe. Uma parte dela, mesmo que fosse osso. Um minúsculo fragmento de azul sagrado surgiu do cinza. Ela puxou a fita chamuscada e a apertou na palma da mão cheia de bolhas.

O ar batia ao seu redor. Olhou para o alto e viu uma águia voando acima dela. As palavras de Zare sobre a águia ser uma mensageira voltaram até ela. Enxugando os olhos com as mangas, Ingeborg se levantou, ainda segurando a fita azul. A águia voou para longe, forçando-a a olhar além das cinzas, além da água, para Domen e além de Stegelsnes.

O grande pássaro desapareceu ao longe, mas ela ainda podia ver através de seus olhos. voando sobre as terras sámi, o *vidda*, e acima das florestas e montanhas. Rebanhos de renas corriam abaixo dela.

O sopro de sua liberdade a atravessou. Não mais frio ou úmido, mas leve com calor.

O mar foi banhado com uma tonalidade rosada, e o pico coberto de neve do Domen emergiu de sua coroa verde. Na base da montanha, ela pôde ver cavernas escuras, buracos abertos para um lugar sem retorno. Ingeborg fechou os olhos e ouviu as ondas do mar contra a ilha de Vardø.

Quando os abriu novamente, o céu estava repleto de vermelhos efervescentes e um malva profundo e solitário. Começou a chover, enquanto um arco-íris se arqueava acima da água.

Abaixo, Ingeborg viu um pequeno barco sámi oscilando no mar agitado, aproximando-se cada vez mais da ilha.

Manteve os olhos que ardiam no *bask* de Zare deslizando através das cortinas de chuva suave, correndo em direção a elas. Lá estava a figura larga em seu *gákti* azul e vermelho, com seu chapéu de quatro ventos sobre o belo cabelo preto. Ela imaginou seus olhos penetrantes procurando por ela.

*

Ingeborg segurava a fita azul com uma das mãos queimadas e a outra segurava os dedos frios de sua irmã enquanto a arrastava pela névoa esfumaçada e pela chuva carregada de cinzas. Ignorou Anna Rhodius e seu apelo a Kirsten. Queria esquecer que a mulher, com suas falsas promessas de ajuda, havia existido.

Virou-se uma vez para Maren. Ela estava do outro lado das estacas queimadas. Seu cabelo preto como a noite flutuava ao vento, e cinzas cobriam sua pele escura. Um corvo preto estava pousado em seu ombro.

– Você vem? – chamou Ingeborg.

Mas Maren balançou a cabeça.

– Eu tenho outros planos.

Ela era uma garota selvagem e estranha. Todos sabiam que era uma bruxa, filha de Liren Sand, a bruxa mais temível que já existira. Mas o que Ingeborg via em Maren não era um indício de maldade. Ela via muito mais. Empatia, conhecimento profundo e resiliência. E, sim, ela possuía o poder de que falara tantas vezes.

Maren passou o braço em volta da esposa do governador, Fru Orning, que havia deixado cair a pistola no chão. Lá estava o governador morto a seus pés. Ingeborg não sentiu absolutamente nada ao vê-lo deitado em uma poça do próprio sangue, e gaivotas bicando seu cabelo branco.

– Vejo vocês na próxima vida, Ingeborg e Kirsten Iversdatter! – Maren se despediu como se fosse um adeus comum. Como se um homem morto não estivesse entre elas.

Os dois cães de caça estavam sentados, esperando por Ingeborg atrás de seu mestre morto. Ela os chamou por seus nomes sámi.

– Beaivenieida! Gumpe! – E eles saltaram, seguindo Kirsten e ela até a enseada.

*

Zare tinha vindo. Ela duvidara que ele o faria, mas ele estava esperando por ela no *bask* de seu primo, que *subia* e descia na pequena enseada onde haviam chegado tantas longas e escuras semanas antes. Ela e Kirsten subiram na pequena embarcação enquanto Beaivenieida e Gumpe também saltavam para dentro.

Ficou grata por ele não fazer perguntas. As nuvens de fumaça que subiam de Stegelsnes e as cinzas prateadas que cobriam o cabelo de Kirsten, salpicadas em sua própria pele, foram suficientes para contar-lhe tudo.

Quando Zare viu suas mãos queimadas, ele gritou, alarmado.

– Não dói – sussurrou ela, enfiando a fita azul no bolso.

Ele agarrou seus pulsos e mergulhou suas mãos na água gelada. O choque do frio trouxe lágrimas aos seus olhos. As primeiras desde a morte de sua mãe.

Ingeborg olhou para a superfície brilhante da água, e ondulações luminosas expandiam para fora.

– Você está bem, Inge? – perguntou Kirsten, agachando-se ao seu lado. Tocando as costas dela.

– Sim – retrucou ela, empurrando-a com o quadril.

– Minha mãe vai curar suas mãos – afirmou Zare. – Mas vão doer até chegarmos a ela.

– Aonde estamos indo? – perguntou Ingeborg.

– Para muito longe daqui – respondeu Zare. – Vou içar a vela, porque o vento está a nosso favor, e depois, quando chegarmos onde a neve ainda está espessa, vamos esquiar. Minha mãe está escondida no interior, onde os homens do rei nunca poderão encontrá-la.

Ele puxou as mãos dela para fora da água e tirou o cinto bordado, envolvendo com ele a carne vermelha e inflamada das mãos de Ingeborg.

Ela se sentou encolhida no barco enquanto Zare cuidava da vela. Beaivenieida e Gumpe se esparramaram a seus pés, como se sentissem a dor de suas mãos. Ela observou Zare puxar as cordas, seu corpo forte e a energia atravessando os seus braços. Ela ouviu o barulho do pequeno barco cortando o Estreito de Varanger de volta ao continente.

Zare voltara para buscá-la.

O desejo varreu todo o seu ser, chocando-a com sua força. Ele se virou e Ingeborg olhou em seus olhos. Eles não escondiam nada de seu amor por ela. Queria que Zare a abraçasse, acalmando a tempestade que rugia dentro de si desde o dia em que o governador Orning a colocara lá, acalmando a perda dolorosa da mãe.

A chuva parou, mas ainda havia uma brisa forte. A vela ondulava enquanto eles disparavam pelas águas profundas.

– Perdoe-me, irmã – murmurou Kirsten.

Ela estava de frente para Ingeborg, com os joelhos dobrados contra o peito, e a pele pálida brilhando como o interior de uma concha; seus olhos eram de um azul distante.

Ingeborg balançou a cabeça. Não conseguia dizer as palavras, *eu perdoo você*, ainda não. Mas trouxera a irmã consigo. Kirsten tinha de entender que isso era o suficiente por enquanto.

– Posso contar uma história para você? – perguntou Kirsten, com uma voz gentil. – Talvez afaste seus pensamentos da dor em suas mãos.

Ingeborg deu de ombros. Nada poderia afastar a agonia da perda em seu coração.

Mas a irmã se agachou, segurando a lateral do barco, conforme o oceano começava a se elevar e elas rolavam de um lado para o outro.

– Certa vez, uma menina pescadora caminhava à beira-mar, coletando mexilhões para sua mãe. Mas não importava o quanto ela procurasse, sob cada rocha, em cada poça de água do mar, ela não conseguia encontrar uma concha azul fechada. Todas elas tinham sido abertas, e todas estavam vazias. Uma grande quantidade de conchas havia sido lançada sobre a areia macia.

Ela procurou por todo o tipo de coisa para levar para a mãe comer, mas não encontrou nada. Nenhuma alga marinha, nenhum caranguejo minúsculo.

Ingeborg se lembrava daqueles dias, nem mesmo um ano atrás, quando ela e Kirsten vagavam pela praia de lua crescente de sua aldeia de Ekkerøy em busca de sustento. Eram tão próximas, vivendo na respiração uma da outra.

– À medida que o primeiro dia da primavera chegava ao fim, o céu se enchia com os mais belos tons de laranja de amoras silvestres e framboesas. Um azul profundo e luxuoso escoava do mar para o céu, e a menina pescadora esqueceu que estava com fome – continuou Kirsten. – Ela esqueceu a mãe, a irmã e o seu cordeirinho. Todas esperavam pelo jantar em casa. Ela mergulhou na hora azul, no tempo entre o dia e a noite. Abriu a boca e se encheu de azul; sua barriga não doía mais de fome. O azul cantou para ela. Era uma canção de ninar que ela nunca tinha ouvido antes, pois a própria mãe jamais tinha cantado para ela.

Kirsten fez uma pausa e fechou os olhos. Então ela começou a cantar:

Nana neném, à beira-mar,
Nana neném, à beira-mar,
Quando eu me erguer das profundezas, suba nas minhas costas,
e então nana neném, à beira-mar, não será mais triste.

Kirsten abriu os olhos e encarou Ingeborg. Mas Ingeborg não sustentou seu olhar. Ela desviou os olhos para o oceano, que se abria entre a proa do barco.

– A pescadora ficou enfeitiçada com a bela canção que se elevava do mar porque estava muito triste – Kirsten começou a falar de novo. – Desde que seu pai e seu irmão tinham se afogado no oceano, muito, muito longe de sua península rochosa, ela chorava até dormir todas as noites, com vergonha de mostrar suas lágrimas para a mãe e a irmã, que se esforçavam tanto para serem corajosas. Mas a pequena pescadora estava cansada de sentir saudade do papai. Ela ansiava por se sentar no colo dele e ouvir suas histórias de pescador mais uma vez. Ela ansiava por sentir o cheiro salgado do mar nele, e desejava sentir seus dedos fortes fazendo cócegas na pele macia sob seu queixo, rindo enquanto o amor brilhava para ela em seus olhos.

Ingeborg sentiu o peso no coração. Todos perdidos, seu pai e irmão, e agora sua mãe. Ela se virou para olhar para Kirsten. Suas bochechas pálidas estavam coradas por duas pequenas manchas de rosa.

– A pequena pescadora ouviu a canção de ninar e, enquanto a escutava, uma enorme ilha azul surgiu de dentro do mar. Mas não era uma ilha azul. Era uma grande baleia. A menina tirou as botas, a pesada saia de lã e a touca velha e suja, e entrou nas águas geladas. Mas não sentia frio, embora sua pele tenha ficado cor de malva. Ela nadou para o mar e subiu nas costas da baleia. O animal sacudiu a cauda e borrifou a pescadora com água cristalina. Respingou em seu rosto e ela se sentiu como se fosse batizada outra vez. E mergulhou no oceano com a pescadora agarrada às suas costas.

Ingeborg ansiava por ver uma baleia como aquela e sonhara com seu canto, exatamente como o pai lhe contara.

– A baleia a levou para as profundezas, passando por cardumes de peixes prateados, plantas ondulantes e coroas de algas marinhas e pólipos; por corais cintilantes e cavernas profundas e escuras. Elas passaram nadando por um polvo preto gigante que estendeu seus longos tentáculos para ela como oito cobras se contorcendo. As estrelas-do-mar brilhavam douradas nas profundezas azul-escuras e a grande baleia seguiu adiante.

Sob o mar. Era assim? Ingeborg fechou os olhos e imaginou o reino sob o barco que balançava.

– Finalmente, elas chegaram a uma cidade no fundo do oceano – continuou Kirsten. – Todas as casas eram feitas de conchas brancas peroladas e brilhavam à luz da água. A pescadora desceu do dorso da grande baleia e vagou pela cidade. E enquanto passeava, encontrou todas as pessoas perdidas nos mares selvagens do Norte: o marido da viúva Krog, Peder; o pai de Maren, o pirata berbere; pescadores e mercadores, vivendo nas mesmas casas brancas e compartilhando tudo o que tinham. Ela até viu a família do beleguim Lockhert com cabelos ruivos iguais aos dela e sardas escocesas na pele. Na última casa, a pescadora se encheu de alegria, pois ali estavam seu pai e seu irmão, Axell. Juntos, em paz, no fundo do mar.

– Oh! – disse Ingeborg, com os olhos enchendo-se de lágrimas com a ideia.

– Sim, estavam, Ingeborg! – continuou Kirsten. – A menina pescadora abraçou os dois. Eles ficaram muito felizes em vê-la e a convidaram para se sentar com eles e comer tudo o que podia. Eles tinham comida suficiente. Mingau cremoso, *flatbrød* crocante, arenques salgados e frutas doces.

Ingeborg sentiu a ponta de um sorriso no rosto. Acalmava seu coração partido pensar que seu pai e Axell viviam em um reino aquoso onde nada lhes faltava.

– A casa estava cheia de todas as coisas que seu irmão Axell sempre desejara: cristais e pedras de terras distantes, açúcar e especiarias do Leste, um pequeno cavalo-marinho para brincar e fileiras e mais fileiras de ovos de gaivota.

Ovos de gaivotas. O sorriso de Ingeborg desapareceu. Foi assim que tudo começou: Kirsten quebrou as cascas dos ovos e trouxe as bruxas.

Mas a menina continuou, despreocupada, contando sua história, sem qualquer vergonha.

– Devemos esmagá-las – disse a pescadora, lembrando-se de como a mãe ficara zangada ao encontrar as conchas que ela havia guardado. – As bruxas vão entrar nelas, usá-las como barcos e provocar uma tempestade. Mas o pai riu, e Axell também.

– Não existem bruxas – afirmou Axell.

– Mas o Diabo existe – advertiu seu pai, franzindo as sobrancelhas. – E ele está enganando sua mãe.

Ingeborg sentiu a raiva queimar dentro de si.

– Não quero que você diga mais nada contra a mamãe, Kirsten!

Mas Kirsten não estava mais olhando para ela, como se estivesse perdida na narrativa de sua história e não conseguisse parar. Ingeborg olhou para Zare, mas ele estava ocupado, mantendo-os no curso. Ela era a única plateia da história.

– A pequena pescadora ficou tão feliz em encontrar o pai e o irmão, mas agora ela se lembrava da mãe e da irmã que estavam em casa, esperando por ela, e famintas. "Vocês vão voltar comigo?", ela perguntou. O pai balançou a cabeça, e o irmão também. "Nós pertencemos ao fundo do mar", o pai disse a ela, "não podemos respirar acima da água." "Eu não quero deixar vocês", lamentou a pequena pescadora, começando a soluçar. "Quando chegar a hora certa, a mãe baleia irá buscá-la de novo", disse o pai. "Feche os olhos, pequenina." Ele acariciou sua cabeça com as mãos quentes e desgastadas e cantou para ela.

Kirsten juntou as mãos e ergueu o rosto para os céus do Norte enquanto cantava.

Nana neném, abra a porta do castelo,
Nana neném, abra a porta do castelo,
Quando escolher a morte à vida, volte para mim,
e então nana neném não será mais triste.

A rima envolveu o coração de Ingeborg como a fita azul tinha envolvido sua mão.

Kirsten suspirou, antes de continuar sua história:

– Quando a pequena pescadora abriu os olhos, estava à beira-mar, mas era noite. A neve rodopiava no céu e o mar sibilava contra o gelo. Ela correu todo o caminho de volta até sua aldeia. Entrou aos tropeços em sua cabana. Mas quando chegou em casa, a mãe e a irmã não estavam lá. Correu para as outras casas, mas quando seus vizinhos a viram, gritaram de horror e bateram as portas em sua cara. O que havia de errado com ela? E onde estavam a mãe e a irmã? Onde estava sua cordeirinha?

A voz de Kirsten falhou e ela respirou fundo. Ingeborg pôde ver as lágrimas começando a brotar nos olhos da irmã. Ela sentiu um impulso de confortá-la e, no entanto, ainda estava tão zangada com Kirsten que não conseguiu se mexer para fazê-lo.

– A pequena pescadora caminhou a noite toda sozinha no ermo – continuou Kirsten. – Quando acordou pela manhã, estava do lado de fora da fortaleza na ilha de Vardø. Uma grande poça de água congelada se estendia diante dela. Olhando para o gelo, ela viu um reflexo de si mesma. Gritou de susto. Metade dela era como sempre fora: uma garota ruiva, de bochechas rosadas e olhos azuis-claros, mas a outra metade era uma visão terrível: a pele daquele lado do rosto era escamosa, como a de um peixe, mas apodrecida também; e seu olho estava branco enevoado e encovado. Os dentes daquele lado de seu corpo estavam marrons e quebrados, e o osso de seu crânio brilhava através de sua pele fina como papel. Ela olhou e olhou, porque soube de imediato quem ela havia se tornado.

Hel. Ingeborg lembrou da história da velha religião que a viúva Krog havia contado a elas na cova das bruxas, sobre a filha de Loki, Hel. Ela que era meio viva e meio morta. Rainha do reino dos mortos perdidos. Aqueles que morriam de doenças, no parto, na infância ou na velhice. Aqueles que morriam sem glória e não podiam entrar nos salões sagrados de Valhalla, para onde iam todos os guerreiros mortos.

Ingeborg olhou para Kirsten, e foi como se ela visse um eco de Hel dentro dela, um olho cheio de lágrimas, e o segundo, leitoso, cego. Ingeborg piscou e lá estava sua Kirsten novamente. Ambas as bochechas rosadas, ambos os olhos brilhantes com lágrimas.

– A pequena pescadora bateu aos portões da fortaleza e eles se abriram – disse Kirsten, com a voz trêmula. – Quando os soldados a viram, recuaram de medo, assim como o beleguim Lockhert. Até mesmo o governador de toda a Finnmark não queria se aproximar dela. Tudo o que conseguiam ver era o seu lado sombrio. Quando ela destrancou a cova das bruxas e entrou, lá estavam sua mãe e sua irmã, entre as outras acusadas de bruxaria.

Kirsten uniu as mãos trêmulas enquanto as lágrimas continuavam escorrendo por suas bochechas.

– A pequena pescadora disse à mãe que tinha vindo para salvá-la, mas a mãe olhou para a filha com nojo, pois tudo o que ela conseguia ver era o lado morto de sua filhinha: a metade sombra, a parte ruim da menina pescadora. Ela chamou pela irmã, mas a irmã não a viu. O sofrimento de sua irmã a deixava cega, e ela se agarrava à mãe. "Você não pode salvá-la, o Senhor das Trevas a tem em suas garras", a pequena pescadora disse à irmã. Mas ela também estava surda às suas palavras. Então a pequena pescadora chorou e o sal de suas lágrimas no olho encovado apodreceu ainda mais sua pele e a fez cheirar mal. Até as mulheres da cova das bruxas não queriam que ela ficasse com elas.

Ingeborg desejou que a história acabasse agora. Doía demais lembrar-se da cova das bruxas e das mulheres dentro dela que não existiam mais.

– Chega, Kirsten – sussurrou ela. Mas outra parte sua não queria que Kirsten terminasse a história. Ela ansiava por um final feliz, embora sentisse que não havia um.

– A pequena pescadora foi até o grande salão do castelo e parou sob os raios da lua pálida que entravam pelas janelas altas – contou Kirsten, em voz baixa. – Ela ouviu os ecos de suas palavras ao seu redor. A confusão de mentiras e verdades. Nunca se sentira tão sozinha em toda a sua vida. Ela fechou os olhos e sussurrou – Kirsten fez uma pausa e olhou nos olhos de Ingeborg, com os próprios olhos cheios de lágrimas: – *Eu escolho a morte.*

O oceano cresceu ao redor deles enquanto uma gaivota grasnava no alto, e o barco rangeu. Ingeborg imaginou ouvir, lá no fundo, o eco aquático da grande baleia. Seria este o fim da história?

Kirsten, no entanto, respirou fundo mais uma vez, enxugando as lágrimas do rosto com as costas da manga.

– Quando a pequena pescadora abriu os olhos outra vez, uma mulher em um vestido de seda estava diante de si, e ela começou a cantar. A seus olhos, a mulher só via a linda pescadora, não a metade morta.

Ingeborg enrijeceu. A mulher do vestido de seda era Fru Rhodius e ela havia roubado sua irmã. De novo, Kirsten começou a cantar, e desta vez sua voz foi tão delicada quanto o miado de um gatinho.

Nana neném, abra a porta do castelo,
Nana neném, abra a porta do castelo,
Vamos juntas às profundezas, além do céu e do mar,
e então nana neném não será mais triste.

Ingeborg viu Kirsten como ela era. Apenas uma garota procurando uma mãe para amá-la. Ela baixou a cabeça de vergonha. Como pôde estar com raiva dela?

– A pequena pescadora seguiu a mulher vestida de seda para fora do castelo, para fora dos portões da fortaleza e até o mar – contou Kirsten. – Mas a lua se escondeu atrás de uma nuvem, e o céu ficou escuro como breu, e ela mal conseguiu encontrar o caminho. Então, ouviu a canção de ninar da baleia, que veio até ela através do suave murmúrio das ondas da noite.

Kirsten cantou mais uma vez, e cada palavra ficou cravada como alfinete no coração de Ingeborg.

Nana neném, à beira-mar,
Nana neném, à beira-mar,
Quando eu me erguer das profundezas, suba nas minhas costas,
e então nana neném, à beira-mar, não será mais triste.

– Sinto muito – murmurou Ingeborg, com a cabeça baixa, enquanto dobrava os joelhos.

Mas Kirsten não a ouviu, pois estava perdida na narrativa.

– Quando a lua reapareceu, a mulher vestida de seda havia desaparecido, mas a cordeirinha da pequena pescadora estava diante dela, balindo de amor.

Kirsten bateu palmas e Ingeborg ergueu os olhos. Um raio de sol se libertou das nuvens e banhou sua irmã. O cabelo ruivo de Kirsten era uma coroa vermelha e dourada em sua cabeça, fazendo-a parecer beatífica, como se estivesse adornada com uma auréola gloriosa.

– Kirsten? – Ingeborg se ajoelhou em sua direção.

Mas a irmã estendeu a mão em advertência.

– Deixe-me terminar a história – disse ela. – A pequena pescadora pegou sua cordeira no colo, esperando às margens no oceano calmo. A grande baleia veio à tona mais uma vez, e a menina vagou para o mar – Kirsten enxugou as últimas lágrimas. – A menina pescadora olhou para trás uma vez, com seu lado morto. Olhou para o castelo e viu um grande incêndio. Chamas dispararam para o céu, a neve chiou com faíscas. Quando ouviu os gritos das mulheres, a parte dela que estava morta se tornou cinzas e se espalhou no mar calmo. Inge – suplicou Kirsten. – Elas eram pétalas brancas de culpa, tristeza e arrependimento.

– Sinto muito – sussurrou Ingeborg novamente, mas, ainda assim, Kirsten parecia não ouvi-la. Seus olhos estavam vidrados, como se ela olhasse para longe, enquanto continuava a falar.

– A pequena pescadora virou as costas para a terra e escalou mais uma vez a grande baleia – prosseguiu Kirsten, antes de se virar para olhar para o mar. Ingeborg captou suas palavras enquanto elas flutuavam entre as duas. – A pequena pescadora estava inteira de novo. Sim, ela estava. Sua pele rosada e ambos os olhos azuis com a promessa do amor eterno de seu pai, para sempre.

Por que, ah, por que Ingeborg não havia previsto isso?

Diante de seus olhos, Kirsten escorregou pela lateral do barco.

– Não! – Ingeborg estendeu a mão enquanto os cães começaram a latir, e Zare gritou em alerta.

Os cachos ruivos de Kirsten flutuaram para cima, mas suas roupas de lã escura enchiam-se de água, puxando-a para baixo. Seus grandes olhos eram luas de desesperança enquanto ela afundava sob as ondas.

Ingeborg se pendurou na lateral do barco, tentando agarrar a irmã, mas Kirsten cruzou as mãos sobre o peito e deixou o mar levá-la.

– Kirsten! – gritou ela.

Zare estava ao seu lado.

– Eu não sei nadar! – gritou Ingeborg, mas ele já havia caído na água.

Então as ondas se fecharam sobre os dois.

Ingeborg pressionou as mãos queimadas no coração, já não sentindo a dor latejante. Os cachorros estavam inquietos ao seu lado, intuindo sua angústia, lambendo suas mãos para acalmá-la.

Ingeborg estava angustiada. Kirsten tinha apenas treze anos de idade, era pouco mais velha que Axell quando ele se afogara. Por que tinha sido tão dura com ela?

Ingeborg prendeu a respiração, sem se importar com a direção em que o vento levava o barco enquanto a vela batia acima de sua cabeça, acompanhando o seu pânico. Será que tinha perdido os dois?

Mas, por fim, viu a cabeça de Zare emergir, com seu cabelo preto e brilhante.

Ele nadou até o barco e se lançou sobre a borda, quase virando-os.

– Ela se foi – declarou ele, tentando recuperar o fôlego, com a água gelada escorrendo pelo rosto.

– Não, não – gritou Ingeborg, enquanto os cachorros, em frenesi, lambiam Zare para aquecê-lo.

– Eu falhei com você… – disse Zare, batendo os dentes.

– Nunca – ela o interrompeu e o puxou para si com ferocidade. Ele tremia de frio, e sua pele molhada a encharcava, mas ela não o soltaria.

CAPÍTULO 53

ANNA

As notícias terão chegado até você muito antes desta carta, se é que você a lerá, dos estranhos acontecimentos na ilha de Vardø, no dia 7 de abril do ano da graça Nosso Senhor, 1663. A vontade do rei quando duas bruxas condenadas foram queimadas na fogueira, o sofrimento delas encurtado pelo uso de pólvora. Mas e a tempestade? A tragédia não me passou despercebida, pois se eu não tivesse me intrometido com a pólvora, Solve Nilsdatter e Zigri Sigvaldsdatter talvez ainda estivessem vivas. A tempestade havia encharcado as fogueiras e arruinado a madeira – mas não a tempo de impedir a explosão. Lá estava Maren retorcendo as mãos e perguntando o que havia acontecido com a tia. Minha última imagem de Solve Nilsdatter foi quando a vi agarrar a mão do beleguim, enquanto o puxava para si, os dois presos em uma dança frenética da morte.

Uma litania de ocorrências inexplicáveis, meu rei: a tempestade, o granizo, os pássaros, os cães de caça e o governador morto com um tiro dado pela própria esposa.

Ah, mas mais estranho ainda foi que, por um curto período de tempo, esta pequena ilha de Vardø já não estava sob o domínio dos homens. A maioria dos habitantes eram esposas de pescadores, e elas se refugiaram em suas casas para mexer em suas panelas e tentar esquecer os horrores que haviam testemunhado. Os soldados, sem o governador ou seu beleguim, eram poucos e depuseram as armas diante da pequena esposa do governador, pois todos sabiam que seu pai Rosencrantz era um homem muito poderoso.

Nunca dei muita atenção a Ingeborg Iversdatter, pois, aos meus olhos, ela era uma vítima, mas eu estava errada. A jovem, embora diminuta, era firme como pedra. Não vou esquecer o olhar de ferro dela quando puxou sua irmã Kirsten para longe de mim.

– Ela não é sua – declarou, pura e simplesmente.

Olhei para Kirsten, com uma expressão suplicante, e a garota piscou de volta. Era ela de fato deste mundo, com seus cachos ruivos e nariz sardento, e aqueles olhos do azul da minha tristeza mais profunda, um poço infinito no qual eu nunca mais mergulharia? Houve um lampejo de algo naqueles olhos, mas eu não pude ter certeza se era amor ou ódio. Tudo o que eu sabia era que Kirsten tinha algum sentimento por mim.

– Não sou sua menina, Fru Anna – disse Kirsten.

Sua mão fria estava entre os meus dedos quentes, e meu coração bateu tão forte que eu poderia ter desmaiado.

– Eu não sou sua filha, mas vá para casa e você a encontrará.

Suas palavras faziam pouco sentido, pois como posso ir para casa? Minha casa em Bergen fica a muitos quilômetros de distância, bem no Sudoeste da Noruega, e é habitada por um marido que nunca poderei perdoar por sua traição.

Você saberá muito bem, meu rei, como Ambrosius me abandonou, pois foi a premonição dele que apresentei a você, escrita pela mão dele, avisando-o sobre o governador Trolle. Foi Ambrosius quem afirmou que você seria deposto por seus nobres dentro de um ano, não eu. Mas quando foi questionado sob juramento, meu marido mentiu. Ele olhou diretamente nos meus olhos, sua esposa por quase trinta anos, e jurou que era tudo culpa minha. Eu era a traidora, não ele.

Meu marido Ambrosius está esperando em Bergen por notícias de meu falecimento; sinto isso. E então ele se casará com outra, e ela lhe dará o filho que ele sempre desejara.

Sim, meu marido já está farto de mim, meu rei, assim como você, pois ambos acreditam que eu não tenho mais valor.

Contudo, não vou acreditar nisto, porque as *palavras* têm valor: minhas palavras e minha história de uma mulher apanhada no violento pânico das bruxas de Vardø, no inverno de 1662 e 1663. Ah, não duvido que os escribas vão usar-me como bode expiatório, tenho certeza disso, e vão chamar-me de caçadora de bruxas, mas você sabe que não é verdade.

Ambrosius certa vez me disse: "*Você precisa estar sempre cuidando dos outros, Anna, e colocando-os acima das minhas necessidades.*" Ele acreditava que eu desejava ser mãe, mas a verdade é que eu desejava ser médica. Ah, sim, no meu coração, eu sempre fui uma médica. Sim, perdi meus bebês e minha filha também, mas nunca perdi minha paixão por curar. Quando Christina morreu, eu não fugi da peste, eu corri ao encontro dela.

Um verdadeiro médico possui uma vocação para cuidar dos outros acima das próprias necessidades e, portanto, ser lembrada pela posteridade como uma louca egoísta não deveria ser meu destino.

*

Soltei a mão de Kirsten, porque no fim eu me rendi e a deixei ir. Observei as duas irmãs se afastarem do lugar onde as cinzas da mãe delas giravam no ar ao seu redor. Eu não tinha ideia de para onde elas estavam indo, mas fiquei feliz por nenhum dos soldados tê-las parado.

Cansada, subi a colina de volta a Vardøhus e decidi lhe escrever esta carta e pedir novamente o seu perdão.

Deixe-me ser livre também, meu rei.

A luz já diminuía no céu, e eu fiquei por um momento olhando pela janela de alabote. Pude ver o oceano calmo novamente, depois da misteriosa tempestade que parou tão de repente quanto havia começado. O céu estava escuro como amora, e o sol afundava no mais escuro dos mares. Pude ouvir o murmúrio suave das ondas batendo contra a ilha enquanto o mar refletia o último brilho da luz do dia, iluminando um caminho de ouro em sua superfície ondulada. Ali, por um segundo, apareceu a corcova de uma grande baleia, e um jorro de água cintilante brotou na radiante luz do entardecer enquanto a grande fera afundava de novo sob a superfície. Que milagre foi a visão! Trouxe-me tanta saudade que senti lágrimas escorrerem pelo meu rosto. Por quantos anos mais de exílio devo suportar antes de poder voltar para casa?

Peguei um dos meus preciosos limões e o cortei para fazer minha tinta invisível. Preparei uma fatia e salpiquei um pouco do açúcar que Kirsten tinha moído para mim na noite passada. Minhas promessas de nossa vida em minha linda casa, seus vestidos e o cachorrinho zombavam de mim enquanto se estilhaçavam em minha mente.

Dei uma pequena mordida em meu limão açucarado e não houve açúcar em meus lábios, pois não trabalhei como médica por toda a minha vida para não ter este conhecimento. Claro, a substância não tinha gosto, mas percebi pela textura. Levantei-me e abri minha caixa de remédios, pegando o pequeno frasco de arsênico. Todas as noites era tarefa de Kirsten fazer a pasta para esconder a verruga em meu rosto. Mas ela havia sido instruída a usar o mínimo possível, ainda assim o frasco estava vazio.

Eu poderia ter cuspido o limão, porque ainda o segurava na boca, mas, meu rei, não o fiz. Mastiguei e engoli o limão letal.

Eu não sou sua menina.

As palavras estavam escritas na poeira do chão do meu casebre, iluminadas por um raio de sol aquoso, enquanto a luz do dia se esvaía.

Agora escrevo depressa, com minha caligrafia solta e selvagem. As letras se misturam, enquanto persigo a luz antes que as sombras da noite me impeçam de escrever tudo o que devo lhe dizer. Há algo que deve saber, pois tenho declarado meu amor e lealdade a você repetidas vezes. É verdade, mas há algo, meu rei, que deve entender, pois ferir alguém tão amorosa, tão leal, é um crime. Meu último desejo é que você se lembre da última vez em que nos vimos.

Deixe-me lembrá-lo das palavras que você disse antes de trancar a porta do quarto.

Você ficará quieta se eu fodê-la?

A vulgaridade de sua pergunta me fez cair em um silêncio estarrecedor, quando você me mandou virar e curvar-me na beirada da cama para que não tivesse que olhar para o meu rosto.

O homem mais poderoso de todo o nosso reino da Noruega e Dinamarca ordenou que eu me submetesse a ele, e eu disse não.

– Isto não é o que eu quero.

– *Ti stille.* Fique quieta – você ordenou.

– Não, Frederico – repeti.

Você me empurrou.

– *Hold Kæft*. Cale a sua boca. Cale-se. Cale-se. Cale-se.

*

Você pode ter banido sua vergonha para o mais longe possível, mas eu a devolvo nesta carta. Que repouse pesada em sua consciência até o dia da sua morte.

Estou acabada, meu rei. Sim, vou sentar-me com meu vestido de cetim da cor dos olhos de minha filha à minha mesinha, em minha casa-prisão e vou comer o resto do limão que Kirsten preparou com arsênico. Exatamente um oitavo de colher de chá, do jeitinho que ensinei a ela.

É um fim doloroso, mas breve. Vomitarei sangue nas bordas deste pergaminho, e riscarei em sangue com o dedo o seu nome: o Senhor das Trevas.

As palavras de Kirsten estão rodando por minha mente, e de fato anseio pelo meu lugar no Céu, quando poderei sentar-me com minha filha em meu colo mais uma vez e recitar histórias do Menino Jesus e de sua infinita capacidade de amar e de perdoar.

Não sou sua filha, mas vá para casa e você a encontrará.

É estranho, mas não é o rosto da minha risonha Christina que vejo diante de mim agora, conforme meu fim se aproxima. É o de Kirsten Iversdatter, com o azul de seus olhos manchando seu corpo de azul. Ela está sob o oceano e acena para mim.

PARTE CINCO

"Uma característica do lince é que ele nunca olha para trás, mas acelera em seu curso, saltando sem parar."

— Olaus Magnus,
Description of the Northern People, 1555

CAPÍTULO 54
INGEBORG

ABRIL DE 1665

As renas sabiam quando era hora de ir para o Norte. As fêmeas grávidas assumiam a liderança. Quando o *siida* se desfez, Ingeborg e sua família seguiram suas renas para fora das florestas de inverno, certificando-se de que nenhuma fosse deixada para trás no planalto.

Às vezes, enquanto se movia entre os estreitos troncos de bétula, Ingeborg avistava uma mulher com chifres ao seu lado. Ela tinha longos cabelos ruivos encaracolados, emaranhados com folhas descongeladas e galhos frescos da primavera. Olhos azuis faiscantes. A mulher com chifres estava em harmonia com as renas com chifres; fazia parte de onde estava, assim como o ar puro da estação que Ingeborg respirava. Em certos momentos, o cabelo da mulher com chifres era tão dourado quanto o sol nascente da primavera, e o balanço de seus quadris era igual ao de sua mãe; em outras ocasiões, seu cabelo ficava vermelho-escuro, flamejante como um pôr do sol, e seus ombros se estreitavam como os de uma menina. Então ela se tornava Kirsten.

Sua mãe e sua irmã caminhavam com ela pela floresta, mas na primavera, quando Ingeborg descia o planalto com sua família, elas ficavam para trás, no inverno. Sabia que estariam lá quando ela voltasse no próximo ano. Elas sempre estariam lá, esperando por ela, juntas no amor que nutriam por Ingeborg. Juntas de uma forma que nunca estiveram em vida.

Ingeborg entrou na primavera. A batida constante do sol alto tornava a neve granulada e o terreno difícil enquanto conduziam suas renas em direção à costa. Era um trabalho árduo, mas ela adorava o quão vasta e interminável sua jornada parecia, sem outras pessoas por perto, dia após dia, além de Elli e o marido *noaidi,* Find, Zare e seu bebê, Synnøve, amarrado às suas costas.

Eles pastoreavam principalmente ao entardecer e à noite sobre a crosta de gelo formada pela geada noturna. As renas conseguiam se mover mais depressa no terreno mais firme.

Enquanto caminhavam, Zare contava para ela histórias sobre o céu noturno ao passo que seu querido bebê dormia às suas costas.

– Lá está Fávdna – Ele apontava para o caçador no céu noturno, com seu arco e flecha. – E lá está Alce, está vendo, Inge? O maior de todos os padrões de estrelas.

– Fávdna irá caçar o Alce?

– Sim, ele é sua presa favorita, mas nunca irá capturá-lo.

O calor do sorriso de Zare, a intensidade de seu olhar, aqueciam-na da barriga à cabeça, apesar das temperaturas congelantes. Ela havia sido uma cativa voluntária de seu coração em seus dois anos de liberdade em sua nova vida com os sámi.

Quando apareciam estranhos, Ingeborg sempre permanecia nos cantos escuros de seus *lávvu*, com os olhos baixos. Mas ninguém nunca acreditara que ela fosse outra coisa senão uma mulher sámi, insignificante e sem importância. De fato, com os sámi, Ingeborg sentiu que estava onde pertencia. Quando ouvia o pai de Zare, Find, tocar seu tambor, e os outros cantarem os *yoiks*, quando ela aprendeu a falar sámi e passou a entender as histórias de seus deuses e deusas, sentiu como se finalmente tivesse voltado para casa.

*

Ingeborg sempre sabia quando estavam aproximando-se da costa, pois as renas avançavam mais rápido. Embora ainda não pudesse ver qualquer fresta de azul, tal qual as renas, Ingeborg podia sentir o ar salgado do mar em seu rosto. Eles empurravam seus esquis pela neve que derretia à medida que o ar ficava mais quente e o sol brilhava mais a cada dia.

A água salgada estava no sangue de Ingeborg. Afinal, ela era filha de um pescador. Após o nascimento dos filhotes em maio, eles passariam o verão em pastagens verdejantes à beira do fiorde e do mar. Ela deixaria o sal afundar em sua pele.

Haveria dias de descanso no verão, momentos em que ela e Zare ficariam deitados, brincando com Synnøve nas pastagens enquanto as renas mães e seus filhotes pastariam nas proximidades. Eles observariam as nuvens correrem pelo ar. Momentos em que Zare cantaria o *yoik* que ele tinha feito para ela. Ao fechar os olhos, sentindo a filha aninhada em seu peito, as cócegas suaves de sua cabeça felpuda em seu queixo, ela via as imagens do *yoik*. A natureza em cada respiração que ele dava, em cada respiração que ele dava para ela.

Sua resistência era o vento chamando através da longa grama de verão; seu choro, o chamado de uma gaivota. Sua tristeza, o uivo do lobo. Seus cuidados, a lambida da língua de uma mãe rena. Sua coragem era o movimento das asas da águia. Sua risada era o crepitar da fogueira de turfa. Sua vida, como um salmão saltando de um fiorde no interior; seu voo, seu brilho prateado, seu respingar.

CAPÍTULO 55
MAREN

JANEIRO DE 1666

Maren acordou com a sensação dos lábios de Elisa em sua bochecha. Ela abriu os olhos e sua primeira visão foi o rosto adorável de sua amada. Poderia olhar nos olhos castanhos de Elisa o dia todo. Foram eles que primeiro atraíram Maren para ela, e sua quietude, como uma corsa tímida pega em uma clareira de luz na floresta. Mas Elisa não era tão mansa quanto parecia, e Maren amava ainda mais suas forças ocultas. Ela sempre vira, além das cicatrizes da varíola, a beleza de Elisa transbordando de dentro.

Elas se aconchegaram sob as cobertas no quarto escuro pelo inverno. Havia um vão entre as pesadas cortinas de veludo, e Maren viu a neve caindo pela janela de vidro gradeado. Estavam no meio de um rigoroso inverno dinamarquês na cidade de Copenhague. A neve se acumulava tão espessa quanto na península de Varanger, embora, pelo menos, não estivesse ventando tanto. Lá fora estava tão frio que a respiração parecia ser-lhe tomada, mas lá dentro Maren nunca esteve tão quente. Um fogo crepitava na lareira, e Elisa estava enrolada em torno dela sob as cobertas. Laranja e Malhado estavam estendidos em frente ao fogo, sonolentos de calor, enquanto Pretinha saltou para a ponta da cama. Ela se enfiou embaixo das cobertas, com seu ronronar profundo e delicado, enquanto procurava o lugar mais quente e confortável para instalar-se.

Ela podia ouvir as criadas subindo e descendo a escada de madeira do lado de fora da porta fechada, esvaziando as lareiras de outras câmaras e varrendo o chão.

– Aqui, Pretinha – disse Maren, saindo de debaixo das cobertas e deixando a gata acomodar-se ao lado de Elisa.

– Ah, aonde você está indo? – murmurou Elisa em protesto.

– Olhar a neve caindo.

– Você não viu neve cair o suficiente para durar mil vidas? – Elisa riu.

Como Maren adorava o leve repique da risada de sua amante. Nunca tinha ouvido seu riso até que vieram morar em Copenhague.

Maren puxou um cobertor de lã macio da cama e o jogou sobre os ombros frios. Ela se recusava a ter peles na cama, para grande aborrecimento de Elisa.

Afastou totalmente as cortinas e destrancou a janela. Naquela manhã, Copenhague estava banhada por uma rica graça azul. Acalmou seu coração, fez com que ela se sentisse em paz. Nevou ainda mais durante a noite e Maren olhou para um novo mundo. Era o tipo de neve de que ela mais gostava: grandes flocos singulares como minúsculas penas de renda. Ela estendeu o braço e arrancou uma do céu. O gelo formigava em sua pele enquanto ela soprava devagar, e seu sopro vital fazia com que o grande floco de neve derretesse e se dissolvesse entre seus dedos.

A vista da casa dava para o jardim do rei. Anna Rhodius tinha falado sobre isso com frequência. Mas sua descrição tinha sido dos jardins no verão, com suas características ornamentais e caminhos arborizados exalando perfume. Os pomares transbordando de frutos desde a primavera até o início do outono: maçãs e peras, cerejas, ameixas, marmelos, figos, amoras e pêssegos. Naquele dia, as árvores estavam sem frutos e carregadas de neve, e todo o jardim era uma extensão branca. O silêncio era abundante, pois tudo o que ela conseguia ouvir era a neve rangendo e movendo-se como se fosse uma coisa viva, e a solitária gargalhada de uma gralha ao descer e pousar no muro à frente, chamando sua atenção com seu olho brilhante.

– Bom dia, sr. Gralha – Ela acenou com a cabeça para o pássaro e ficou feliz em ver a companheira pousar ao lado dele. – Um para tristeza, dois para alegria.

– Ah, Maren, feche a janela, está congelando – reclamou Elisa.

O corvo preto pousou na saliência à sua frente e eles se entreolharam.

– Bom dia, mãe – sussurrou, pegando um último floco de neve antes de fechar a janela, observando o padrão delicado do floco de neve desintegrar-se na palma da mão.

Elisa se sentou na cama, com os cabelos brancos formando uma auréola, observando-a com olhos ternos.

Maren pegou o cachimbo da lareira e a caixa de tabaco.

– Volte para a cama, *min kjære* – suplicou Elisa.

– Daqui a pouco – respondeu Maren.

Ela adorava o ritual de preparar seu cachimbo. Acendê-lo e aspirar o primeiro sabor do doce tabaco. Seu aroma almiscarado a transportava para algum lugar quente e dourado. Parecia mágica. Como ela adorava ruminar sobre tudo o que havia acontecido enquanto fumava seu cachimbo, esticando as pernas sobre um banquinho de veludo.

*

Foi em uma casa como aquela que Anna Rhodius tinha vivido. Ricos painéis de madeira escura incrustados com pinturas em miniatura da Antuérpia, janelas com treliças cheias de vidro e ladrilhos pretos e brancos.

Agradava a Maren pensar que ela agora vivia uma vida de luxo, como aquela para a qual Anna desejara voltar. Ela ainda se lembrava da visão da mulher dinamarquesa engasgada com o próprio sangue, segurando um pergaminho em branco, com a cabeça abaixada sobre a mesa do casebre-prisão. Pouca coisa chocava Maren, mas ela não esperava que Anna Rhodius tirasse a própria vida.

Ao lado da caída Anna, havia uma caixa de escrita de madeira cheia de quadrados de pergaminho dobrados, todos selados com cera de vela encardida. Ela os havia aberto, mas todos estavam em branco. No entanto, trouxe a caixa consigo quando ela e Elisa deixaram Vardø, assim como o baú de remédios que Anna Rhodius tanto havia cuidado.

Nos últimos três anos, Maren não havia saído do lado de Elisa. No começo, ela tinha sido sua criada. Navegaram juntas para o Sul até a cidade de Bergen com seus três gatos, Pretinha, Malhado e Laranja. O corvo preto de Maren a seguia no céu, pousando de vez em quando no topo do mastro principal se ela desse uma volta no convés. Durante a viagem, Elisa contou a ela todos os abusos aos quais Orning a sujeitara.

Depois de seu terrível fim, não houve repercussões. Parecia que os próprios soldados o detestavam, e o jovem capitão Hans agradeceu à esposa do governador ao reportar a morte do governador e do beleguim como trágicos acidentes.

Em Bergen, o pai de Elisa, Jan Rosencrantz, estava ansioso para casar sua filha com alguém.

– Eu não quero ser esposa ou mãe – Elisa havia protestado em particular para Maren –, eu não quero filhos.

– Vamos encontrar um jeito – Maren assegurou a ela.

– Você sempre com seus jeitos – dissera Elisa, mas ela sorriu, porque acreditava em Maren.

Em todas as reuniões de nobres, Maren era apresentada como a criada de Elisa. E saiu à caça do marido que seria perfeito para as duas. Não demorou muito para que ela o encontrasse. O exuberante Ulrico Frederico Gyldeløve, filho ilegítimo do rei Frederico III.

Ulrico tinha um jeito brincalhão e feições atraentes, com seus cabelos dourados e uma carreira militar glamorosa. O melhor de tudo, ele tinha um amante. Quando Ulrico não estava em guerra, estava na França ou na Itália ou até mesmo em Londres. Sempre acompanhado de seu valete de confiança, que fazia seu coração bater mais rápido, Reinhard. Ulrico também possuía uma casa no centro de Copenhague, que ele raramente habitava, mas que se tornou o novo lar de Elisa e Maren.

Com exceção da primeira noite de casamento, que não poderia ser evitada, Ulrico e Elisa nunca haviam compartilhado a cama. Em sua união, eles se libertaram para amar quem desejassem.

Pouco depois de Elisa casar, Maren assumiu a identidade de uma prima da Noruega há muito perdida. Desempenhou seu novo papel de nobre com facilidade, apagando seu sotaque do Norte e imitando todos os outros cortesãos, embora, por dentro, ela estivesse rindo do absurdo de se curvarem e reverenciarem um homem, o rei.

Se soubesse, Maren teria se banqueteado dos mesmos pratos de prata dos quais Anna Rhodius uma vez havia comido. Bebido dos mesmos copos venezianos.

Mas eram as alegrias simples que mais agradavam a Maren: ela e Elisa entrando nuas nas fontes do rei sob o Sol da meia-noite, correndo em seus leves vestidos de verão, descalças pela grama orvalhada; subindo em sua enorme cama de molas e fechando as persianas de veludo; fazendo amor até adormecerem nos braços uma da outra.

Elas haviam desfrutado dos privilégios da corte dinamarquesa por dois anos, mas fazia apenas um mês desde que ela conhecera o rei. Elisa havia evitado convites para jantar com eles, com medo de como a rainha Sofia Amália reagiria ao ver suas cicatrizes de varíola.

Foi na noite anterior ao jantar com o rei e a rainha que Maren descobriu o segredo da caixa de escrita de Anna Rhodius. Ela estava fumando seu cachimbo noturno e decidiu abri-la novamente. Por que a mulher dobrou e selou com tanto esmero várias páginas em branco? Ela lembrava que Anna não tinha permissão para escrever com tinta ou pena, mas tinha visto uma pena de corvo afiada em uma ponta.

Ela tirou o primeiro quadrado de papel desdobrado, pois rompera o lacre havia muito tempo. Semicerrou os olhos e foi assim, enquanto segurava a página diante da vela, que começou a ver as letras. Então, A nna Rhodius possuía a própria magia, ao escrever usando seu suco de limão para tornar as palavras invisíveis.

Maren leu todas elas. Pensou que seriam endereçadas ao marido de Fru Rhodius. De modo algum. Todas eram endereçadas ao rei Frederico.

Depois de lê-las, ela as selou novamente, pingando com cuidado a cera de sua vela sobre as bordas ásperas do pergaminho. Colocou todas de volta na caixa e fechou a tampa.

Recostando-se na cadeira, reacendeu o cachimbo. *Ora, ora*, pensou.

Maren acreditava que todas as linhas deveriam ter um ponto final neste mundo e no próximo.

Na noite seguinte, enquanto jantavam, ela estudou o rei e achou que ele não tinha qualquer charme. Era um homem sisudo, encurvado por uma pesada cruz no pescoço, desinteressado na esposa de seu filho e na prima dela.

A rainha, por outro lado, nunca tirava os olhos de Maren.

– De onde você é? – perguntou ela.

– Finnmark – respondeu Maren.

A rainha franziu o cenho.

– Não, *de onde* você é? – Ela acenou com a mão para o rosto de Maren.

Maren sentiu Elisa ficar tensa de desagrado, mas ela não seria envergonhada, nem mesmo por uma rainha.

– O meu pai era mouro – disse ela com orgulho.

– Mas ele era cristão? – perguntou o rei Frederico, franzindo a testa.

– Ah, sim, muito devoto – disse Maren com voz doce, apertando a mão de Elisa para aliviar a indignação de sua amante. – Ele se converteu ao luteranismo antes de eu nascer. Passei a maior parte da minha infância rezando.

Ela podia sentir o riso borbulhando em sua garganta, sentir Elisa tremendo com o riso preso ao seu lado, o que a fez querer explodir em gargalhadas ainda mais. As mentiras caíam de sua boca! *Respire, Maren, vai perder a cabeça se disser mais alguma coisa.*

Sua infância tinha sido selvagem e livre com a mãe enquanto percorriam a ilha de Vardø com seus animais. Nunca soube quem era o seu pai.

Foi quando estavam saindo que Maren pegou a pequena caixa de escrita e a apresentou ao rei.

– O que é isto?

– Uma senhora chamada Fru Rhodius a legou a mim e pediu-me, se algum dia eu tivesse a sorte de estar em sua presença, para entregá-la ao senhor.

Os olhos escuros do rei se arregalaram.

– Ela está morta, então? – As palavras tão curtas e repentinas que soaram duras.

– Sim, pelos últimos três anos.

Maren viu um lampejo de emoção em seus olhos. O enrijecimento de sua postura.

– Mas por que me entregar isto?

– São cartas, majestade, que ela escreveu para o senhor.

Ele pegara a caixa com relutância.

– Você as leu?

– Claro que não. Além disso, estão lacradas.

Ela não era tola. Se o rei pensasse que ela conhecia seus segredos, haveria consequências.

Ele agarrou a caixa tão depressa que ela quase não a viu passar para ele. Quando olhou de novo, ele estava segurando a caixa com ambas as mãos, entre os dedos enfeitados com pedras preciosas enormes.

Mas, por um breve instante, Maren tinha visto suas garras escondidas dentro de seu gibão.

Ela era alta, então o topo da cabeça dele ficava visível. Se ela buscasse com os olhos entre suas grossas madeixas cinza e preta, lá estariam as pontas cortadas de seus chifres. Vermelhas como bagas de azevinho nos jardins de inverno reais.

*

Maren terminou o cachimbo e voltou para a cama com Elisa. Aconchegou sua amada sob o braço, que descansou a cabeça em seu peito.

– Ouviu falar que viram o lince de novo? – comentou Elisa, com voz sonhadora.

– O que um lince estaria fazendo no jardim do rei em Copenhague? – perguntou Maren, com uma provocação na voz.

– Você sabe muito bem, *min kjære* – respondeu Elisa, acariciando a camisola de seda de Maren com a mão. – Um dos jardineiros disse à cozinheira que o viu no pomar de pereiras. Podemos ir procurar suas pegadas nós mesmas, se não acredita em mim!

– Pode ser… – disse Maren, sorrindo para si mesma.

– E parece que o rei viu o lince. Estava em frente à janela da biblioteca enquanto ele lia. Tão quieto, e ele estava tão ocupado lendo que não percebeu a princípio. Mas há rumores de que quando o viu, eles se olharam através do vidro. O homem mais nobre e o mais nobre dos animais, e nenhum dos dois se moveu.

– Um ponto de reconhecimento, talvez? – Maren suspirou. – Embora eu tema que seja uma história muito exagerada; realmente, se a cozinheira lhe contou…

– É verdade – protestou Elisa, dando um tapinha gentil em Maren. Maren pegou a mãozinha de sua amada e a envolveu com a própria. Colocou-a sobre o seu coração palpitante. Nunca se sentira tão amada em todos os seus anos sobre a terra do Bom Deus.

– Bem, de fato, suas histórias me lembraram de uma que eu gostaria de lhe contar.

– Ah, sim, por favor, Maren, *min kjære* – Elisa olhou para cima, toda sua, cheia de confiança.

Maren nunca se sentira tão poderosa antes.

*

Quando Maren terminou de contar a história, Elisa tinha adormecido de novo. Ela continuou a acariciar a coroa de cabelos claros e macios de seu amor, com a ação calmante. A câmara ainda estava pungente com o aroma de sua fumaça de cachimbo, que serpenteava pelo ar. Os sinos da catedral começaram a repicar.

Eles tocaram junto do som de criaturas pousando no telhado – os murros eram pesadas demais para serem pássaros. Ela conseguia ouvir guinchos, arranhões, e batidas na neve deslocada do telhado de ardósia, e a criatura caiu com um baque no chão lá fora.

A janela de treliça se abriu e, na manhã de um azul profundo, todos os tipos de bestas diabólicas invadiram o seu quarto. Elas acordaram Malhado e Laranja, que pularam e sibilaram com a interrupção do sono; Pretinha arqueou as costas e Corvo entrou voando e pousou no ombro de Maren. Mas Elisa continuou a dormir.

Maren não estava com medo. Ela estava esperando por elas. Colocou a mão protetora sobre a testa adormecida de Elisa e sussurrou as palavras que ela sempre soube.

Giram, giram as meninas,
Bolsos cheios de cachos ruivos,
Cala, empurra
Todas nós caímos.

A monstruosa cacofonia rodeou a cama em meio a uma multidão barulhenta: um sátiro de rosto azulado e um fauno felpudo, um grifo com penas eriçadas e um minúsculo dragão que cuspia faíscas de fogo. E mais criaturas que ela nunca tinha visto antes: cabeças de galo vermelho com patas de porco; peixes voadores; três bodes grosseiros; pardais gigantes maiores que falcões; uma coruja usando a saia desbotada da viúva Krog; uma lebre branca com a fita azul de Zigri enrolada nas orelhas compridas; os cachos de cobre de Solve em um gato preto; um rato preto gigante rodopiando, usando o vestido de seda de Anna Rhodius, com a chave prateada da cova das bruxas refletindo à luz. E lá estava Zacharias, a cordeira, nas patas traseiras, segurando um limão amarelo brilhante em seus cascos, balindo e balindo para ela com os olhos úmidos.

– Vão embora, animais sem sentido – ordenou Maren. – Visões, terrores noturnos e truques do patriarcado. Fora daqui!

A congregação de criaturas infernais se fundiu em uma grande multidão preta. E Maren continuou repetindo as palavras:

Giram, giram as meninas,
Bolsos cheios de cachos ruivos,
Cala, empurra
Todas nós caímos.

Em sua mente, estavam as três dançando em círculo. A pequena e séria Ingeborg e sua pele aquecida pelo sol. E lá estava também a risonha Kirsten e sua abundância de cachos ruivos. Girando e girando iam as três. Uma irmandade de resiliência.

Giram, giram as meninas,
Bolsos cheios de cachos ruivos,
Às cinzas! Às cinzas!
Todas nós queimamos

Os olhos injetados de sangue das bestas que o Maligno havia enviado zombavam dela. Ela sibilou de volta para eles junto dos três gatos familiares: Pretinha, Malhado e Laranja. O corvo desceu e bicou seus olhos até ficarem cegos.

Giram, giram as meninas,
Bolsos cheios de cachos ruivos,
Cala, amaldiçoa
Agora vocês caem.

A horda levantou voo. Como se fossem uma só pluma, voaram para fora da chaminé, com as chamas lambendo suas caudas.

Assim que ela viu a última asa afastar-se, os familiares se reuniram em um círculo protetor ao redor da cama: Corvo ao Norte, Pretinha ao Sul; Laranja a Leste e Malhado a Oeste. Maren e Elisa estavam seguras, mesmo que o Senhor das Trevas fosse o próprio rei da Dinamarca e da Noruega.

A temida garota das terras do Norte do fogo e do gelo foi morar na cidade prometida de Copenhague, com suas casas de tijolos vermelhos, palácio com torres verdes e o jardim da esperança do rei. Ao longo dos canais de Christian-shavn, ela compartilhava um amor tão raro que valia mais do que a maior joia que já havia adornado uma rainha. Ela passeava com os animais selvagens e domesticados, ouvia os pássaros, sabia quando as tempestades soprariam e a neve cairia. Ela seria uma filósofa e uma poetisa. Amada. Irmã. Mas, mesmo assim, em todos os anos que se seguiram, Maren Olufsdatter jamais esqueceria que já tinha sido uma bruxa.

A BRUXA, O LINCE E O SENHOR DAS TREVAS

Era uma vez uma bruxa que vivia como criada, ou cozinheira, ou lavadeira, ou costureira, ou ama de leite, ou esposa em um grande castelo, na ilha mais rochosa no extremo Norte.

No primeiro inverno depois de ter se tornado mulher, ela ficava acordada todas as noites entre dois sonos. O primeiro era o sono que seu corpo cansado precisava depois de todas as tarefas, incluindo as privadas que seu mestre precisava. Mas todas as noites a lua a acordava, embora o mestre continuasse dormindo. Mesmo que fosse uma pequena lua crescente, mesmo que estivesse escura, ela sentia a pulsação do tempo da lua em seu sangue e ossos e não conseguia dormir.

Na hora da vigília, ela saía da enorme cama, embora o piso de laje fosse frio sob os seus pés descalços. Ela olhava pela janela do castelo, através da neve prateada e em direção ao mar escuro e ondulante. Podia ouvir seu chamado e, de todo o coração, queria escapar do castelo, embora não soubesse por quê.

Sua intuição sempre guiaria seu coração. Ela saía de fininho do quarto, descia a escada de pedra, abria a grande porta do salão e corria para fora.

A bruxa que não sabia que era bruxa vagava ao longo da costa, ouvindo o sibilo do mar conforme ele chiava na praia gelada, observando a névoa subir como vapor prateado ao luar. Enquanto caminhava, ela refletia sobre sua vida. Depois de uma longa distância, finalmente se cansava e voltava para casa no castelo. Ela entrava às escondidas pela porta, subia as escadas e voltava para a cama de seu mestre.

Então ela teria seu segundo sono, para o alimento de sua alma.

Pela manhã, ela seria acordada pelos chutes de seu mestre, quando ele a empurrava para fora dos lençóis quentes.

Acenda o fogo, cozinhe o mingau, lave meus colarinhos e meu lenço, remende minhas calças, alimente o bebê e seja o que eu quero que você seja.

A bruxa que não sabia que era bruxa, mas tinha sido chamada de criada, cozinheira, lavadeira, costureira, ama de leite - ou esposa, vagou todas as noites pelos mares invernais durante o ciclo de uma lua inteira. Sob a crescente Lua mártir, na 28ª noite, ela sentiu a chegada de seu sangramento. A bruxa se virou para voltar ao castelo, onde poderia aliviar suas cólicas com um pequeno copo de genebra tirado do porão de seu mestre.

Mas, bem à sua frente, estava um lince. Ela arquejou, em choque. De onde tinha vindo? Ele havia se aproximado dela tão sorrateiro! O lince balançou o rabo para ela e a encarou com olhos dourados. A bruxa que não sabia que era bruxa ficou muito quieta, mas o sangue escorreu por entre as pernas. Pingando. Pingando. Pingando. Sobre a neve.

O lince se esgueirou até ela, e a bruxa pressionou as mãos no coração, pois acreditava ser seu último momento na terra. Ele estava tão perto agora que ela sentia seu hálito quente em suas mãos nuas. Esperou para sentir as presas afundarem em sua carne, mas, para a sua surpresa, o lince lambeu suas mãos com uma língua áspera e então a empurrou para o lado. Ela tropeçou para trás, e o animal se curvou diante dela com profundos e graciosos alongamentos felinos. Então o lince se deitou e rolou no sangue menstrual da bruxa que havia salpicado a neve.

Quando o lince terminou, ela se levantou. O pelo branco e fulvo estava marcado com manchas escuras de marrom ferrugem.

A bruxa que não sabia que era bruxa olhou nos olhos dourados do lince.

Por que você se cobriu com meu sangue?

Porque eu sou parte de você. Sou seu guia espiritual. Sou seu familiar.

A bruxa que não sabia que era bruxa ficou maravilhada e espantada. Começou a pensar: *Sou mais que cozinheira, mais que criada, mais que lavadeira, mais que costureira, mais que ama de leite, mais que esposa.*

Fizera suas tarefas como de costume, mas dentro de si havia uma vozinha que cantava o dia todo: *Você é mais.*

Talvez o senhor do castelo tenha notado que a bruxa estava diferente, pois na manhã seguinte a agarrou pelo cotovelo.

– Aonde você vai à noite? Você acredita que eu durmo, mas ouvi você – acusou ele. – Ouço a lenta abertura da tranca de meu quarto e a batida da porta do salão quando você sai. Olho pela janela, mas não consigo vê-la em lugar algum. Mesmo sob a lua cheia, você desaparece – O senhor do castelo cravou as unhas na pele da bruxa. – Mas vejo você na minha cabeça correndo para o mar escuro. Quem você encontra? Que bruxaria é esta? Você faz sexo com o Diabo?

A bruxa disse a seu mestre que não havia saído de sua cama.

– Vou perguntar de novo, quem você encontra? Pois posso sentir o cheiro do mar em você. Ver os pólipos emaranhados em seu cabelo. O sangue na ponta dos seus dedos. Você sabe mais do que eu, e *não* vou aceitar isso.

A bruxa se recusou a dizer-lhe qualquer coisa, porque não queria que o senhor do castelo caçasse e matasse o lince.

Então, em vez disso, o mestre quebrou a bruxa.

– Conte-me seus segredos – ordenou ele, torcendo o braço da bruxa atrás das costas.

Mesmo quando ouviu o estalo do osso, o mestre não parou. A bruxa chorava de dor, mas ele acreditava que as lágrimas eram falsas. Cada vez que olhava nos olhos da bruxa, *ele* sentia o terror como um soco na barriga.

Ele esmagou os polegares da bruxa, mas ainda assim ela não confessava. Seus gritos alcançaram o lince bem a Leste, nas florestas perto da Rússia. Ela arqueou as costas em agonia e sibilou centelhas de coragem para a bruxa.

Demorou sete dias para o mestre derrotar o que ele viu como maldade na bruxa. A vontade dela.

Ele a fez falar. Seus lábios ensanguentados e machucados cuspiram as palavras. *Eu sou uma bruxa.*

– Você deu para o Diabo o que nunca deu para mim – o mestre acusou a bruxa.

– Você tinha meu corpo, minha lealdade e toda a minha vida em suas mãos – sussurrou a bruxa de volta, um amontoado de dor nas lajes do castelo.

– Mas você nunca me deu seu consentimento – retrucou o mestre, furioso.

A bruxa encarou seu senhor e mestre, com sua alta estatura, sua pele azul arsênico e cabelos brancos como ossos. Ele era forte e poderoso, mas ela não tinha medo dele. Ela sentiu o olhar firme do lince dentro de si, e viu-o se encolher como se ela tivesse cravado uma lâmina em sua carne.

– É meu dever ver você queimar – sussurrou ele, abaixando a cabeça de vergonha.

E assim foi. A juventude da bruxa, sua beleza e sua sabedoria foram levadas pelo Senhor das Trevas. Suas cinzas flutuaram acima das neves mais profundas do inverno.

Mas a bruxa nunca morre, porque ela vive em você e ela vive em mim. Se em algum momento você se esquecer disso, feche os olhos e verá seu magnífico lince correndo por toda a eternidade, salpicado com o sangue de bruxa.

SOBRE FATOS E FICÇÃO

As bruxas de Vardø é inspirado nos eventos definitivamente reais e terríveis da caça às bruxas ocorrida na ilha de Vardø entre 1662 e 1663. A maioria das personagens é inspirada em pessoas do passado que estiveram envolvidas nos julgamentos das bruxas, os quais foram documentados em registros do tribunal. Para certas personagens, como Zigri Sigvaldsdatter, mudei os primeiros nomes para facilitar a leitura, já que muitas pessoas na época compartilhavam os mesmos nome (o nome verdadeiro de Zigri era Mare). Anna Rhodius foi de fato a prisioneira do rei enviada a Vardø na mesma época dos julgamentos das bruxas, e é ela quem tem sido culpada pelo "pânico" desde então. Eu quis lançar um outro olhar ao seu caráter, pois sentia que era conveniente para a história culpar Anna em vez dos homens no poder. Quanto a Maren e Ingeborg, elas tinham de fato menos de dezesseis anos na época dos julgamentos das bruxas, e Maren aparece nos registros do tribunal como uma jovem franca, ansiosa por contar histórias fantásticas sobre os seus encontros com o Diabo.

Infelizmente, os eventos factuais de 1662-1663 são ainda mais horríveis do que minha ficção. Um total de vinte mulheres morreu como resultado de perseguições à bruxaria entre outubro de 1662 e abril de 1663. Dezoito foram queimadas na fogueira e duas foram torturadas até a morte. Quando eu estava trabalhando no romance, muitas vezes recitava seus nomes como um cântico de recordação:

Maren Sigvaldsdatter
Solve Nilsdatter
Ingeborg, esposa de Peder Krog (torturada até a morte)
Dorette Lauritsdatter
Ragnild Clemidsdatter
Maren Mogensdatter
Maren Henningsdatter

Maritte Rasmusdatter
Sigri Olsdatter
Guri, esposa de Laurit
Ellen Gundersdatter
Karen Andersdatter
Margrete Jonsdatter
Sigri Jonsdatter
Gundelle Olsdatter
Dorette Poulsdatter (torturada até a morte)
Barbra Olsdatter
Bodel Clausdatter
Birgitte Olufsdatter
Karen Olsdatter

As seguintes mulheres foram absolvidas no tribunal de apelação em 23 de junho de 1663:

Gertrude Siversdatter
Ragnild Endresdatter
Madalena Jacobsdatter
Karen Nilsdatter (esposa de Peder Olsen)
Maren Olufsdatter
Ingeborg Iversdatter
Karen Iversdatter
Kirsten Sørensdatter
Karen Nilsdatter
Siri Pedersdatter

*

Mais tarde, em 1671, uma mulher chamada sámi Elli morreu sob custódia acusada de bruxaria.

Durante os julgamentos de bruxaria em Finnmark, no Norte da Noruega, durante o século XVII, 135 pessoas foram julgadas das quais 91 foram executadas, a maioria delas na fogueira.

A última pessoa a morrer em um julgamento de bruxa em Finnmark foi Anders Poulson em 1692, um homem sámi de cem anos acusado de ter um tambor rúnico e de praticar xamanismo.

O Steilneset Memorial às vítimas da caça às bruxas em Finnmark é uma colaboração artística única entre Louise Bourgeois, artista american nascida na França, e o arquiteto suíço Peter Zumthor. Está situado no antigo local antigo de execução na ilha de Vardø e é uma homenagem poderosa e comovente àqueles acusados e executados por bruxaria.

*

Quando morei na Noruega, passei um tempo considerável pesquisando a história dos julgamentos de bruxas. Viajei duas vezes para a remota ilha de Vardø com a intenção de erguer, com ternura, as vozes das mulheres esquecidas que foram executadas por bruxaria. Ao escrever, minha esperança é permanecer fiel ao espírito destas mulheres fortes do Norte e levar suas histórias além do papel de vítimas. No entanto, meu romance é, acima de tudo, ficção, e eu encorajo você ase aprofundar na história do período caso o seu interesse por esta história tenha sido despertado.

A seguir, estão algumas das obras históricas que eu recomendo:

The Witchcraft Trials in Finnmark Northern Norway, de Liv Helene Willumsen, traduzido por Katjana Edwardsen, Skald, Bergen, 2010;

Witches of the North, Scotland and Finnmark, de Liv Helene Willumsen;

The Steilneset Memorial, Art, Architecture, History, Reidun Laura Andreassen, Liv Helene Willumsen (Ed.);

By the Fire, Sámi Folktales and Legends, contos coletados e ilustrados por Emilie Demant Hatt, traduzidos por Barbara Sjoholm;

Yoik in the Old Sámi Religion, de Elin Margrethe Wersland, Gjert Rognli;

Enemies of God, The Witch Hunt in Scotland, de Christina Larner;

Witchcraft in Early Modern Scotland, de Lawrence Normand e Gareth Roberts;

The Complete and Original Norwegian Folktales of Asbjørnsen & Moe, traduzido por Tiina Nunnally;

Witches of Scotland Podcast: https://www.witchesofscotland.com.

AGRADECIMENTOS

Um enorme agradecimento à minha agente Marianne Gunn O'Connor por acreditar nesta história e encontrar a casa perfeita para ela. Obrigada a todos da Manilla Press e sua talentosa equipe, em especial, Kate Parkin, Margaret Stead e minha editora Justine Taylor. Meus sinceros agradecimentos a Alison Walsh por sua visão especializada sobre o manuscrito, bem como a Helen Falconer por suas valiosas opiniões sobre o desenvolvimento inicial.

Sou muito grata à professora Liv Helene Willumsen, da Universidade de Tromsø, na Noruega, que gentilmente se encontrou comigo e respondeu muitas perguntas, bem como providenciou um suprimento de seus artigos e livros sobre os julgamentos de bruxas em Finnmark e na Escócia. Todos os erros históricos são meus e por motivos de licença poética! As epigramas no início das Partes 2, 3 e 4 são reproduzidos com a sua gentil permissão de seu livro *The Witchcraft Trials in Northern Norway*, que está listado na leitura recomendada.

Também sou grata pela ajuda e apoio fornecidos por Synnøve Fotland Eikevik no Varanger Museum em Vardø, e a Jorunn Jernsletten, curador do Várjjat Sámi Musea, por sua orientação sobre as seções do manuscrito que apresentam personagens e cultura sámi, bem como a muitos outros historiadores e escritores de história da bruxaria, julgamentos de bruxas e sobre os povos sámi; e à música da cantora sámi, Mari Boine, e da artista norueguesa Aurora, por me inspirarem enquanto escrevia o livro.

Meus profundos agradecimentos por ter recebido o financiamento de emergência da Creative Scotland e da Society of Authors, que me permitiram escrever *As Bruxas de Vardø* durante os dois períodos de *lockdown*.

A lista de todos os queridos amigos e familiares que me apoiaram e me permitiram trazer esta história ao mundo é interminável. Então, a todos vocês, muito obrigada, do fundo do meu coração, por acreditarem em mim e me encorajarem em minha jornada com este romance. A todos os meus leitores do passado e do presente, obrigada por compartilharem um pouco do seu precioso tempo com minhas histórias.

GLOSSÁRIO

Anjinhos – instrumento de tortura. É um torno com pinos salientes nas superfícies internas. Os polegares ou dedos da vítima são colocados no instrumento e lentamente esmagados.

Bask – nome tradicional de um barco costeiro sámi. É É usado principalmente com remos, mas também possui uma pequena vela.

Beaivváš – nome sámi para o deus Sol.

Beaivenieida – nome sámi para a filha do deus Sol.

Bieggagállis – nome sámi para o deus do vento.

Bifrost – a flamejante ponte arco-íris da mitologia nórdica que conecta a terra a Asgard, o reino dos deuses.

Blåveis – flor azul-escura com folhas verdes em forma de fígado, encontrada na Noruega.

Boahjenásti – nome sámi para a Estrela do Norte.

Bøffelbay – um material macio e grosso de lã cardada, frouxamente fiado, lanoso de um lado, liso do outro.

Cavalete – um instrumento de tortura de estrutura retangular de madeira, que é um pouco elevado do solo com um rolo em uma ou ambas as extremidades. Os tornozelos da vítima são presos a um rolo e os pulsos, acorrentados ao outro. À medida que o interrogatório avança, a alavanca presa ao rolo superior é girada para aumentar a tensão nas correntes, resultando em dor extrema, até que as articulações da vítima se desloquem e, eventualmente, separem-se.

Demonologia – ramo da teologia, com foco no estudo de demônios ou crenças sobre demônios. Durante a época das caças às bruxas mais intensas, entre 1350 e 1750, a demonologia era considerada um campo de estudo sério e importante. Muitos grandes teólogos escreveram volumes sobre demonologia e bruxaria, incluindo o rei James VI da Escócia, que em 1597 publicou seu *Daemonologie*. Gradualmente, cresceu um movimento cético quanto à veracidade da bruxaria, como Reginald Scot em seu *The Discoverie of Witchcraft,* publicado pela primeira vez em 1584.

Domen – monte próximo a Vardø, o mais infame de todos os locais de encontro de bruxas no Norte da Noruega.

Familiar – espíritos ou animais que acompanham as bruxas.

Flatbrød – pão sem fermento, assado crocante e amassado em pedras, geralmente feito de centeio.

Gákti – túnica tradicional sámi.

Gálssohat – perneiras tradicionais sámi feitas de peles de pés de rena.

Genebra – gim holandês.

Goahti / gamme – uma cabana ou tenda sámi coberta de turfa, tecido ou madeira, e menos móvel que um *lávvu.*

Gullbrød – *Flatbrød* coberto com ovo e leite.

Guovssahasat – Palavra sámi para a aurora boreal que significa “as luzes que podem ser ouvidas”.

Havsfrue – sereia.

Huldrefolk – as pessoas escondidas da mitologia nórdica.

Klinning – sanduíche feito de purê de peixe, manteiga e fatias de *flatbrød.*

Klippfisk – bacalhau seco.

Lávvu – residência temporária usada pelos sámi do Norte, semelhante ao *tipi* dos povos nativos americanos, embora menos vertical e mais estável sob ventos fortes.

Liren – uma ave marinha, também conhecida como petrel.

Lefse – pão sem fermento, macio e fino, recheado com manteiga, açúcar e canela.

Malleus Maleficarum – ("O Martelo das Feiticeiras") um dos mais famosos tratados medievais sobre bruxas, publicado pela primeira vez na Alemanha em 1487. Seu principal objetivo era defender a existência de bruxas e instruir os magistrados sobre como identificar, interrogar e condenar as bruxas.

Min kjære – Meu querido/minha querida em norueguês.

Noaidi – xamã sámi.

Nordlys – as luzes do Norte (aurora boreal).

Riksdaler – uma moeda de prata, a principal moeda da Noruega entre 1544-1813.

Rømmekolle – pudim de creme azedo.

Runebomme – o nome genérico norueguês para o tambor sámi usado em rituais xamânicos. O nome é baseado no mal-entendido de que os símbolos no tambor eram runas.

Sámi – povos da tradição de pastoreio nômade no Norte da Noruega, Suécia e Finlândia, e na península de Kola, na Rússia. Também conhecidos como povos lapões.

Sáivu – o submundo sámi para onde vão os mortos.

Sáráhkká – deusa sámi do nascimento e da fertilidade, mãe de deus.

Siida – um assentamento nômade sámi.

Stegelsnes – também conhecido como Steilneset. Local de execução na ilha de Vardø.

Vidda – planalto montanhoso na Noruega.

Yoik – canção tradicional sámi.

Junte-se ao coven

SAUDAÇÕES, CARO LEITOR

Muito obrigada por escolher meu romance *As bruxas de Vardø* e escolher passar um tempo neste mundo. Há anos sou apaixonada por esta história, desde quando descobri os eventos reais dos julgamentos de bruxas norueguesas durante minha estadia no país Meu propósito, nestas páginas, é erguer as vozes perdidas das mulheres acusadas de bruxaria com ternura, e ao mesmo tempo revigorar sua história do século XVII com ressonância contemporânea.

Os julgamentos de bruxas na Noruega ocorreram na remota ilha de Vardø, bem acima do Círculo Polar Ártico. Pesquisando para o romance, passei um tempo em Vardø. Experimentei vinte e quatro horas de escuridão no meio do inverno, nevascas e tempestades que me prenderam na ilha, bem como a luz sem fim no meio do verão com o guincho implacável dos pássaros árticos que faziam ninho sob o Sol da meia-noite na península de Varanger. Em tal lugar de extremos, imaginei como seria fácil acreditar em magia maléfica e na ameaça do Diabo, que tenta nos atrair para os seus domínios sob o monte Domen. Visitei o comovente memorial aos acusados de bruxaria em Steilneset, caminhando pelo austero corredor em forma de suporte de pesca com lâmpadas e histórias trágicas, criado por Peter Zumthor, e entrei eu mesma na cadeira em chamas de Louise Bourgeois, refletida em seus espelhos gigantes de contos de fadas. Enquanto o mar violento se chocava contra a borda irregular da terra onde as bruxas condenadas haviam sido queimadas na estaca, fiquei com o coração partido e com raiva. Como deve ter sido ser chamada de bruxa e saber as consequências de ser julgada? Pois poucas escapavam da fogueira. Como pudemos ter esquecido todas as milhares de mulheres acusadas e executadas por bruxaria, não apenas na Noruega, mas em todo o mundo, e não apenas no passado?

Mas minha mensagem em *As bruxas de Vardø* não é de escuridão e desespero, porque este é um romance que visa retomar a autonomia das mulheres que caminham em suas páginas. Durante o meu tempo na Noruega, encontrei os grandes felinos, os linces e, maravilhada com sua graça majestosa, descobri um símbolo para o feminino selvagem que habita em TODOS nós, não importa o gênero. Nas páginas de *As bruxas de Vardø*, em paralelo à história dos julgamentos das bruxas, você encontrará vestígios de magia ancestral e releituras de contos populares nórdicos dos quais você pode se se apoderar para guardar em seu próprio coração e mente. E nestas fronteiras borradas entre o real e o mágico, eu, como escritora, e você, como leitor, juntos libertamos as mulheres e meninas de Vardø do trauma de sua perseguição no passado. *As bruxas de Vardø* emergem do século XVII e vivem e respiram em nossas ações, pensamentos e palavras. Elas celebram cada pequeno passo que damos para desmantelar o patriarcado e nos lembram de dançar, dançar e dançar, não importa o gênero nem a idade e, o mais importante, todos nós juntos!

Se quiser saber mais sobre os meus livros e sobre a história por trás de *As bruxas de Vardø*, visite www.anyabergman.com, onde você poderá fazer parte do Anya Bergman Reader's Club. Leva apenas alguns minutos para inscrever-se, e não há truques nem custos.

A Bonnier Zaffre manterá seus dados privados e confidenciais, e eles nunca serão repassados a terceiros. Não vamos lotar sua caixa de entrada com e-mails demais, mas apenas entrar em contato de vez em quando com notícias sobre os meus livros, e você pode cancelar a inscrição quando quiser.

E se você quiser se envolver em uma conversa mais ampla sobre as minhas publicações, por favor, deixe uma resenha sobre *As bruxas de Vardø* na Amazon, no GoodReads, ou em qualquer outra loja virtual, em seu próprio blog e perfis de rede social, ou fale sobre ele com seus amigos, familiares ou grupos de leitores! Compartilhar seus pensamentos ajuda outros leitores, e sempre gosto de ouvir sobre a experiência das pessoas com a minha escrita.

Obrigada, mais uma vez, por ler *As bruxas de Vardø*.

Com amor,

Anya x
www.anyabergman.com

Confira uma história escrita especialmente para esta edição

AS QUATRO GATAS

Certa vez, duas garotas chamadas Maren e Ingeborg e duas mulheres com os nome Zigri e Solve ficaram presas no fundo de um terrível fosso fedorento. Elas eram tratadas pior do que os ratos que corriam por cima de seus corpos imundos.

Contudo, na véspera de Natal, a lua brilhou com intensidade sobre elas do topo de seu fosso. Elas puderam ver o céu estava aberto. Se ao menos conseguissem sair! Mas as paredes eram íngremes e cobertas de lodo. Elas uniram as mãos e fizeram suas orações ao Bom Deus. A magia da lua tocou a pele das quatro cativas, e elas sentiram seus corpos começarem a se transfigurar em pássaros. Penas se agitaram na ponta dos seus dedos, seus peitos se expandiram altivos, enquanto seus corações dispararam e seus olhos piscaram e se abriram para uma nova maneira de ver. As quatro se transformaram em pássaros diferentes: Maren em um corvo, Zigri em uma pomba, Solve em uma tarambola e Ingeborg em uma águia.

A primeira a levantar voo foi Maren, o corvo, e ela liderou o caminho, enquanto as outras circulavam cada vez mais alto. Elas voaram, grasnando de prazer com o ar puro. Sobrevoaram o Estreito de Varanger, porque queriam voltar para a sua aldeia. Mas quando lá lá chegaram, suas cabanas de turfa haviam sido derrubadas e a turfa, usada para fazer fogueiras para os vizinhos cozinharem. Elas ficaram muito tristes. As quatro aves pousaram no telhado da casa do mercador Brasche.

– O que faremos agora? – perguntou a pomba Zigri.

– É véspera de Natal e devemos nos divertir! – respondeu Maren, o corvo.

Elas olharam pela chaminé da casa do mercador Brasche e puderam ver que ele estava dormindo em sua cadeira perto do fogo, depois de ter bebido muita cerveja.

– Vamos roubar um pouco da cerveja do mercador, pois ele já roubou bastante peixe de nossos homens – sugeriu Solve, a tarambola.

O corvo preto achou uma ótima ideia.

– Você colhe o que semeia – disse ela às outras.

Elas oraram ao Bom Deus novamente, e desta vez as luzes do Norte faiscaram espectrais no céu e a poeira verde e metamorfoseante caiu sobre as quatro aves.

Elas picaram os dedos com os bicos e espalharam o sangue umas das outras sobre seus corpos. Cantaram seus cantos de pássaro, e as notas se entrelaçaram em encantamentos poderosos. As penas se transformaram em pelos e essa transformação doeu. Pelos brotaram, pinicando a pele, bigodes cresceram, ossos racharam e estalaram, enquanto rabos cresciam entre suas pernas. Mas, em seguida, veio a doce rendição após a mudança, pois agora elas eram gatos. Esticando e esticando a sua força felina.

Maren, o corvo, tornou-se uma gata preta, Ingeborg, a águia, tornou-se uma pequena gata malhada, enquanto Solve, a tarambola e Zigri, a pomba, tornaram-se grandes gatas alaranjadas, uma com olhos azuis e a outra com olhos verdes. Elas se cumprimentaram com miados, os seus bigodes fizeram cócegas nos focinhos aveludados uma da outra.

Juntas, elas escalaram as paredes da casa do mercador Brasche e se esgueiraram pelo buraco de fumaça, entrando sem serem vistas em seu porão. Elas se serviram do conteúdo de seus barris. O Bom Deus soprou chamas em um chifre ao seu lado para que elas pudessem enxergar. Elas beberam a cerveja, ronronando de prazer. Perseguiram o rabo uma da outra, correndo por todas as partes do porão, deixando a marca de suas pegadas e seu cheiro felino almiscarado. As quatro gatas chamavam umas às outras, em miados tensos de ódio pelo aprisionamento. Pois os gatos nunca foram domesticados, não por completo.

O barulho acordou o mercador Brasche e ele desceu correndo as escadas para o porão. As gatas dispararam por entre suas pernas e fugiram enquanto o mercador berrava de raiva ao ver seus barris de cerveja vazios.

As quatro gatas saltaram no ar e, ao fazê-lo, os pelos se transformaram em penas, e elas voltaram a se transformar em pássaros. Voaram até o topo do monte Domen, tão embriagadas que suas asas batiam descompassadas. Quando chegaram ao topo da montanha, queriam tanto dançar que se renderam às suas formas humanas: as duas meninas, Maren e Ingeborg, e as duas mulheres, Zigri e Solve. O Bom Deus se juntou a elas com seu violino vermelho e tocou para elas. As mulheres e as meninas dançaram e dançaram até não estarem mais bêbadas. Elas deram as mãos e louvaram ao Bom Deus por tirá-las do poço infernal e dar-lhes alegria em uma rara véspera de Natal.

Os homens o chamavam de Diabo, mas nossas mulheres felinas e emplumadas sabiam a verdade.